La Course secrète

Tyler Hamilton et Daniel Coyle

La Course secrète

CYCLISME, DOPAGE ET TOUR DE FRANCE
TOUTE LA VÉRITÉ

Traduit de l'anglais (États-Unis) par Anatole Muchnik

Hurtubise

Catalogage avant publication de Bibliothèque et Archives nationales du Québec et Bibliothèque et Archives Canada

Hamilton, Tyler, 1971-

La course secrète

Traduction de : The secret race.

ISBN 978-2-89723-192-7

I. Hamilton, Tyler, 1971- . 2. Armonstrong, Lance. 3. Tour de France (Course cycliste). 4. Courses cyclistes – Pratiques déloyales. I. Coyle, Daniel. II. Titre.

Les Éditions Hurtubise bénéficient du soutien financier des institutions suivantes pour leurs activités d'édition :

- Gouvernement du Canada par l'entremise du Fonds du livre du Canada (FLC) ;
- Société de développement des entreprises culturelles du Québec (SODEC) ;
- Gouvernement du Québec par l'entremise du programme de crédit d'impôt pour l'édition de livres.

Conception de la couverture : René St-Amand
Illustration de la couverture : Hemera, Thinkstock.com
Mise en pages : Folio infographie
Traduction : Anatole Muchnik
Titre original : *The Secret Race: Inside the Hidden World of the Tour de France: Doping, Cover-ups and Winning at all Costs*

ISBN : 978-2-89723-192-7 (version imprimée)
ISBN : 978-2-89723-193-4 (version numérique PDF)
ISBN : 978-2-89723-194-1 (version numérique ePub)

Dépôt légal : 2e trimestre 2013
Bibliothèque et Archives nationales du Québec
Bibliothèque et Archives Canada

Diffusion-distribution au Canada :
Distribution HMH
1815, av. De Lorimier
Montréal (Québec) H2K 3W6
www.distributionhmh.com

Imprimé au Canada

www.editionshurtubise.com

À ma maman

Tyler Hamilton

À Jen

Daniel Coyle

Quand on enferme la vérité sous terre, elle s'y amasse,
elle y prend une force telle d'explosion que,
le jour où elle éclate, elle fait tout sauter avec elle.

Émile Zola

Table des matières

Comment est né ce livre, par Daniel Coyle 13

1. Entrée en course 25
2. La réalité 41
3. Eurodogs 51
4. Chambre commune 75
5. Une équipe d'enfer 91
6. 2000 : la machine se met en place 113
7. Un cran au-dessus 135
8. La vie de quartier 151
9. Nouveau départ 171
10. La vie au sommet 189
11. L'attaque 205
12. Tout ou rien 221
13. Attrapé 241
14. Le bulldozer de Novitzky 265
15. Cache-cache 279
16. Virage à 180 degrés 291

Postface 305

Que sont-ils devenus ? 325

Remerciements 329

Comment est né ce livre

Daniel Coyle

En 2004, je me suis installé en Espagne avec ma famille dans l'intention d'écrire un livre sur la tentative par Lance Armstrong de gagner un sixième Tour de France. C'était un projet passionnant à plusieurs égards, mais surtout en raison de la part de mystère qui en constituait le cœur : qui était vraiment Lance Armstrong ? Était-il un champion authentique et noble, comme le pensaient beaucoup ? Ou bien un as du dopage, un tricheur, comme le prétendaient d'autres avec insistance ? Ou bien la vérité se situait-elle quelque part entre les deux ?

Nous avons loué un appartement à Gérone, la ville qui servait de base d'entraînement à Armstrong, à dix minutes à pied de la maison aux allures de forteresse que le coureur cycliste partageait avec sa compagne de l'époque, Sheryl Crow. J'ai passé quinze mois sur la planète Lance, à fréquenter ses amis, ses coéquipiers, ses médecins, ses entraîneurs, ses avocats, ses agents, ses mécanos, ses masseuses, ses adversaires, ses détracteurs et, évidemment, Lance Armstrong lui-même.

J'ai apprécié l'énergie débordante du personnage, son sens de l'humour et son talent de meneur d'hommes. J'ai moins goûté ses sautes d'humeur, son culte du secret et le traitement brutal qu'il réservait parfois à ses coéquipiers et à ses amis – mais j'étais conscient qu'on n'était pas dans une cour de récréation : le cyclisme est le sport le plus exigeant du monde, tant sur le plan physique que mental. J'ai rendu compte aussi fidèlement que possible des différents aspects de l'histoire et cela a donné *Lance Armstrong's War* (*La Guerre de Lance Armstrong*), un livre que plusieurs coéquipiers d'Armstrong ont jugé objectif et équitable. (Armstrong a déclaré pour sa part que l'ouvrage ne lui posait pas de problème.)

Après la parution du livre, on m'a souvent demandé si je pensais qu'Armstrong se dopait. J'étais partagé, mais avec le temps sa culpabilité devenait une vraie possibilité. D'un côté, il y avait les éléments indirects : les études montraient que le dopage permettait une amélioration de 10 à 15 % des performances dans un sport où le dénouement tient souvent à une fraction de point de pourcentage. Par ailleurs, tous les participants au Tour de France à être jamais montés sur le podium avec Armstrong avaient fini par être convaincus de dopage, de même que cinq de ses coéquipiers au sein de la redoutable équipe US Postal Service. Et puis il y avait les liens étroits et anciens d'Armstrong avec le Dr Michele Ferrari, alias « le Diable », le mystérieux Italien, connu comme l'un des médecins les plus sulfureux du cyclisme.

De l'autre côté, Armstrong avait passé haut la main des dizaines de contrôles antidopage. Il s'était aussi défendu avec vigueur, et avait obtenu gain de cause dans plusieurs procès retentissants. En outre, j'avais toujours dans un coin de ma tête le raisonnement de dernier recours : s'il s'avérait qu'Armstrong se dopait bel et bien, après tout, cela ne faisait que le mettre sur un pied d'égalité avec les autres.

Quelle que fût la vérité, j'étais absolument décidé à ne plus jamais écrire à propos du dopage et/ou d'Armstrong. Disons, pour simplifier, que le sujet du dopage était un sacré bourbier. Évidemment, le côté mystérieux pouvait fasciner, mais plus on creusait, plus ça devenait vilain et glauque : des médecins dangereusement incompétents y côtoyaient des directeurs d'équipe machiavéliques et des coureurs trop ambitieux qui finissaient par subir des dommages physiques et psychologiques profonds. C'était une affaire sinistre, qui l'est devenue plus encore quand j'étais à Gérone, avec la mort de deux des plus grandes vedettes de l'ère Armstrong : Marco Pantani (dépression et overdose de cocaïne à trente-quatre ans) et José María Jiménez (dépression et infarctus à trente-deux ans), et la tentative de suicide d'une autre, Frank Vandenbroucke, à trente ans.

Sur le sujet régnait la chape de plomb de l'omerta, la loi du silence qu'observent les cyclistes professionnels dès qu'il est question de dopage. La force de l'omerta était bien connue: dans la longue histoire de ce sport, aucun coureur de premier plan n'avait jamais tout dit. Les coureurs de base ou les membres du personnel technique qui évoquaient le dopage se trouvaient aussitôt exclus de la confrérie et étaient considérés comme des traîtres. Les informations fiables étant rares, écrire à propos du dopage était un exercice frustrant, et plus encore quand il s'agissait d'Armstrong, dont l'image de saint laïque ayant vaincu le cancer avait pour double effet d'attirer les regards et de le protéger. Une fois terminé mon livre, je suis passé à autre chose, plutôt heureux de voir la planète Lance s'éloigner dans mon rétroviseur.

Puis, en mai 2010, tout a changé.

L'État américain a ouvert une enquête préliminaire sur Armstrong et son équipe, l'US Postal. Les faits soupçonnés relevaient de la fraude, de l'association de malfaiteurs, du racket, de la corruption de fonctionnaires étrangers et de subornation de témoins. L'enquête avait été confiée au procureur fédéral Doug Miller assisté de l'enquêteur spécial Jeff Novitzky, déjà très en vue dans le scandale de dopage Barry Bonds/ BALCO. Cet été-là, ils ont décidé d'investiguer jusqu'aux plus sombres recoins de la planète Lance. Ils ont cité une foule de témoins à comparaître devant un jury d'accusation à Los Angeles: des coéquipiers d'Armstrong, du personnel de l'équipe, des amis.

Mon téléphone s'est mis à sonner. Mes informateurs me disaient que l'enquête allait prendre de plus en plus d'ampleur: Novitzky disposait d'un témoignage oculaire sur le transport, l'usage et la distribution par Armstrong de substances interdites, et certains éléments laissaient penser qu'il s'était procuré des substituts sanguins expérimentaux. Comme me l'a dit le Dr Michael Ashenden, spécialiste australien de l'antidopage qui a collaboré à plusieurs enquêtes majeures dans le domaine: «Si Lance s'en sort ce coup-là, c'est Houdini!», en référence au célèbre prestidigitateur américain du début du XXe siècle.

À mesure que progressait l'enquête, j'ai commencé à ressentir comme un goût d'inachevé, l'idée qu'il y avait peut-être là une occasion de découvrir la vraie histoire de l'ère Armstrong. Le problème, c'est que je ne pouvais pas écrire ce récit tout seul. Il me fallait un guide, quelqu'un qui aurait vécu dans ce monde et serait disposé à briser l'omerta. En vérité, un seul nom méritait d'être pris en considération : Tyler Hamilton.

Tyler Hamilton n'était pas un saint. Il avait fait partie des meilleurs et des plus célèbres coureurs cyclistes au monde et remporté une médaille d'or olympique avant de se faire pincer pour dopage en 2004 et bannir de la discipline. Il connaissait Armstrong depuis plus de dix ans, d'abord pour lui avoir servi de premier lieutenant au sein de l'équipe US Postal entre 1998 et 2001, puis en tant que rival après avoir quitté l'équipe américaine pour devenir leader des équipes CSC puis Phonak. Il se trouve en outre que les deux hommes étaient voisins, qu'ils habitaient le même immeuble de Gérone, Armstrong au deuxième, Hamilton et sa femme, Haven, au troisième.

Avant sa dégringolade, Hamilton passait généralement pour l'archétype du héros ordinaire qu'inventaient les journalistes sportifs dans les années 1950 : jamais un mot plus haut que l'autre, avenant, poli et doté d'une capacité de résistance défiant l'entendement. Il venait de Marblehead, dans le Massachusetts, il avait pratiqué le ski alpin de haut niveau jusqu'à l'université, quand une blessure au dos lui avait permis de découvrir sa réelle vocation. Hamilton était à l'opposé de la superstar qui s'exhibe : c'était un travailleur acharné qui avait lentement et patiemment gravi la pyramide du monde du cyclisme. En chemin, il s'était fait remarquer pour son éthique professionnelle, sa personnalité discrète et amicale et surtout pour son aptitude ahurissante à supporter la douleur.

En 2002, Hamilton s'était fracturé l'épaule lors d'une chute survenue au début des trois semaines du Tour d'Italie, le Giro. Il avait poursuivi la course, en proie à une douleur si intense qu'il avait rongé onze de ses dents jusqu'à la racine, ce qui lui avait valu une intervention chirurgicale. Il avait fini 2e. « En quarante-huit années, je n'ai jamais vu un homme capable de supporter ce qu'il supporte», avait dit Ole Kare Foli, son kinésithérapeute.

En 2003, Hamilton avait remis ça: fracture de la clavicule lors d'une chute dans la première étape du Tour de France. Là encore, il était allé jusqu'au bout, remportant même une étape et décrochant une 4e place au classement général que le Dr Gérard Porte, grand connaisseur du Tour, avait qualifiée de «plus bel exemple de courage qu'il m'a été donné de voir».

Hamilton était aussi l'un des coureurs les plus appréciés du peloton, pour son humilité, sa disposition à tresser les louanges d'autrui et sa prévenance. Ses coéquipiers avaient même mis en scène un petit numéro où l'un d'eux jouait le personnage d'Hamilton étalé sur la route après un accident. Un autre, endossant le rôle du médecin de l'équipe, s'écriait, catastrophé: «Mon Dieu, Tyler! tu t'es lacéré les jambes!» Hamilton affichait alors un sourire rassurant: «Oh, ne vous en faites pas pour moi. Mais *vous*, ça va?»

J'avais passé un peu de temps avec Hamilton à Gérone en 2004, et quelque chose m'avait frappé. La plupart du temps, Hamilton se montrait fidèle à sa réputation: humble, aimable, poli, le parfait boy-scout. Il m'avait tenu la porte du bar, remercié trois fois d'avoir payé les cafés, s'était montré charmant de maladresse quand il avait fallu maîtriser Tugboat, son golden retriever. Quand il évoquait sa vie à Gérone, son enfance à Marblehead ou son équipe de baseball adorée, les Red Sox de Boston, il se montrait fin et spirituel.

Mais dès qu'il se mettait à parler de cyclisme ou du prochain Tour de France, il devenait un autre homme. Il se refermait, s'éteignait, il regardait fixement sa tasse de café et débitait les clichés sportifs les plus fades et ennuyeux qu'il m'ait été donné d'entendre. Il m'a ainsi expliqué qu'il se préparait en «prenant un jour après l'autre, une course après l'autre, et en bossant dur»; qu'Armstrong était «un homme formidable, un vrai battant, un ami proche»; que «le simple fait de participer au Tour était déjà un honneur», etc. C'était comme s'il souffrait d'une maladie rare dont les symptômes étaient des accès incontrôlables d'insipidité dès qu'il était question de cyclisme.

Lors de notre dernière conversation (quelques semaines avant qu'il se fasse pincer pour dopage sanguin), Hamilton m'avait pris de court en me demandant si je serais intéressé d'écrire un livre avec lui sur sa vie dans le cyclisme. Je lui avais répondu que j'étais honoré de sa demande, et qu'il faudrait en reparler. Pour tout dire, c'était un moyen de refuser poliment. Le soir même, j'ai dit à ma femme que j'aimais bien Hamilton, que ses exploits étaient impressionnants, mais qu'il avait un défaut rédhibitoire : il manquait trop de couleur pour être le sujet d'un livre.

Quelques semaines plus tard, j'ai découvert que je m'étais trompé. On apprendrait rapidement par la presse que le boy-scout menait une double vie digne d'un roman d'espionnage : langage codé, téléphones secrets, versements de dizaines de milliers de dollars en espèces à un célèbre médecin espagnol, et un congélateur médical baptisé « Sibérie » dans lequel était entreposé le sang destiné au Tour de France. Par la suite, l'enquête des autorités espagnoles révélerait qu'Hamilton n'était pas un cas isolé, loin de là : des dizaines de coureurs d'élite suivaient des programmes secrets tout aussi élaborés. Contre l'évidence, Hamilton a maintenu qu'il était innocent. Sa version a été rejetée par les autorités antidopage ; il a été suspendu deux ans et n'a pas tardé à disparaître des écrans radars.

À présent que l'enquête sur Armstrong prenait de l'ampleur, j'ai fait quelques recherches. J'ai appris qu'Hamilton, âgé à présent de près de quarante ans, avait divorcé et vivait à Boulder, où il avait monté une petite entreprise de remise en forme et d'entraînement. Il avait brièvement tenté un retour après sa suspension, lequel avait tourné court dès qu'il avait été contrôlé positif à un produit sans effet sur les performances qu'il prenait pour traiter la dépression clinique dont il souffrait depuis l'enfance. Il refusait de donner des interviews. Un de ses anciens coéquipiers le surnommait « l'Énigme ».

J'avais conservé son adresse courriel. Je lui ai écrit :

Salut Tyler,

J'espère que tu vas bien.
Il y a longtemps, tu m'as proposé d'écrire un livre avec toi.
Si ça te dit toujours, je serais ravi d'en discuter.

Amitiés,
Dan

* * *

Quelques semaines plus tard, je m'envolais pour Denver. Tyler m'attendait à l'aéroport au volant d'un VUS gris métallisé. Ses airs de garçonnet avaient fait place à des traits plus durs; il avait les cheveux plus longs, avec quelques reflets gris; les plis aux coins des yeux étaient toujours là. En démarrant, il a ouvert une boîte de tabac à mâcher.

« J'ai essayé d'arrêter. C'est une sale habitude. Mais avec tout ce stress, ça aide. En tout cas, j'ai l'impression que ça m'aide. »

On est entrés dans un restaurant, mais Hamilton trouvait qu'il y avait trop de monde alors on en a choisi un autre, moins fréquenté, quelques mètres plus loin. Hamilton s'est dirigé vers le fond de la salle, deux chandelles brûlaient sur la table. Il a parcouru l'endroit du regard. Alors, cet homme qui pouvait supporter les pires douleurs – celui qui s'était rongé les dents jusqu'à la racine plutôt que d'abandonner – a soudain paru sur le point de fondre en larmes. Pas des larmes de chagrin, mais de soulagement.

« Désolé, a-t-il lâché après quelques secondes. C'est juste que ça fait vraiment du bien de pouvoir enfin parler de tout ça. »

J'ai tout de suite posé la grande question : pourquoi Hamilton avait-il d'abord menti au sujet de son dopage ? Il a fermé les yeux, puis les a rouverts; on y lisait toujours de la tristesse.

« Écoute, j'ai menti, voilà. J'ai cru que c'était ce qu'il y avait de mieux à faire. Mets-toi à ma place. Si je disais la vérité, tout était fini. Les commanditaires de l'équipe se retiraient, et cinquante personnes, cinquante amis, perdaient leur boulot. Des gens qui comptaient pour moi. Si je disais la vérité, je serais à jamais banni du sport. Mon nom serait sali. Et on ne peut pas faire les choses à moitié – on ne peut pas dire : j'étais le seul et ça ne s'est produit qu'une fois. La vérité est trop énorme, elle implique trop de monde. Soit tu dis tout, soit tu ne dis rien. Il n'y a pas de moyen terme. Alors, j'ai choisi de mentir. Je ne suis pas le premier à l'avoir fait, et je ne serai pas le dernier. Parfois, à force de mentir, on finit par y croire. »

Hamilton m'a expliqué qu'il avait été cité à comparaître devant le jury d'accusation de Los Angeles quelques semaines plus tôt, et qu'il s'était retrouvé dans le box des témoins après avoir prêté serment.

« Avant d'y aller, j'ai réfléchi, longuement. Je savais que je ne pourrais pas mentir, c'était exclu. Je me suis dit que, quitte à parler vrai, autant y aller à fond. À cent pour cent, tout dévoiler. J'ai décidé de ne reculer devant aucune question. Et c'est ce que j'ai fait. J'ai témoigné pendant sept heures. J'ai répondu de mon mieux à tout ce qu'on m'a demandé. Lance était au centre de toutes les questions – ils voulaient que je l'accuse. Mais je me suis toujours accusé en premier. Je leur ai fait comprendre le fonctionnement d'ensemble du système, la façon dont il s'était développé au fil des ans, je leur ai montré qu'il était absolument impossible de désigner un coupable unique. L'affaire implique tout le monde. Tout le monde. »

Hamilton a retroussé ses manches, la droite, la gauche, puis il a tendu les bras, paumes levées vers le ciel. Il m'a montré les cicatrices en pattes de mouche qui jalonnaient ses veines à la pliure du coude.

« On a tous des marques de ce genre, a-t-il dit. C'est comme le tatouage d'une confrérie. Quand je bronzais, elles ressortaient et j'étais obligé de mentir ; je disais que je m'étais entaillé le bras lors d'un accident. »

Comme je lui demandais comment il avait réussi à éviter d'être contrôlé positif pendant toutes ces années, Hamilton a poussé un petit ricanement.

« C'est très facile de passer à travers les contrôles, a-t-il dit. On a beaucoup, beaucoup d'avance sur les tests. Ils ont leurs médecins et nous les nôtres, mais les nôtres sont meilleurs. Mieux payés en tout cas. Et de toute façon, l'UCI [l'Union cycliste internationale, l'instance dirigeante de la discipline] ne tient pas à attraper certains types. Pourquoi le ferait-elle ? Ça lui coûterait de l'argent. »

Je lui ai demandé ce qui le poussait à tout raconter maintenant.

« Je me suis tu pendant beaucoup d'années, a-t-il répondu. J'ai tout gardé enfoui très longtemps. Comme je n'avais jamais vraiment raconté mon histoire du début à la fin, je ne l'avais jamais vraiment perçue, ni même ressentie. Alors, quand je me suis mis à dire la vérité, il y a comme un immense barrage qui a cédé en moi. Et ça fait du bien, tellement de bien de le dire, je ne peux pas t'expliquer à quel point c'est bon. C'est comme si je me débarrassais enfin d'un poids immense, et quand je sens ça, je sais que c'est bien, pour moi et pour l'avenir de mon sport. »

* * *

Le lendemain, Hamilton est venu me trouver dans ma chambre d'hôtel, et j'ai établi trois règles fondamentales :

1. Aucun sujet ne serait interdit.
2. Hamilton me donnerait accès à ses journaux, ses photos et ses sources.
3. Tous les faits devraient être confirmés auprès d'une source indépendante, chaque fois que ce serait possible.

Il a accepté sans hésiter.

Ce jour-là, notre entretien a duré huit heures, c'était le premier d'une série qui en compterait plus de soixante. En décembre, nous avons passé une semaine en Europe, à visiter les hauts lieux de son épopée en Espagne, en France et à Monaco. Afin de vérifier et de corroborer le récit d'Hamilton, j'ai interrogé de multiples témoins indépendants – des coéquipiers, des mécaniciens, des médecins, des épouses, des assistants d'équipe et des amis – ainsi que huit anciens coureurs de l'équipe US Postal. Leurs propos figurent aussi dans ce livre ; pour certains, c'est la première fois qu'ils s'exprimaient.

À mesure que notre relation s'est approfondie, j'en suis venu à trouver qu'Hamilton racontait moins l'histoire qu'elle ne le racontait, lui, en jaillissant par longues rafales. Sa mémoire est d'une précision peu commune, ses souvenirs se sont révélés exacts, peut-être en partie parce que les épisodes originels comportaient une forte charge émotionnelle. La résistance à la douleur d'Hamilton nous a aussi été bien utile. Il ne s'est pas épargné dans le processus, me poussant par exemple à rencontrer des gens qui le présenteraient sous un jour défavorable. D'une certaine façon, il était obsédé par la révélation de la vérité comme il l'avait été par le Tour de France.

Nos entretiens se sont étalés sur près de deux ans. J'ai eu à certains moments le sentiment d'être un prêtre recevant la confession ; à d'autres, un psy. Au fil du temps, j'ai constaté que le fait de parler transformait lentement Hamilton. Notre relation aura été un voyage pour l'un comme pour l'autre. Pour lui, un voyage vers une existence normale ; pour moi, un voyage au cœur de ce monde jusqu'alors inexploré.

En fin de compte, son récit parlait moins de dopage que de pouvoir. C'était l'histoire d'un homme ordinaire qui avait atteint le sommet d'un monde extraordinaire, qui avait appris à mener cette partie d'échecs à l'extrême limite des capacités de l'homme. Il évoquait un monde corrompu, mais animé d'un étrange esprit de chevalerie où l'on prend tous les produits chimiques possibles et imaginables pour aller plus vite tout en attendant l'adversaire qui a fait une chute. Surtout, il parlait de la tension insupportable que crée le fait de mener une vie cachée.

« Un jour je suis un type ordinaire, avec une vie normale, a-t-il dit. Le lendemain je me retrouve sur un trottoir de Madrid avec un téléphone secret et un trou dans le bras qui dégouline de sang, à espérer que je ne me ferai pas arrêter. C'était complètement dingue. Mais à l'époque, j'avais l'impression de ne pas avoir le choix. »

Hamilton a parfois exprimé sa crainte qu'Armstrong et ses puissants amis s'en prennent à lui, mais il n'a jamais exprimé la moindre haine à l'égard d'Armstrong.

« J'ai parfois de la peine pour Lance, dit Hamilton. Je comprends qui il est, où il en est. Il a fait le même choix que nous tous, celui d'entrer dans le jeu. Puis, il s'est mis à gagner le Tour et c'est parti en vrille, le mensonge est devenu de plus en plus gros. Il n'a plus le choix maintenant. Il est obligé de continuer à mentir, de continuer à pousser tout le monde à tourner la page. Il ne peut pas faire marche arrière. Il ne peut pas dire la vérité. Il est pris au piège. »

Armstrong n'a pas répondu à ma demande d'interview pour ce livre. Ses représentants légaux nous ont fait clairement savoir qu'il nie catégoriquement toute insinuation de dopage. Comme il l'a dit dans une déclaration après la procédure pour dopage organisé entamée le 2 juin 2012 par l'US Anti-Doping Agency (USADA) contre son entraîneur, le Dr Ferrari, lui-même et quatre de ses collègues de l'équipe US Postal : « Je ne me suis jamais dopé et, à la différence de bon nombre de mes accusateurs, j'ai passé vingt-cinq ans au plus haut niveau d'un sport d'endurance sans qu'il y ait le moindre soubresaut dans mes performances, j'ai subi plus de 500 tests et pas un n'a été positif. »

Certains collègues d'Armstrong mis en accusation par l'USADA ont catégoriquement nié toute implication dans le dopage, notamment l'ancien directeur de l'US Postal Johan Bruyneel, le Dr Luis del Moral et le Dr Ferrari. Dans une interview au *Wall Street Journal*, del Moral a déclaré n'avoir jamais fourni de substances interdites aux athlètes ni effectué sur eux des actes illégaux. Sur son site web, Bruyneel déclare pour sa part : « Je n'ai jamais participé à quelque activité de dopage que ce soit et suis innocent de toutes les accusations qu'on porte contre moi. » Dans une déclaration par courrier électronique, Ferrari a dit : « Jamais je n'ai été pris en possession d'EPO ou de testostérone au cours de ma vie. Jamais je n'ai administré ni EPO ni testostérone à un athlète. » Le Dr Pedro Celaya et Pepe Martí, l'assistant du Dr del Moral, également accusés par l'USADA, n'ont pas fait de déclaration publique. Aucun des cinq n'a répondu à mes demandes d'entretien pour ce livre. Bjarne Riis, qui a été le directeur d'Hamilton dans l'équipe CSC en 2002 et 2003, a fait la déclaration suivante : « Je suis très peiné par ces affirmations à mon sujet. Mais comme ce n'est pas la première fois, et malheureusement pas la dernière non plus, qu'on cherche à m'attribuer des actes que je n'ai pas commis, je m'abstiendrai de tout commentaire. J'estime personnellement que je mérite la place que j'occupe dans le monde du cyclisme, et que j'ai apporté ma contribution à la lutte contre le dopage dans le sport. J'ai fait mes propres aveux de dopage, j'ai été un intervenant décisif dans la création du passeport biologique et je dirige une équipe dont la politique antidopage est claire. »

« Le truc, c'est que Lance a toujours été différent, dit Hamilton. Nous voulions tous gagner. Mais Lance avait *besoin* de gagner. Il fallait qu'il soit sûr à cent pour cent de l'emporter, toujours, et ça l'a conduit à pousser les choses très au-delà de la limite, à mon sens. Je suis conscient qu'il a fait beaucoup de bien à beaucoup de monde, mais ça ne justifie rien. Doit-il être poursuivi, mis en prison pour ce qu'il a fait ? Je ne le pense pas. Mais fallait-il qu'il remporte sept Tours de France d'affilée ? Certainement pas. Alors oui, j'estime que les gens ont le droit de connaître la vérité. Il faut que les gens sachent comment ça s'est vraiment passé, alors ils pourront se faire un avis. »

CHAPITRE PREMIER

Entrée en course

J'ai un don pour la souffrance.

Ça paraît bizarre, je sais, mais c'est vrai. Dans tous les autres domaines de la vie, je me situe dans la moyenne. Je ne suis pas une grosse tête. Je n'ai pas les réflexes d'un surhomme. Je mesure 1,76 mètre, pour 72 kilos tout mouillé. Quand on me croise dans la rue, rien ne me distingue du lot. Mais dans les situations qui vous poussent à la limite, qu'elle soit mentale ou physique, j'ai un don. Je suis capable de tenir *quoi qu'il arrive*. Plus c'est dur, mieux je m'en sors. Il n'y a rien de masochiste là-dedans, parce que j'ai une méthode. Le secret, c'est qu'on ne peut pas empêcher la douleur. Il faut l'épouser.

Je crois que je tiens en partie cela de ma famille. Les Hamilton sont des durs à cuire ; ils l'ont toujours été. Mes ancêtres étaient des rebelles écossais d'un clan guerrier ; mes grands-parents étaient du genre aventureux : skieurs et amateurs de grands espaces. Mon grand-père Carl a été l'un des premiers à descendre le mont Washington à skis ; mon grand-père Arthur a fait partie de l'équipage d'un cargo qui a navigué jusqu'en Amérique du Sud. Mon père et ma mère se sont rencontrés en faisant du ski de randonnée à Tuckerman's Ravine, le parcours le plus dangereux du nord-est du pays – j'imagine que c'était leur idée d'un rendez-vous romantique. Mon père possédait un magasin de fournitures de bureau près de Marblehead, une ville côtière de 20 000 habitants au nord de Boston. Les affaires avaient des hauts et des bas – comme disait grand-père Arthur, on passait régulièrement du bifteck au hamburger. Mais mon père trouvait toujours un moyen de rebondir. Quand j'étais petit, il me disait que l'important n'est pas la taille du chien dans le combat, mais celle de la combativité chez le chien. C'est un cliché, mais j'y ai cru de tout mon cœur; j'y crois encore.

Nous habitions un vieux pavillon jaune au 37 High Street, dans le quartier de la classe moyenne. J'étais le cadet de trois enfants, derrière mon frère Geoff et ma sœur Jennifer. Nous étions une vingtaine de jeunes du même âge dans les deux pâtés de maisons voisins. C'était avant la vogue des guides parentaux, alors on traînait dehors et on rentrait pour manger et dormir. Notre enfance aura surtout été une suite ininterrompue de compétitions: hockey de rue, voile et natation en été; luge, patin à glace et ski en hiver. Évidemment, on a fait notre lot de bêtises: on se faufilait à bord des yachts des riches pour y établir notre QG, on dévalait les pentes en slalomant sur nos tricycles, et on avait même inventé un sport nouveau qui consistait à choisir la plus belle demeure avec la haie la plus haute et à sauter à pieds joints par-dessus. Dès que les propriétaires se pointaient, on détalait comme des lapins.

Mes parents n'exigeaient pas grand-chose de nous, si ce n'est de toujours dire la vérité, en toutes circonstances. Mon père disait que si nous avions un jour un blason, il ne comporterait qu'un mot: FRANCHISE. C'est comme ça que papa menait son commerce, et c'est comme ça que nous menions notre famille. Même en cas de pépin – surtout en cas de pépin –, si on avait le courage de dire la vérité, nos parents ne se fâchaient pas.

C'est l'une des raisons pour lesquelles, chaque hiver, notre famille avait pour tradition d'accueillir dans son jardin le « Grand Tournoi délirant de croquet ». Il n'avait qu'une seule règle – il fallait tricher. En fait, tous les coups étaient permis sauf jeter la boule de l'adversaire dans l'Atlantique (ce qui se produisait quand même). On s'amusait comme des fous – le vainqueur était toujours disqualifié pour avoir triché, et nos amis pouvaient raconter qu'ils avaient eu l'occasion de voir les Hamilton, célèbres pour leur probité, tricher à qui mieux mieux.

J'étais un jeune bagarreur, toujours à tenir tête aux plus grands. À dix ans, la liste de mes blessures était déjà longue: points de suture, fractures, appendice perforé, entorses, toute la panoplie (les infirmières des urgences avaient suggéré à mes parents, en plaisantant, de prendre une carte d'abonnement de dix entrées – et la onzième serait offerte). Tout cela pour les causes habituelles: chute du haut d'une palissade ou d'un lit superposé, collision avec une Chevrolet en me rendant à vélo à l'école. Mais chaque fois que je rentrais amoché, maman était là pour tamponner mes bobos, me faire un pansement et me mettre à la porte avec un bisou.

Mon père et moi étions proches, mais j'avais avec ma mère un rapport particulier. Elle-même était très sportive, et dès le plus jeune âge j'ai cherché à l'imiter. Chaque matin, elle faisait sa gymnastique dans le salon – quinze minutes de gym suédoise. Je me levais plus tôt pour la rejoindre. On faisait une sacrée paire: un petit garçon de quatre ans et sa maman enchaînant les *push-ups* et les *jumping jacks.* « Et *un*-deux-trois-quatre et *deux*-deux-trois-quatre... »

Ce n'était pas la seule chose qui nous rapprochait. Aussi loin que je me souvienne, j'ai souffert d'un problème, que je ne saurais mieux décrire qu'en évoquant une ombre sinistre installée à la lisière de mon esprit, une lourdeur douloureuse qui va et vient sans crier gare. Quand ça vient, c'est comme une vague noire qui chasse toute énergie de mon corps, qui m'écrase jusqu'à me donner l'impression d'être à mille pieds de profondeur dans un océan sombre et froid. Enfant, je trouvais ça normal; je croyais que tout le monde connaissait ces périodes où l'on a à peine l'énergie de parler, où l'on reste dans son coin pendant des jours entiers. En grandissant, j'ai découvert que ça avait un nom: la dépression clinique. C'est un mal d'origine génétique, une malédiction familiale: ma grand-mère maternelle s'est suicidée; ma mère en souffre aussi. Aujourd'hui, je m'en sors à l'aide de médicaments; à l'époque, j'avais ma mère. Quand la vague noire me submergeait, elle était là, elle me disait qu'elle savait ce que j'éprouvais. C'était très simple; elle me préparait un bouillon de poule aux vermicelles, m'emmenait faire une promenade, ou me prenait simplement sur ses genoux. Mais ça me faisait beaucoup de bien. Ces moments nous rapprochaient, et ils ont nourri en moi le désir de susciter sa fierté, de lui montrer de quoi j'étais capable. Aujourd'hui encore, quand je réfléchis aux raisons pour lesquelles je suis devenu un sportif, je me dis que c'est dû en grande partie à cette envie que ma mère soit fière de moi. *Regarde-moi, maman!*

Vers onze ans, j'ai fait une découverte importante. C'est arrivé au ski, à Wildcat Mountain, dans le New Hampshire, où nous allions tous les week-ends pendant l'hiver. Wildcat est une station réputée pour son niveau de difficulté: c'est raide, verglacé et il y règne l'un des plus mauvais climats du continent. Elle se situe dans les White Mountains, juste en face du mont Washington, où l'on enregistre régulièrement les vents les plus violents d'Amérique du Nord. C'était un jour comme les autres, vent terrible, verglas, grésil. Je faisais partie de l'équipe de ski de Wildcat, on prenait le télésiège jusqu'au sommet puis on faisait la course en slalomant jusqu'en bas, encore et encore. Jusqu'au moment où, allez savoir pourquoi, j'ai eu une drôle d'idée, une sorte de compulsion.

Ne prends pas le télésiège. Monte à pied.

Alors, je suis sorti de la file d'attente et je me suis mis à grimper. Ce n'était pas facile. J'avais mes skis sur l'épaule et il fallait sculpter chaque marche dans la neige avec le bout de mes lourdes chaussures de ski. Assis sur le siège qui les emportait vers le sommet, mes camarades me regardaient comme si j'étais devenu fou, et d'une certaine façon ils avaient raison: un gringalet de onze ans s'était mis en tête de défier le télésiège. Certains m'ont suivi. C'étaient nos jambes contre la puissance de ce gros moteur et ses poulies. Et on a vraiment fait la course: un pas après l'autre, on a grimpé, grimpé, grimpé. Je me souviens de la douleur qui me brûlait les jambes, de mon cœur qui battait à tout rompre, et aussi d'une sensation plus profonde: je me suis rendu compte que je pouvais continuer. Je n'étais pas obligé de m'arrêter. Je ressentais la douleur, mais je n'étais pas obligé d'y faire attention.

Ce jour-là, quelque chose s'est éveillé en moi. J'ai découvert que lorsque je me donnais à fond, quand je mettais cent pour cent de mon énergie dans une tâche intense, impossible – quand mon cœur jouait les marteaux-piqueurs, quand l'acide lactique me brûlait les muscles –, alors je me sentais bien, j'étais normal, équilibré. Je suis sûr qu'un scientifique expliquerait cela en disant que les endorphines et l'adrénaline modifiaient temporairement la chimie de mon cerveau, et c'est sans doute vrai. Moi, tout ce que je savais, c'est que plus je me poussais à fond, mieux je me sentais. L'effort était une échappatoire. Je crois bien que c'est ce qui m'a permis d'obtenir de meilleurs résultats que des types plus grands et plus costauds que moi. Parce que les tests physiologiques ne mesurent pas la volonté de souffrir.

Résumons mes débuts de sportif. J'ai d'abord été skieur – de niveau régional, puis national, puis espoir olympique. Je faisais du vélo hors saison pour garder la forme, et j'ai gagné quelques courses au collège – j'étais un cycliste solide, mais certainement pas de niveau national. Puis, lors de ma deuxième année à l'Université du Colorado, je me suis blessé au dos en m'entraînant et cela a mis fin à ma carrière de skieur. Pendant ma rééducation, comme je canalisais toute mon énergie sur le vélo, j'ai fait ma Grande Découverte numéro deux : *j'adorais* ça. C'était un sport qui associait le frisson du ski à la jugeote du jeu d'échecs. Mais le mieux pour moi, c'est qu'il récompensait l'aptitude à la souffrance. Plus on était dur à la douleur, meilleur on était. Un an plus tard, en 1993, j'étais champion national universitaire. L'été suivant, je figurais parmi les meilleurs coureurs amateurs du pays, j'intégrais l'équipe nationale américaine et rapidement je devenais un espoir olympique. C'était dingue, totalement inattendu. J'avais le sentiment d'avoir trouvé ma vocation.

Au printemps 1994, la vie était d'une merveilleuse simplicité. J'avais vingt-trois ans, j'habitais un petit appartement à Boulder et me nourrissais de nouilles chinoises instantanées et de pizzas congelées que je nappais de beurre d'arachide. L'équipe nationale ne me versait qu'une maigre bourse, alors pour joindre les deux bouts j'avais créé une petite compagnie de déménagement, qui avait pour seul actif un *pick-up* Ford de 1973 et ma personne. J'avais passé une annonce dans le *Boulder Daily Camera* avec un slogan qui aurait pu être ma devise de sportif: « Aucune tâche n'est trop petite, aucune tâche n'est trop dure. » Je transportais des souches d'arbres, de la ferraille et même, un jour, une quantité industrielle de crottes de chien qu'il fallait retirer du jardin d'un client. Malgré cela, j'estimais avoir de la chance: au pied de la grande échelle du cyclisme, le regard tendu vers le sommet, je me demandais par quel moyen j'allais y grimper.

C'est alors que j'ai rencontré Lance. C'était en mai 1994, par un après-midi pluvieux, à Wilmington, dans le Delaware. Je m'étais inscrit dans une course nommée le Tour DuPont: 12 jours, 1 600 kilomètres, 112 coureurs, cinq des neuf meilleures équipes au monde. Lance et moi avions à peu près le même âge, mais pas les mêmes objectifs. Lui était là pour gagner. Moi, pour voir si je tenais le coup, si j'avais ma place dans la cour des grands.

Lance était déjà quelqu'un. Il avait remporté le championnat du monde, l'automne précédent, à Oslo, en Norvège. J'avais gardé le numéro de *Vélines* avec sa photo et je connaissais son histoire par cœur: Texan orphelin de père, fils d'une mère adolescente, prodige du triathlon passé à la course cycliste. Dans les articles qui parlaient de lui, les adjectifs « fougueux » et « enragé » étaient un leitmotiv. Je l'avais vu célébrer sa victoire à Oslo à la façon d'un joueur de football américain après avoir marqué un touché: il avait envoyé des baisers à la foule, distribué des coups de poing en l'air et fait tout un numéro à l'attention du public. Certains – OK, à peu près tout le monde – trouvaient Lance prétentieux. Moi, j'aimais bien l'énergie qu'il dégageait, son côté « prends ça dans ta gueule ». À ceux qui lui demandaient s'il était un second Greg LeMond, il répondait: « Non, je suis le premier Lance Armstrong. »

Beaucoup d'histoires circulaient à son sujet. L'une racontait que le champion du monde Moreno Argentin l'avait un jour confondu avec son coéquipier Andy Bishop. Armstrong lui avait hurlé en réponse: « Va te faire foutre, Chiappucci ! », en faisant exprès de l'appeler par le nom d'un coéquipier du champion. Un autre épisode de ce type s'était produit pendant le Tour DuPont de l'année précédente. Un coureur espagnol avait tenté de provoquer la sortie de route de l'Américain

Scott Mercier, et Armstrong, volant au secours de son compatriote, avait rattrapé le cycliste et lui avait fait comprendre qu'il ferait mieux de garder ses distances – et l'Espagnol avait obtempéré. Ces anecdotes racontaient en fait la même histoire : Lance le cow-boy américain, la forte tête qui faisait trembler la forteresse du cyclisme européen. Je m'en délectais, parce que moi aussi je rêvais de faire trembler ces murailles.

La veille du départ de la course, je déambulais au milieu de tous ces types que je ne connaissais qu'à travers les magazines de cyclisme. Le Russe Viatcheslav Ekimov, médaillé d'or olympique, avec sa coupe de chevaux de joueur de foot allemand et son air renfrogné. Le grimpeur mexicain Raúl Alcalá, le tueur taciturne, vainqueur de l'édition précédente de la course. George Hincapie, un New-Yorkais dégingandé aux yeux endormis qu'on annonçait comme le prochain grand coureur américain. Il y avait même le triple vainqueur du Tour de France Greg LeMond, un an avant sa retraite, l'œil toujours aux aguets et l'air juvénile.

On peut juger de la forme physique d'un coureur aux contours de son postérieur et aux veines de ses jambes, et les derrières de ces gars étaient bioniques, plus compacts et puissants que tout ce que j'avais pu voir jusque-là. Les veines de leurs jambes dessinaient de vraies cartes routières. Leurs bras étaient des cure-dents. Sur un vélo, ils pouvaient se glisser dans le plus serré des pelotons à toute allure en tenant le guidon d'une seule main. Rien qu'à les regarder, j'étais inspiré ; on aurait dit des chevaux de course.

En revanche, quand je me regardais dans la glace… c'était autre chose. Si eux étaient des pur-sang, moi j'étais un cheval de trait. J'avais un gros cul ; mes jambes ne laissaient pas paraître la moindre veine. J'avais des épaules étroites, des cuisses de skieur et mes bras épais boudinaient les manches de mon maillot comme des saucisses dans leur boyau. En plus, je pédalais lourdement, et en raison de mon gabarit plutôt petit j'avais tendance à relever légèrement la tête pour voir les autres coureurs, ce qui, disait-on, me donnait un air un peu paumé, comme si je me demandais ce que je fichais là. À vrai dire, je n'avais rien à faire dans le Tour DuPont. Je n'avais ni la puissance, ni l'expérience, ni l'adresse nécessaires pour me mesurer aux pros européens, et encore moins pour tenir douze jours et les battre.

Mais j'ai quand même eu ma chance: le contre-la-montre du prologue. L'étape était courte, à peine 4,8 kilomètres, et le parcours vallonné, avec plusieurs tronçons pavés redoutables et des virages assez serrés pour qu'on ait installé en bordure de la route des bottes de paille comme on en voit plutôt dans les compétitions de ski. Malgré sa brièveté, ce prologue était considéré comme un révélateur, car chaque coureur poussait sa bécane à fond. La veille de la course, j'ai fait le parcours une demi-douzaine de fois. J'ai étudié chaque virage, mémorisé les angles d'entrée et de sortie, fermé les yeux pour me visualiser pendant la course.

Le matin du prologue, la pluie s'est mise à tomber. Près de la rampe de départ, je bavardais avec mon entraîneur de l'équipe nationale américaine, un gaillard souriant de trente-deux ans nommé Chris Carmichael. Carmichael était sympathique, mais il tenait davantage de la meneuse de claques que de l'entraîneur. Il aimait répéter en boucle certaines phrases de motivation, comme les paroles d'une chanson pop. Avant le prologue, Chris m'a sorti la compil de ses grands clichés: « Pédale dur. Reste en toi-même. N'oublie pas de respirer. » Je ne l'écoutais pas vraiment. Je pensais à la pluie, qui rendrait le pavé glissant comme de la glace, et inciterait mes concurrents à lever le pied dans les virages. Je suis peut-être un bleu, me disais-je, mais j'ai deux avantages: je sais skier, et je n'ai rien à perdre.

Je me suis élancé et j'ai pris le premier virage à toute vitesse, Carmichael me suivait dans une voiture de l'équipe. J'ai poussé à fond et j'ai gardé ce tempo. Je sais que je suis à la limite quand j'ai un goût de sang dans la bouche, et c'est là que je suis resté, tout au bord. C'est cet instant-là qui m'a fait aimer le cyclisme de compétition, et c'est lui qui fait que je l'aime encore – les mystérieuses surprises qui peuvent survenir quand on donne tout ce qu'on a. On va au bout de soi-même – les muscles hurlent, le cœur est sur le point d'exploser, on sent l'acide lactique suinter du visage et des mains – et on pousse un tout petit peu plus loin, encore un petit peu plus loin, et là, il se passe quelque chose. Parfois ça casse et on explose ; d'autres fois on plafonne sans pouvoir dépasser cette limite. Mais parfois on la dépasse, et on atteint un palier où la douleur est telle qu'elle disparaît totalement. Je sais, ça fait très bouddhiste zen quand je dis ça, mais c'est vraiment ce qu'on ressent. Chris me disait toujours de rester en moi-même, mais je n'ai jamais vraiment compris ce que ça signifiait. Pour moi, il s'agissait justement de *sortir* de soi, de pousser encore et encore jusqu'à atteindre un nouvel état, un état qu'on n'imagine pas.

J'ai accéléré dans les virages, dérapé sur les pavés à la façon d'une voiture de course, parvenant tant bien que mal à rester debout et à ne pas percuter les ballots de paille. J'ai tout donné dans les côtes ; sur les plats j'ai pédalé comme un malade, la tête dans le guidon. Je sentais l'acide lactique monter, me parcourir le corps, irriguer mes jambes, mes bras, mes mains, jusque sous les ongles – de la bonne douleur bien fraîche. Il y avait un dernier virage à 90 degrés, où la route passait du pavé au goudron. Je l'ai bien négocié, je me suis redressé et j'ai foncé jusqu'à la ligne d'arrivée. Au moment de la franchir, j'ai jeté un coup d'œil au chrono : 6 minutes et 32 secondes.

3e place.

J'ai cligné des yeux. Regardé à nouveau.

3e place.

Pas 103e. Pas 30e. *Troisième.*

Carmichael était stupéfait, en état de choc. Il m'a pris dans ses bras et m'a dit : « *You are one crazy motherfucker.* » Nous avons passé la suite de l'épreuve à regarder arriver les autres coureurs, persuadés que mon chrono serait peu à peu éclipsé par beaucoup d'autres. Mais mes concurrents ont franchi un à un la ligne, et mon temps est resté tout là-haut.

Ekimov : 3 secondes derrière moi.

Hincapie : 3 secondes derrière moi.

LeMond : 1 seconde devant moi.

Armstrong : 11 secondes derrière moi.

Après l'arrivée du dernier participant, j'étais 6e.

Le lendemain, alors que le peloton quittait Wilmington pour la première étape, je me demandais si quelqu'un parmi les pros allait me faire un commentaire ; peut-être qu'on allait me saluer, prononcer un mot d'encouragement. Aucun n'a rien dit – pas plus Alcalá qu'Ekimov ou LeMond. J'étais à la fois déçu et soulagé. L'anonymat ne me dérangeait pas. Je me suis souvenu que je n'étais qu'un amateur, un cheval de trait, personne, quoi.

Puis, après une quinzaine de kilomètres, j'ai senti une tape amicale sur le dos. Je me suis retourné, et j'ai vu le visage de Lance, à soixante centimètres du mien. Il m'a regardé droit dans les yeux.

« Hé, Tyler, belle course, hier. »

Je ne suis certainement pas le premier à le dire, mais Lance a une façon très particulière de s'exprimer. D'abord, il aime marquer une demi-seconde de silence avant d'ouvrir la bouche. Il te regarde, te scrute, et te laisse aussi le scruter.

« Merci », ai-je répondu.

Il a fait un signe de la tête. Quelque chose est passé entre nous. Du respect ? De la reconnaissance ? Toujours est-il que c'était très agréable. Pour la première fois, j'ai senti que je n'étais pas forcément un intrus.

On a continué à rouler. Être un petit nouveau au sein d'un peloton, c'est un peu comme apprendre à conduire sur une autoroute à Los Angeles : on a intérêt à aller vite, sans quoi… À mi-étape, fatalement, j'ai fait une bêtise. En me décalant sur le côté, j'ai coupé la route par mégarde à un grand Européen, manquant de peu sa roue avant, et ça l'a mis en colère. Pas une petite colère discrète, une grosse colère théâtrale. Agitant les bras, il m'a hurlé un tas de choses dans une langue que je ne comprenais pas. Je me suis retourné pour m'excuser, mais ça m'a fait faire un nouvel écart, et l'Européen s'est mis à gueuler de plus belle, attirant l'attention des autres coureurs. J'étais mort de honte. Le gars est venu à ma hauteur, pour me hurler directement dessus.

C'est alors que quelqu'un s'est interposé. Lance. Il a posé la main sur son épaule, et lui a imprimé une poussée gentille, mais ferme, le message était clair – « Dégage » – et il a appuyé son geste d'un regard dominateur, comme s'il défiait l'Européen de lui répondre. J'étais tellement reconnaissant que je l'aurais serré dans mes bras.

Au fil de la course, pendant les jours qui ont suivi, je me suis retrouvé à l'arrière, avec les autres bêtes de somme. Lance, lui, est monté en puissance. Il a frôlé la catastrophe à la fin de la cinquième étape quand, à la suite d'une erreur des autorités routières, il a failli se faire renverser par un camion à benne qui roulait sur le parcours. Mais il l'a vu venir, et il a réussi à se faufiler dans un trou de souris, avec trois centimètres de marge de chaque côté. Ce jour-là, il a fini 2e derrière Ekimov. Après coup, les journalistes ont voulu le faire parler du fait qu'il avait failli mourir. Mais Lance préférait parler du fait qu'il aurait dû remporter l'étape. C'était lui tout craché : il venait de frôler la mort, mais ce qui l'énervait, c'était de n'avoir pas gagné.

On peut dire que, dans l'ensemble, le Texan m'avait fait forte impression. Mais c'est ce qui s'est produit au mois de juillet qui m'a réellement impressionné. Tranquillement installé devant mon écran de télé, j'ai vu Lance participer au Tour de France – la course la plus dure du monde, trois semaines, près de 4 000 kilomètres. Les premiers jours, il ne s'en est pas trop mal sorti. Puis est venue la neuvième étape, un contre-la-montre de 64 kilomètres. C'est l'épreuve de vérité, chaque coureur part tout seul à une minute d'intervalle du précédent et doit faire le meilleur temps possible. Sous mes yeux incrédules, Lance s'est fait dépasser par le multiple vainqueur du Tour Miguel Indurain. En fait, « dépasser » ne rend pas justice à l'allure de l'Espagnol. « Culbuter dans le fossé » serait plus approprié. En une trentaine de secondes, Indurain est passé de vingt longueurs de retard sur Lance à une telle avance qu'il est quasiment sorti du cadre de la caméra. Ce jour-là, Lance a perdu près de six minutes au classement général, ce qui est énorme. Quelques jours plus tard, il abandonnait – c'était la deuxième année de suite qu'il n'allait pas au bout.

En voyant ça, j'ai pensé *Holy shit!* Je m'étais frotté à la puissance de Lance deux mois plus tôt, et j'avais vu à quel point il savait se faire mal. Je l'avais vu faire des choses que je n'aurais pas imaginées, et voilà qu'à côté d'Indurain il devenait un vulgaire cheval de trait.

J'avais toujours entendu dire que le Tour de France était dur, mais ce jour-là j'ai compris que l'épreuve exigeait une puissance, une endurance et une résistance à la douleur à peine imaginables. C'est là aussi que j'ai compris que, plus que tout au monde, je voulais y prendre part.

* * *

J'avais espéré que mon petit succès dans le Tour DuPont attirerait l'attention d'une équipe professionnelle et, de toute évidence, j'avais eu tort. J'ai passé l'été 1994 à courir en amateur, à prêter une oreille distraite aux motivations de plus en plus molles de l'entraîneur Carmichael. Je faisais des déménagements, des chantiers dans des appartements et j'attendais que le téléphone sonne.

Un après-midi d'octobre, alors que je repeignais la maison de mon voisin, il a sonné. Je me suis précipité à l'intérieur, dégoulinant de peinture, et j'ai pris l'appareil du bout des doigts. La voix au bout du fil était râpeuse, autoritaire et impatiente – c'était la voix de Dieu, un dieu qui se serait levé du pied gauche.

« Alors, il faut faire quoi pour t'avoir dans notre équipe ? » a demandé Thomas Weisel.

J'ai essayé de garder mon calme. Je n'avais jamais parlé avec Weisel, mais je connaissais son histoire comme tout le monde : c'était un banquier d'affaires d'une cinquantaine d'années, formé à Harvard, un ancien patineur de vitesse de niveau national, qui avait participé à des courses de vélo. Mais, surtout, c'était un vainqueur. La décennie qui s'ouvrait allait voir proliférer ce genre de personnage, le PDG sportif qui troque ses clubs de golf pour le VTT puis le vélo de course. Mais Weisel était un pionnier. Pour lui, la vie était une course, et seuls les plus durs, les plus forts, étaient appelés à gagner, ceux qui savaient faire ce qu'il faut pour parvenir à leurs fins. La devise de Weisel était : « Démerde-toi pour que ça soit fait. » J'entends encore sa voix rocailleuse : « Je veux que ça soit fait. Démerde-toi. »

Weisel avait pour projet de bâtir une équipe américaine capable de remporter le Tour de France. Comme certains n'avaient pas manqué de le lui signaler, c'était un peu comme prétendre monter une équipe française de baseball pour remporter les Séries mondiales. Et puis il ne suffisait pas de rassembler une équipe pour participer au Tour – il fallait que les organisateurs vous invitent, ce qui dépendait des résultats obtenus lors des grandes courses européennes. Tout sauf simple. En fait, c'était tellement difficile que le premier commanditaire de Weisel, Subaru, l'avait déjà abandonné à l'automne précédent, le laissant seul contre le monde entier. C'est-à-dire la position qu'il affectionnait le plus.

Voici une anecdote à propos de Weisel : peu avant d'atteindre la cinquantaine, bien décidé à s'investir sérieusement dans le cyclisme, il avait embauché Eddie Borysewicz, entraîneur de l'équipe olympique et véritable parrain du cyclisme américain[1]. Deux fois par semaine, Weisel prenait l'avion de San Francisco à San Diego pour s'entraîner avec Eddie B. de 10 à 17 heures. L'hiver, Weisel accrochait une photo de son principal rival au mur de sa salle de musculation, « pour ne pas oublier la raison pour laquelle il travaillait si dur ». Weisel a ensuite remporté trois « masters » dans sa classe d'âge, et cinq titres nationaux sur route et sur piste.

« Ça valait le coup ? lui a demandé un ami par la suite.

— Ouais, mais seulement parce que j'ai gagné », a répondu Weisel.

Weisel avait le même type de personnalité que Lance (plus tard, au sein de l'équipe US Postal, il nous arrivait souvent de confondre leurs voix). En fait, dès 1990, Weisel avait engagé Lance dans son équipe

---

1. Borysewicz est surtout connu pour avoir importé aux États-Unis les méthodes d'entraînement d'Europe de l'Est – dont certaines étaient plus que discutables. À l'approche des jeux Olympiques de 1984, il avait organisé des transfusions sanguines pour l'équipe olympique américaine dans un hôtel Ramada Inn de Carson, en Californie. L'équipe avait ensuite remporté neuf médailles, dont quatre d'or. La pratique n'était pas formellement proscrite par le règlement à l'époque, mais le Comité olympique américain n'en avait pas moins exprimé sa condamnation, qualifiant les transfusions d'« inadmissibles, non éthiques et illégales aux yeux du CO ». Le scandale et la publicité ont apparemment effrayé Borysewicz : Hamilton et son coéquipier Andy Hampsten soutiennent l'un et l'autre que l'équipe est restée propre pendant son mandat, en 1995-1996, et qu'il les mettait fréquemment en garde de ne pas « s'impliquer dans ce genre de saloperie ».

pro composée d'Américains, la Subaru-Montgomery, alors qu'il n'avait que dix-neuf ans. Les deux hommes ne s'étaient pas bien entendus ; on a dit que c'était parce qu'ils se ressemblaient trop. Weisel avait remercié Armstrong, qui était devenu champion du monde trois ans plus tard – c'est l'une des rares fois où Weisel a laissé ses émotions prendre le pas sur les affaires.

Weisel m'a annoncé qu'il avait engagé d'autres bons coureurs américains – Darren Baker, Marty Jemison et Nate Reiss – et recruté Eddie B. comme entraîneur. L'équipe s'appellerait Montgomery-Bell. Combien voulais-je pour un an ? J'ai hésité. En me montrant trop gourmand, je risquais de ne pas être retenu. Mais je ne voulais pas non plus me brader. Alors, j'ai lâché un chiffre intermédiaire : 30 000 dollars.

« Marché conclu », a grogné Weisel, et je l'ai chaleureusement remercié avant de raccrocher. J'ai aussitôt appelé mes parents pour leur annoncer la nouvelle : j'étais officiellement devenu coureur cycliste professionnel.

La première année de l'expérience Weisel s'est plutôt bien passée. En 1995, nous avons essentiellement couru aux États-Unis, hormis deux participations à des courses mineures en Europe. L'équipe était mixte : à une majorité de coureurs américains se mêlaient quelques Européens de milieu de tableau. Eddie B. manquait parfois de sens de l'organisation (on s'est souvent perdus en se rendant à des courses ou au retour ; le calendrier des compétitions ne cessait de changer), mais cette folie mettait un peu de piquant, soudait l'équipe et puis surtout, pour la plupart d'entre nous, nous ne connaissions rien d'autre. Un après-midi, un soigneur m'a fait ma première injection. C'était parfaitement légal – du fer et de la vitamine B –, mais la vision de cette aiguille destinée à mes fesses avait aussi quelque chose de troublant. Il m'a dit que c'était pour ma santé, parce que la répétition des courses m'avait épuisé. Après tout, le cyclisme est le plus éprouvant des sports ; il provoque certains déséquilibres ; les vitamines permettraient de rétablir ce qui avait été perdu. Comme pour les astronautes, m'a-t-il dit.

Et puis nous, coureurs, avions à nous préoccuper de choses bien plus importantes. On faisait par exemple un concours de la meilleure imitation d'Eddie B. qui avait un accent polonais de Brooklyn à couper au couteau. Lors des courses importantes, Weisel était omniprésent, presque comme un second entraîneur. Quand on gagnait, ses yeux s'embuaient et il nous serrait tous dans ses bras comme si on avait remporté le Tour de France. Je crois bien l'avoir fait pleurer quand, lors d'une petite course aux Pays-Bas, le Teleflex Tour, j'ai fini premier au classement général. Ce n'était pas la plus grande course du monde, mais ça faisait du bien – c'était un signe que j'avais peut-être ma place dans ce sport. Par ailleurs, l'argent tombait à pic : j'avais repéré une maison à Nederland, dans le Colorado, une petite bourgade endormie des environs de Boulder. Avec tout juste 1500 pieds carrés et une petite véranda d'où je voyais les montagnes, la maison n'avait rien de luxueux, mais elle m'apportait un sentiment d'attache, j'avais un chez-moi.

Début 1996, Weisel a embauché l'ancien médaillé d'or olympique Mark Gorski pour occuper la fonction de manager. Après quelques mois, Gorski a annoncé la nouvelle : l'US Postal Service, les Postes américaines, avait signé un contrat de commandite de trois ans, et cela permettrait à l'équipe de se développer. Weisel et Gorski se sont employés à ajouter quelques jeunes talents au tableau, la cerise sur le gâteau étant Andy Hampsten, le plus accompli des coureurs américains après Greg LeMond. Hampsten avait remporté les Tours d'Italie, de Suisse et de Romandie.

Le plan pour 1996-1997 était de donner à l'US Postal des références européennes. Nous participerions à davantage de courses importantes et, si tout se passait bien, en 1997, nous serions invités à ce que Weisel aimait appeler le « Tour de *fucking* France ». La détermination de Weisel déteignait sur nous. Nous étions optimistes et pleins d'énergie, encore plus avec Hampsten à notre tête. Au printemps 1996, c'est la fleur au fusil que nous sommes partis pour l'Europe. Nous savions que ce serait dur, mais on arriverait bien à faire quelque chose.

Nous n'avions pas idée de ce qui nous attendait.

CHAPITRE 2

La réalité

Au début, on a mis ça sur le compte du décalage horaire. Puis du climat. Puis de notre régime alimentaire. De nos horoscopes, de n'importe quoi, pour ne pas regarder en face la vérité concernant les performances des US Postal dans les courses européennes majeures en 1996 : on se faisait laminer.

Ce n'était pas tant le fait de perdre ; c'était surtout la façon dont on perdait. Pour évaluer ta prestation dans une course, c'est un peu comme à l'école. Si tu franchis la ligne d'arrivée dans le peloton de tête, tu mérites un A : tu n'as peut-être pas gagné, mais tu ne t'es pas fait distancer. Si tu arrives dans le deuxième groupe, ça vaut un B – ce n'est pas génial, mais c'est loin d'être catastrophique ; tu ne t'es fait distancer qu'une fois. Dans le troisième groupe, tu mérites un C et ainsi de suite. Chaque course est en fait un paquet de petites épreuves, de concours qui donnent toujours un résultat sur deux possibles : soit tu tiens la cadence, soit pas.

En tant qu'équipe, l'US Postal accumulait les D et les F. On ne s'en était pas trop mal sortis en Amérique, mais toutes nos grandes courses européennes semblaient suivre le même scénario : ça débutait normalement, puis les coureurs commençaient à aller plus vite, et encore plus vite, et accéléraient encore davantage. On en était rapidement réduits à s'accrocher pour simplement rester en vie. La « garniture », c'est le surnom qu'on s'était donné nous-mêmes, parce qu'on avait l'impression de n'être là que pour grossir les rangs du peloton de queue. On n'avait pas l'ombre d'une chance de l'emporter, pas la moindre chance de mener une attaque ou d'influencer la course de quelque façon que ce soit ; on était déjà bien contents de rester en vie. Les autres coureurs étaient incroyablement forts. Ils défiaient les lois de la physique et du cyclisme. Ils faisaient des choses que je n'avais jamais vues ni imaginé voir un jour.

Par exemple, ils étaient capables d'attaquer, seuls, et de tenir le peloton à distance pendant plusieurs heures. Ils grimpaient les bosses à une allure impressionnante, même les plus lourds, ceux qui n'avaient pas le profil du grimpeur. Ils restaient à leur top absolu jour après jour, sans connaître les hauts et les bas habituels. De vraies machines.

L'un d'eux ressortait du lot à mes yeux, Bjarne Riis, un Danois de 1 mètre 80 pour 69 kilos surnommé « l'Aigle ». Il avait un gros crâne dégarni et des yeux d'un bleu vif qui ne clignaient que rarement. Il ne parlait pas beaucoup, et généralement par énigmes. Sa concentration était telle qu'on avait parfois l'impression qu'il était en transe. Mais le plus étonnant chez Riis, et de loin, c'était le cours de sa carrière.

Au départ, Riis était un coureur honnête : solide, mais rarement aux avant-postes dans les grandes courses. Puis, en 1993, à 27 ans, il était passé du statut de coureur ordinaire à celui de coureur exceptionnel. Lors du Tour de France 1993, il avait fini 5e avec une victoire d'étape ; en 1995, il avait fini 3e. En 1996, certains observateurs l'estimaient même en mesure de battre le monarque de la discipline, le quintuple champion Miguel Indurain, en lice pour un sixième titre.

Je me souviens d'une des premières fois qu'il m'a été donné de le voir de près, au printemps 1997. Alors qu'on grimpait une côte brutale, Riis a tranquillement fendu le peloton, sauf que son braquet était immense. Nous roulions pour la plupart à la fréquence habituelle de pédalage d'environ 90 tours-minute, et voilà Bjarne, le visage impassible, qui pédale à 40 tours-minute, avec un braquet inimaginable. Je me suis dit : il est comme à l'entraînement. Tous les autres sont au taquet, ils se donnent à fond pour gagner ou pour s'accrocher, mais lui, il *s'entraîne*. À son passage, je n'ai pas pu me retenir. J'ai dit : « Hé, ça va la vie ? », pour voir sa réaction. Il m'a lancé un regard furieux, puis il a simplement continué de pédaler.

Quand on voyait Riis et les dizaines de types comme lui qui constituaient le peloton, on ne pouvait que se poser des questions. Je veux dire, j'étais un bleu, mais pas idiot pour autant. Je savais que certains coureurs se dopaient. J'avais lu des choses – même si c'était assez rare, on était avant Internet ! – dans les pages de *VeloNews*. J'avais entendu parler de stéroïdes (ce qui m'avait stupéfait, car les coureurs cyclistes n'ont pas de gros muscles) ; j'avais entendu dire que les coureurs avalaient des amphétamines, qu'ils cachaient des seringues dans les poches de leur maillot. Et dernièrement, j'avais entendu parler de l'érythropoïétine (l'EPO), le tonifiant sanguin qui permettait, disait-on, d'améliorer son endurance de 20 % en incitant le corps à produire davantage de globules rouges porteurs d'oxygène[1].

1. Note historique : dopage et cyclisme vont de pair depuis les origines de ce sport. Pendant la première moitié du XXe siècle, les coureurs employaient des stimulants qui agissaient sur le cerveau (cocaïne, éther, amphétamines), réduisant la fatigue. Dans les années 1970 sont apparues de nouvelles substances tels les stéroïdes et les corticoïdes, qui ciblaient les muscles et les tissus conjonctifs, apportant de la puissance et réduisant le temps de récupération. Mais la vraie transformation du dopage s'est produite avec les substances agissant sur le sang – plus particulièrement celles qui en augmentent la capacité de transport d'oxygène.

L'érythropoïétine (EPO) est une hormone naturelle qui conduit les reins à produire davantage de globules rouges porteurs d'oxygène. Commercialisée au milieu des années 1980 à l'intention des patients dialysés ou atteints de cancer qui souffrent d'anémie, elle a vite été adoptée par les athlètes – et pour d'excellentes raisons. Une étude menée pendant treize semaines auprès de cyclistes amateurs en bonne condition physique et parue dans l'*European Journal of Applied Physiology* montre que l'EPO accroît les pics de puissance de 12 à 15 % et l'endurance (la durée passée à 80 % du maximum) de 80 %. Le Dr Ross Tucker, qui écrit pour le site Internet très respecté *Science of Sport*, estime que, pour un athlète de classe mondiale, l'EPO améliore les performances d'environ 5 %, ce qui équivaut à peu près à l'écart qui sépare la première place du milieu de tableau au Tour de France.

L'un des risques manifestes de la prise d'EPO était de voir se multiplier les décès. On la soupçonne d'être responsable de la mort d'une douzaine de coureurs hollandais et belges entre la fin des années 1980 et le début des années 1990 : leur cœur s'est arrêté parce qu'il ne parvenait plus à pomper le sang rendu trop épais par l'EPO. Selon les anecdotes de l'époque, les cyclistes faisaient sonner leur réveil en pleine nuit pour se livrer à des exercices de gymnastique suédoise censés faire monter leur pouls.

Toutes ces rumeurs m'avaient moins impressionné que la vitesse – la vitesse implacable, brutale, mécanique. Je n'étais pas le seul surpris. Andy Hampsten était aussi puissant que les années précédentes, qui l'avaient vu remporter de grandes courses. Or voilà que, sans rien avoir perdu de sa puissance, il avait du mal à rester parmi les cinquante meilleurs. Farouchement opposé au dopage, Hampsten, qui a préféré prendre sa retraite à trente-deux ans plutôt que se doper, a assisté au changement depuis les premières loges.

> ANDY HAMPSTEN : Au milieu des années 1980, quand j'ai commencé, les coureurs se dopaient, mais on pouvait encore les battre. C'étaient soit des amphétamines, soit des anabolisants – des produits puissants, mais qui présentent certains inconvénients. Les amphétamines rendaient les coureurs idiots – ils lançaient des attaques insensées et dilapidaient toute leur énergie. Les anabolisants les rendaient bouffis, lourds et produisaient des blessures à long terme, pour ne rien dire de ces horribles éruptions cutanées. Les types étaient super forts par temps frais, dans les courses relativement courtes, mais dans les courses longues, par étapes, les anabolisants les freinaient. L'un dans l'autre, un coureur propre avait encore ses chances dans les courses de trois semaines.
>
> L'EPO a tout changé. Comparés à l'EPO, les amphétamines et les anabolisants ne valent rien. D'un coup, des équipes entières sont devenues terriblement rapides ; je me suis subitement retrouvé à ramer pour rester dans les temps. En 1994, c'était devenu insupportable. Je grimpais, en fournissant le même effort que d'habitude, avec exactement le même poids et la même puissance, et je voyais à côté de moi ces types au cul énorme qui papotaient comme si on roulait sur du plat ! C'était complètement dingue[2].
>
> Tout au long de la saison [1996], les repas en groupe étaient tendus – c'était gros comme le nez au milieu de la figure, tout le monde était au courant, tout le monde parlait de l'EPO. On me demandait conseil, mais je ne savais pas quoi dire.

Personne ne se lance dans le cyclisme avec l'intention de se doper. Si on aime ce sport, c'est pour sa pureté ; il y a toi, ton vélo, la route, la course. Et quand on intègre le milieu et qu'on sent la présence du

---

2. De 1980 à 1990, l'allure moyenne du Tour de France a été de 37,5 km/h ; de 1995 à 2005, elle est passée à 41,6 km/h. Si l'on tient compte de la résistance de l'air, cela représente une augmentation de 22 % de la puissance générale.

dopage, la réaction instinctive est de fermer les yeux, de se plaquer les mains sur les oreilles et de redoubler d'efforts. De s'en remettre au vieux mystère du cyclisme – pousser jusqu'à la limite, puis pousser encore un peu plus, parce qu'on ne sait jamais, on va peut-être faire mieux aujourd'hui qu'hier. En vérité, et je sais que ça va paraître étrange, le fait de savoir que les autres se dopaient m'a d'abord motivé ; je me sentais noble parce que j'étais pur. J'allais l'emporter parce que ma propreté allait me rendre plus fort. Aucune tâche n'est trop petite, aucune tâche n'est trop dure.

C'était facile de garder cette attitude parce que le dopage n'était tout simplement pas un sujet de discussion – du moins pas officiellement. On murmurait bien certaines choses à table ou pendant la course, mais jamais nos directeurs d'équipe, nos managers ou nos médecins n'évoquaient le sujet. De temps à autre un article paraissait dans la presse et provoquait une commotion passagère, mais dans l'ensemble, chacun faisait semblant de trouver normales ces allures folles. C'était comme si personne ne s'étonnait de voir quelqu'un soulever des haltères de plusieurs centaines de kilos d'une seule main.

N'empêche, il fallait bien quand même que notre inquiétude s'exprime. On raconte souvent qu'en 1996 Marty Jemison et moi-même avons abordé le médecin de l'US Postal, Prentice Steffen, à propos de la vitesse étonnante des courses. Selon Steffen, Marty aurait alors insinué que notre équipe ferait bien de nous procurer des substances illicites et que je l'aurais soutenu. J'avoue ne pas me souvenir de cette scène précise, mais je me rappelle très bien mon sentiment d'inquiétude, les interrogations que suscitaient en moi ces types qui fonçaient et les carburants qu'ils utilisaient[3].

---

3. L'épisode a gagné une certaine notoriété parce que Steffen l'a souvent raconté aux médias au fil des ans. Steffen soutient que Jemison faisait allusion au dopage. Jemison dit qu'il était irrité par l'obstination de Steffen à ne donner aux coureurs de l'US Postal que de l'aspirine ou des vitamines. « Je connaissais l'existence de vitamines et d'acides aminés légaux en intraveineuse, et j'ai pressé Steffen de m'expliquer pourquoi on s'en privait, dit Jemison. À ce moment, je peux dire en toute honnêteté que je n'avais pas le dopage en tête. Je n'avais encore jamais entendu le terme d'"EPO". Mais ça n'allait pas durer. »

Weisel, on s'en doute, appréciait encore moins que nous de perdre, et ce sentiment était exacerbé par la structure même de notre discipline sportive. Au baseball ou au football américain, la ligue assure une certaine stabilité à chaque équipe. Le cyclisme professionnel repose, lui, sur un modèle plus darwinien : les équipes sont parrainées par de grandes entreprises et luttent pour participer à des courses importantes. Il n'y a aucune certitude ; les commanditaires peuvent toujours s'en aller, les courses peuvent refuser les équipes. Du coup, tout le monde est tendu en permanence : les sponsors, à qui il faut des résultats, les directeurs d'équipe, à qui il faut des résultats, et nous, parce qu'il nous faut des résultats pour bénéficier d'un contrat.

Weisel était bien conscient de cette équation. Il jouait sa seule chance d'accéder au Tour, et n'était pas du genre à vous donner une tape dans le dos après une défaite en disant : « Ne vous en faites pas les gars, on les aura demain. » Non, Weisel était le type d'homme que la défaite plonge dans une colère noire. En 1996, on l'a vu passer de la colère noire au blanc incandescent puis à l'alerte rouge. On a commencé à le voir se prendre le bec avec Eddie B. après les courses. On a commencé à l'entendre rouspéter :

« Il y a intérêt à ce que les chiffres soient bons demain, parce que sinon quelqu'un va prendre la porte. »

« Il va falloir sérieusement mettre le paquet… maintenant ! »

« C'était vraiment lamentable aujourd'hui. C'est quoi votre problème, les gars ? »

Les neuf jours du Tour de Suisse, en juin, devaient nous donner l'occasion de nous racheter. On avait bon espoir : Hampsten, qui allait partager le capitanat avec Darren Baker, l'avait déjà remporté en 1988. Weisel nous rejoindrait en avion pour les étapes importantes, qu'il suivrait dans la voiture d'équipe avec Eddie B. Ce devait être notre grande chance de prouver que nous n'étions pas des imposteurs.

On s'est fait écraser. On a tenu quelques jours, mais dès qu'il a fallu passer aux choses sérieuses, on a lâché. Le moment clé s'est produit à la quatrième étape, dans l'ascension du col du Grimsel – absolument monstrueux : 26 kilomètres, 1 540 mètres de dénivelé à une moyenne de 6 %, et une arrivée au bien nommé lac des Morts. Dès les premières pentes, le peloton a accéléré et on est restés derrière comme si nos vélos étaient retenus par des ancres. Hampsten a tenté de tenir bon, s'accrochant à un groupe d'une vingtaine de coureurs qui s'envolait de plus en plus haut dans la montagne. Weisel et Eddie B. ont eu beau lui hurler leurs encouragements, rien n'y a fait – il roulait à fond, mais les autres étaient tout simplement trop forts. Le groupe a fini par le lâcher.

Voyant les meneurs disparaître au sommet de la route, Weisel s'est mis à s'agiter. Le protocole de la course exige que la voiture d'équipe reste derrière son coureur de tête pour le ravitailler et lui prêter assistance en cas de problème mécanique ; violer cette règle est impensable, c'est comme si, en Nascar, l'équipe des puits abandonnait son poste en pleine course. Mais Weisel était à bout, et il se fichait du protocole comme du reste du monde. Il a ordonné à Eddie B. d'abandonner Hampsten et de rattraper les meneurs pour les observer de plus près. Il cherchait de nouveaux coureurs pour l'équipe de 1997. Hampsten, qui n'en croyait pas ses yeux, a vu la voiture US Postal disparaître au loin. Le message était clair : Weisel n'allait pas perdre son temps à attendre des *loosers*.

Deux jours plus tard, au pied du col du Susten (17 kilomètres à 7,5 % de déclivité), notre coleader d'équipe Darren Baker a crevé. Je lui ai cédé ma roue, et le temps de la remplacer, je me suis retrouvé seul. J'ai donné tout ce que j'avais, mais je n'ai pas réussi à rattraper les autres. J'ai passé la journée tout seul, à m'efforcer de ne pas dépasser la limite de temps. Je me souviens d'avoir vu des coureurs désespérés au point de s'accrocher au rétroviseur d'une voiture pour se faire remorquer. Je me souviens d'avoir pensé que jamais je n'en viendrais là. J'ai fini par arriver, trop tard, et le lendemain j'étais dans l'avion du retour à me demander si j'étais taillé pour ce sport.

* * *

Après le Tour de Suisse, j'aurais pu me poser la question de savoir pourquoi je travaillais si dur pour rien. J'aurais pu être tenté de renoncer, si le vélo avait été la seule chose dans ma vie. Mais ce n'était pas le cas. Car, quelques semaines avant cette course, j'étais tombé amoureux.

Elle s'appelait Haven Parchinski ; nous avions fait connaissance ce printemps-là, lors du Tour DuPont, aux États-Unis ; elle faisait partie des bénévoles chargés de vérifier les accréditations à l'entrée de la salle à manger de l'hôtel. Haven était une ravissante petite brune avec un immense sourire et des yeux noisette qui paraissaient aspirer la lumière. Je n'osais même pas lui adresser la parole, alors j'ai demandé à Jill, la femme de mon coéquipier Marty Jemison, qui travaillait dans l'équipe de relations publiques de l'US Postal, de faire les présentations. J'ai appris que Haven habitait Boston, et qu'elle travaillait dans la publicité. J'ai commencé à venir plus tôt aux repas, et à traîner de plus en plus longtemps à la fin, en enfilant les cafés. On a parlé, et on a vaguement flirté. Mon cœur battait à tout rompre, et le café n'y était pour rien.

Cette année-là, la course avait été dominée par Lance, plus baraqué et plus puissant que jamais[4]. Pendant l'une des dernières étapes, je m'étais retrouvé dans le groupe de tête, je me sentais fort, comme quoi les performances d'un coureur dépendent vraiment de son état mental ; mes sentiments pour Haven avaient eu l'effet d'une injection de propergol. À quelque quatre kilomètres de l'arrivée, j'ai lancé une attaque en solitaire et j'ai presque réussi à conserver mon avance jusqu'à l'arrivée avant d'être rejoint par le peloton. J'ai reçu le maillot du meilleur attaquant, ce qui m'a valu une place sur le podium et un merveilleux bouquet de fleurs. Le soir venu, j'ai fait porter le bouquet à la chambre de Haven. Elle a d'abord cru à une erreur. Puis elle a fait le rapprochement et m'a appelé pour me remercier, et nous avons passé une heure à bavarder. À la fin de la course, il y a eu une fête, puis je

4. Armstrong s'était mis à travailler avec le médecin italien Michele Ferrari à l'automne 1995. En le voyant revenir à l'entame de la saison 1996, ses coéquipiers ont été frappés par sa carrure. Les bras d'Armstrong étaient si gros qu'il était obligé de découper les manches de son maillot; Scott Mercier l'avait même charrié en lui demandant s'il jouait pour les Cowboys de Dallas.

l'ai raccompagnée jusqu'à la porte de sa chambre où je l'ai embrassée – juste un baiser, rien de plus, mais rien de moins – et c'est à partir de ce moment que nous avons été ensemble.

Nous étions faits l'un pour l'autre. Haven n'était pas impressionnée par les coureurs cyclistes, elle ne connaissait pas grand-chose à la discipline, et ça me convenait parfaitement. Son truc, c'étaient les affaires, le jeu de la publicité, la politique, le vaste monde à côté duquel j'étais passé.

L'épreuve de vérité a été son séjour dans ma famille, à Marblehead, pour le « Grand Tournoi délirant de croquet » annuel. Haven s'est donnée à fond, démontrant qu'elle avait autant de ressources que les meilleurs d'entre nous. Elle a ensuite envoyé un mot de remerciements à mes parents, où elle disait qu'elle ignorait auparavant que le croquet était un sport de combat. Mes parents l'ont adoptée ; quand j'étais en déplacement, ils dînaient souvent ensemble. On disait en rigolant qu'ils avaient plus de rancards avec Haven que moi.

Les parents de Haven, en revanche, voyaient notre relation d'un moins bon œil, peut-être parce que « coureur cycliste en herbe » n'est pas du meilleur effet sur un CV. Mais ce mois de juillet-là, ils ont assisté à une course que j'ai eu la chance de remporter au Massachusetts, et ça leur a permis de constater que si leur fille fréquentait un coureur cycliste, au moins elle n'avait pas choisi un *looser*. En décembre, j'ai quitté ma petite maison de Nederland, dans le Colorado, pour m'installer chez Haven à Boston, sans rien dire à ses parents ; on faisait comme si j'étais de passage.

Quand j'y repense, ces jours-là ont peut-être été les plus heureux de ma vie. J'avais vingt-cinq ans. Ma relation avec Haven se construisait, j'avais depuis peu un jeune golden retriever turbulent nommé Tugboat et peut-être un avenir dans le vélo, si je continuais à m'améliorer. C'était magique – je n'avais qu'à pousser sur les pédales, et cette vie amusante, intéressante, riche de défis, prenait forme autour de moi. Autour de nous.

En Europe, certains signes laissaient espérer que le temps des hommes forts touchait à sa fin. Le Tour de France remporté par Riis en 1996 avait été témoin d'exploits surhumains, et tout le monde parlait de dopage. Dans certaines ascensions décisives, par exemple, on avait vu Riis faire quelque chose d'inouï : il s'était retourné pour regarder les autres concurrents, presque en les défiant, avant de les distancer comme s'il conduisait une moto. Dans toute l'Europe, la voix de la raison commençait à se faire entendre. Une enquête judiciaire italienne avait braqué les projecteurs sur l'usage d'EPO ; *L'Équipe* avait publié une série d'articles dans lesquels certains coureurs disaient ne plus pouvoir tenir la cadence sans EPO, un produit qui restait indétectable lors des contrôles. Les éditorialistes disaient que ces nouvelles substances remettaient en question la dignité du sport tout entier. La pression montait sur Hein Verbruggen, le Hollandais à la tête de l'UCI. J'espérais vivement une initiative de l'UCI, ne serait-ce que parce que ça améliorerait mes chances de succès.

Mais tout cela est soudain devenu dérisoire quand j'ai appris début octobre qu'on avait diagnostiqué chez Lance un cancer des testicules, avec des métastases à l'abdomen et au cerveau. C'était un coup de massue, le rappel qu'une vie entière peut basculer en un instant. Ses photos m'ont profondément ébranlé. Je venais de le voir, fort, invincible, remporter le Tour DuPont, au mois de mai. Il était à présent maigre, chauve, marqué. J'ai entendu dire qu'il avait l'intention de revenir, et j'ai commencé par penser : *Tu parles*. Puis, je me suis dit : *Si quelqu'un en est capable, c'est bien Lance.*

À l'approche du printemps, dans l'attente de l'ouverture de la saison 1997, un enthousiasme nouveau m'a gagné. Weisel faisait parler de lui dans le milieu du cyclisme, parce qu'il arrivait à faire signer les plus grands noms du vélo. Le bruit a couru qu'il procéderait à une refonte de l'équipe technique et du calendrier et que certains d'entre nous – j'espérais en être – s'installeraient en Europe, dans une petite ville espagnole près des Pyrénées nommée Gérone. On en a discuté avec Haven et on s'est tout de suite entendus sur un point : quoi qu'il arrive, en tout état de cause, on ferait ce qu'il faudrait pour que ça se passe bien.

CHAPITRE 3

Eurodogs

« Je suis passé en dix minutes de la conviction absolue que je ne me doperais jamais à la décision de le faire. »

David Millar, ancien champion du monde et vainqueur d'étape au Tour de France

Pour démarrer la saison 1997, Thom Weisel a rassemblé l'équipe dans sa maison d'Oceanside, en Californie, à quelques kilomètres de l'endroit où se déroulait notre stage d'entraînement. C'était le dimanche du Super Bowl, à la fin janvier, par une de ces journées californiennes idéales, sous un ciel d'azur. Nous étions dans son salon, avec sa baie vitrée et sa vue sur la mer à 1 million de dollars. Mais ça ne m'intéressait pas plus que cela, car le vrai spectacle était à l'intérieur.

Parmi les présents se trouvaient le médaillé d'or des jeux Olympiques Viatcheslav Ekimov, Jean-Cyril Robin, récemment récupéré auprès de la puissante équipe française Festina, qui avait tout d'un prétendant au Tour, ainsi qu'Adriano Baffi, un homme fort de l'équipe Mapei. Eddie B. avait été relégué au rang de sous-directeur et remplacé par un Danois sympathique nommé Johnny Weltz. Hampsten n'était plus des nôtres, il avait pris sa retraite. Le médecin de l'équipe, Prentice Steffen, était parti lui aussi, cédant sa place au Dr Pedro Celaya, un élégant Espagnol aux manières chaleureuses et aux yeux bruns langoureux[1].

1. Après son licenciement, Steffen a envoyé une lettre de protestation au manager de l'US Postal Mark Gorski dans laquelle on pouvait notamment lire ceci : « Qu'est-ce qu'un médecin espagnol, totalement inconnu de l'organisation, peut offrir que je ne

D'un coup de baguette magique, l'équipe US Postal était passée à la version 2.0, calquée sur le modèle européen, étincelante, ultramoderne. En voyant cela, j'ai éprouvé deux émotions. La première était un frisson de plaisir ; avec de telles recrues, notre équipe avait une vraie chance de gagner son billet pour le Tour de France. La seconde était une inquiétude : avais-je ma place parmi des types de ce calibre ? Avais-je les qualités d'un bon coureur de soutien – ce qu'on appelle un *domestique*[2] ? Serais-je même digne de figurer dans l'équipe du Tour, si jamais on en arrivait là ?

À un moment, Weisel s'est versé du vin et a levé son verre. Le silence s'est fait et il a prononcé un de ses célèbres discours directs et grognons sur le thème « Démerdez-vous pour que ça se fasse ». Il y avait un match de football à la télé, et Weisel a établi un parallèle – le Tour de France était notre Super Bowl à nous, et nous allions partir à son assaut, quoi qu'il en coûte.

Weisel et Weltz ont exposé leur plan : les entraînements seraient plus durs, mieux organisés, plus ciblés. Moi et quatre autres Américains nous installerions à Gérone – Scott Mercier, Darren Baker, Marty Jemison, George Hincapie. Notre programme de courses serait plus ambitieux ; nous viserions la prestigieuse course classique Liège-Bastogne-Liège, le Tour de Suisse, et si les choses se passaient bien, nous prendrions en juillet le départ de notre premier Tour de France. L'objectif était clair : prouver que l'équipe US Postal avait sa place en Europe. On n'allait pas frapper à la porte, on allait la défoncer.

À un moment pendant la fête, j'ai repéré un plateau de biscuits au chocolat. Comme tous les coureurs, je surveillais mon poids, mais l'entraînement était particulièrement dur et ces cookies étaient vraiment appétissants – croquants sur les bords, plus moelleux au cœur, juste comme je les aime. Je n'ai pas résisté. J'en ai pris un, et je l'ai mâché lentement – la perfection même. Puis, j'en ai pris un autre. À

---

puisse ou ne veuille vous offrir ? La réponse est assez évidente : le dopage. » Postal a répondu par une lettre d'avocat informant Steffen qu'il serait poursuivi s'il faisait une quelconque déclaration publique susceptible de porter un préjudice financier à l'équipe. Après consultation d'un avocat, Steffen a laissé tomber.

2. En français dans le texte. NdT.

ce moment, j'ai eu le sentiment étrange qu'on m'observait. J'ai levé les yeux et mon regard a croisé celui du nouveau médecin de l'équipe, Pedro Celaya, qui me fixait depuis l'autre bout de la pièce, attentif comme s'il prenait ma température. Avec un sourire, mais fermement, Pedro a lentement fait « Non, non ! » de l'index. J'ai souri en retour, et j'ai fait semblant de cacher le cookie sous ma chemise. Il a ri.

J'ai immédiatement accroché avec Pedro. À la différence de Steffen, que je trouvais froid et susceptible, Pedro était une sorte d'oncle bienveillant. Il te regardait dans les yeux; il te demandait comment tu allais; il se souvenait des petits détails. C'était un homme mince, d'aspect plaisant, avec une tignasse grisonnante et rebelle et un sourire enjoué. Pour lui, la vie semblait être une partie de plaisir; il était toujours partant pour une tranche de rigolade. Son anglais n'était pas parfait, mais il avait l'art de la conversation, parce qu'il semblait savoir ce que j'éprouvais avant même que je l'éprouve.

L'une de nos premières discussions a porté sur mon sang. Pedro m'a expliqué ce qu'était l'hématocrite: le pourcentage de globules rouges dans le sang. Il m'a expliqué qu'une nouvelle règle de l'UCI imposait quinze jours d'arrêt à tout coureur dont l'hématocrite était supérieur à 50 % – signe d'un usage probable d'EPO. Étant donné qu'il n'existait pas encore de test pour déceler l'EPO, le fait de dépasser le taux de 50 % n'était pas considéré comme du dopage; le président de l'UCI, Hein Verbruggen, préférait invoquer des raisons de santé, qualifiant la suspension de « congé d'hématocrite[3] ».

Pedro m'a donc demandé la permission de faire une prise de sang, pour vérifier mon hématocrite. Il a rempli de petites éprouvettes qu'il

3. Ancien responsable des ventes des barres chocolatées Mars, Verbruggen a comparé cette nouvelle règle aux tests sanguins auxquels sont soumis les travailleurs d'usines de peinture pour déceler la présence de plomb – il ne s'agissait que de s'assurer que personne ne tombe malade. Comme d'autres faisaient remarquer que cela revenait à légaliser l'EPO (selon un directeur d'équipe italien, la nouvelle réglementation équivalait à autoriser n'importe qui à entrer dans une banque pour se servir tant que les montants restaient inférieurs à 1 000 dollars), Verbruggen, connu pour son tempérament colérique, a qualifié leurs propos de « conneries » et prié les médisants de « la boucler ». Le message aux équipes et aux coureurs était limpide: tant que votre hématocrite resterait inférieur à 50 %, personne n'irait s'en préoccuper.

a insérées dans un appareil grand comme un grille-pain – une centrifugeuse. J'ai entendu un bourdonnement; Pedro a retiré les fioles et examiné les graduations sur le côté.

« Pas mal, a-t-il dit. Tu vaux 43. »

Je me souviens que la formulation m'a frappé : il n'avait pas dit « Tu as fait 43 », ou « Tu es à 43 », mais « Tu vaux 43 ». Comme si j'étais une tête de bétail et que 43 était mon prix. Je découvrirais bientôt que c'était en effet le cas.

Mais, pour tout dire, je ne faisais pas trop attention à l'époque. J'étais préoccupé par des choses plus immédiates; la saison européenne à venir, la préparation, les valises, l'entraînement, ma future place dans la nouvelle équipe. Scott Mercier était l'un des plus âgés parmi nous, c'était un ancien de l'équipe olympique, et il était plus avisé que moi à l'époque. Voici le récit qu'il fait de sa rencontre avec notre nouveau médecin.

> SCOTT MERCIER : Jamais un médecin ne m'avait prélevé de sang jusque-là, je ne savais pas à quoi m'attendre. Mais je savais que la seule façon de faire grimper l'hématocrite est de prendre de l'EPO, ou de faire une transfusion. [Celaya] m'emmène donc dans sa chambre d'hôtel et procède au test. En voyant mes chiffres, il secoue la tête.
>
> « Ooooooh là là ! dit Pedro. Tu vaux 39. Pour être professionnel en Europe, il faut 49 ou 49,5. »
>
> Je comprends ce qu'il veut dire; il va me parler d'EPO. Je décide de faire le naïf, pour voir comment il s'y prend.
>
> Je demande : « Qu'est-ce qu'il faut faire alors ? » Et ça fait sourire Pedro.
>
> « Il te faut des vitamines spéciales. Nous en reparlerons. »
>
> À notre arrivée en Europe, j'étais sur mes gardes. Je savais ce qu'était l'EPO, je savais qu'il fallait la conserver au frais. Évidemment, il y avait un réfrigérateur dans le camion des mécanos de l'équipe. Il contenait des boissons, de la glace et, sur l'étagère du bas, une boîte en plastique noire, comme une petite boîte à outils, avec un cadenas. Si on la secouait, on entendait s'entrechoquer les ampoules. Je me suis mis à l'appeler « la boîte à vitamines ».
>
> Tout le monde savait que la décision avait été prise au sommet, et sur quelle voie on s'engageait. C'était clair comme de l'eau de roche. N'empêche, on fait semblant de ne pas y croire ; on regarde de l'autre côté

et on enfouit ça au fond de soi. Pendant un temps. Un peu plus tard ce printemps-là, au mois de mai, j'ai eu quatre semaines de pause entre deux courses. Pedro s'est présenté un soir dans ma chambre d'hôtel et il m'a tendu un sachet avec fermeture à glissière qui contenait une trentaine de cachets et des ampoules de verre remplies d'un liquide clair. Il m'a dit qu'il s'agissait de stéroïdes. « Ça va te rendre fort comme un taureau, m'a-t-il dit. Fort comme tu ne l'as jamais été. »

J'ai longuement réfléchi. C'était une décision difficile, et j'ai fini par refuser de prendre les cachets et par quitter l'équipe à la fin de l'année. Je n'étais pas assez motivé pour aller si loin. J'avais vingt-huit ans ; j'avais déjà une belle carrière derrière moi et des perspectives s'offraient à moi. Je me suis lancé dans les affaires, et ça m'a plutôt réussi. Mais j'ai quand même ressassé cette décision pendant quatorze ans. Je ne reproche rien à ceux qui ont fait le choix inverse – je les comprends parfaitement. Je veux dire, regardez Tyler – regardez à quel point ça a bien marché pour lui dans ce monde-là ! Ça me faisait bizarre de regarder tout ça de loin, de me demander ce qui se serait passé si j'avais fait l'autre choix.

* * *

En février 1997, environ deux semaines après la fin du stage d'entraînement, j'ai traversé l'Atlantique. Je me souviens qu'en voyant par le hublot l'Espagne qui défilait sous moi, mon estomac s'est noué. J'étais nerveux. J'allais prendre part à trois courses dans le sud de l'Espagne ; puis je rejoindrais Haven à Barcelone, et de là nous irions en voiture jusqu'à Gérone, pour voir l'appartement que nous allions partager avec les autres coureurs. J'avais des inquiétudes au sujet de ma vie à venir en Europe, ma relation avec Haven était toute fraîche, et je ne parlais pas un mot d'espagnol. Mais ce qui m'inquiétait par-dessus tout, c'était que seuls neuf coureurs de l'équipe participeraient au Tour, alors qu'elle en comptait vingt. Il fallait que j'en sois.

À peine débarqué, je suis monté au feu : d'abord, les cinq jours de la Ruta del Sol, ensuite une journée du Trophée Luis Puig, puis cinq jours avec le Tour de Valence. C'était terrible : le vent, la chaleur, l'allure incroyable, la route à travers la garrigue puis la côte, un décor marron et bleu. C'est là que pour la première fois j'ai vu les sachets de papier blanc. Ils apparaissaient à la fin de chaque course dans les mains des soigneurs, et étaient conservés dans le frigo du camion des mécanos. C'étaient de petits sacs soigneusement pliés au sommet. Les soigneurs n'en faisaient pas tout un plat – ce qui, d'une certaine façon, donnait beaucoup d'importance à la chose, précisément parce qu'ils avaient l'air de trouver ça normal, habituel. Ils remettaient ces sachets à certains coureurs avant de rentrer chez eux.

Certains coureurs y avaient droit. D'autres pas.

La première fois, j'ai été surpris. Après deux courses, je me suis mis à les guetter de l'œil. On n'en donnait qu'aux plus forts – Hincapie, Ekimov, Baffi, Robin. Les types que je considérais comme l'équipe de premier niveau. J'ai alors compris quelque chose d'inquiétant: je faisais partie de l'équipe de second niveau.

C'est à la même époque que j'ai entendu pour la première fois l'expression « paniagua ». Elle était parfois prononcée avec dépit, comme si celui qui l'employait parlait d'avoir monté un âne particulièrement lent et têtu: « J'aurais pu mieux finir, mais je roulais paniagua. » Parfois, c'était dit avec une pointe de fierté: « Je suis arrivé dans les trente premiers, alors que j'étais paniagua. » J'ai fini par découvrir que c'était en fait *pan y agua*: « au pain et à l'eau ». J'en ai tiré la conclusion qui s'imposait: il était devenu si rare de courir sans béquille chimique que ça méritait d'être souligné.

J'ai d'abord essayé de ne pas trop penser aux sachets blancs, mais j'en suis assez vite venu à les haïr. Et à y penser souvent. Dès qu'un coureur de premier niveau me dépassait, je pensais aux sachets blancs. Dès que j'étais à bout, sur le point d'abandonner, je pensais aux sachets blancs. Quand je me donnais un mal de chien tout en sachant que je ferais au mieux de la figuration, je pensais aux sachets blancs. D'une certaine façon, c'était mon carburant; les sachets me poussaient à me donner totalement à fond, parce que je voulais prouver que je valais mieux que ça, que j'étais plus fort qu'un petit sac en papier. J'étais tout le temps à la limite, je sentais le goût du sang dans la bouche jour après jour. Et pendant un temps, ça a fonctionné.

Et puis j'ai craqué.

Voici un chiffre intéressant : mille jours. C'est à peu près le temps qui sépare le jour où je suis devenu professionnel de celui où je me suis dopé pour la première fois. Pour avoir parlé avec les autres coureurs de cette époque ou lu leurs histoires, j'y vois un schéma récurrent : ceux qui se sont dopés ont généralement commencé à le faire au cours de leur troisième année. Première année, tu viens de passer pro, tu es tout excité de te trouver là, jeune chiot gonflé d'espoir. Deuxième année, c'est la prise de conscience. Troisième année, tout s'éclaire – c'est la bifurcation. Oui ou non. *In* ou *out*. Tout le monde fait ses mille jours ; tout le monde a le choix.

D'un côté, c'est déprimant. De l'autre, c'est humain. On passe mille matins à se lever plein d'espoir et mille après-midi à se faire laminer. Mille jours de paniagua à buter contre le mur de ses limites, à faire tout ce qu'on peut pour le dépasser. Mille jours à entendre dire que le dopage, ce n'est pas grave, dans la bouche de gens puissants qu'on admire et en qui on a confiance, un message qui dit « Ça ira » et « Tout le monde le fait ». Et en toile de fond, la peur de voir sa carrière s'arrêter si on ne trouve pas le moyen de rouler plus vite. La volonté peut beaucoup, mais elle n'est pas inépuisable. Et une fois la ligne franchie, il n'y a pas de retour possible.

J'ai fait la Ruta del Sol paniagua. J'étais bien décidé à prouver ma valeur – peut-être trop. Le soleil était de plomb, la cadence infernale. Cinq jours de suite, j'ai atteint ma limite et m'y suis maintenu, en m'efforçant de tenir tête aux plus forts. Quand je sentais mon corps faiblir, je poussais plus fort. Puis il y a eu la course suivante, le Tour de Valence. Encore cinq jours de torture. J'ai puisé au plus profond de mes ressources, trouvé un second souffle. Puis un troisième. Et un quatrième.

Et soudain il n'y avait plus de souffle du tout. Le peloton semblait constitué de cent Bjarne Riis, un vrai train de marchandises. Mes forces ont commencé à m'abandonner, je me desséchais comme une feuille. J'étais en Europe depuis deux semaines, et l'évidence crevait les yeux. Je me suis mis à désespérer. J'avais toujours relevé tous les défis ; j'avais toujours trouvé moyen de m'en sortir avec les tripes.

« Aucune tâche n'est trop petite, aucune tâche n'est trop dure. » D'un coup, c'est moi qui n'étais pas assez dur.

À ce stade du récit, je pourrais vous raconter que je suis un gars vraiment honnête. Je pourrais vous parler de mon enfance à Marblehead, où ça jouait toujours réglo, quel que soit le jeu. Je pourrais invoquer l'honneur de mon grand-père, qui avait servi dans l'US Navy, ou raconter le jour où je me suis fait pincer en revendant des tickets de remontée mécanique au collège, et où il a fallu que j'écrive quarante lettres d'excuses et fasse du bénévolat : j'ai appris la leçon et je me suis juré de toujours être quelqu'un de bien. J'ai fait de mon mieux pour tenir cette promesse.

Mais ça ne serait pas honnête, parce qu'à mon sens la décision de se doper n'a rien à voir avec l'honneur ou le caractère. Je connais des gens formidables qui se sont dopés ; je connais aussi des salauds qui ont refusé. Tout ce que je sais, c'est que j'avais passé mille jours à me faire voler mon gagne-pain, et que ça ne risquait pas de s'arranger. Alors j'ai fait comme tant d'autres avant moi. J'ai rejoint le club.

En fait, c'est le club qui est venu à moi. Juste après le Tour de Valence, Pedro est passé dans ma chambre d'hôtel. Peter Meinert Nielsen, le coéquipier avec qui je la partageais, était sorti souper, cela nous a permis de parler librement. Pedro avait sur le dos la veste qu'il portait toujours pendant les courses : une sorte de veste de pêcheur avec des poches partout. Il m'a posé la question qu'il ne manquait jamais de poser : « Comment tu te sens, Tyler ? » Il faisait ça vraiment bien ; on sentait que la réponse l'intéressait. Alors je lui ai dit la vérité. J'étais au bout du rouleau. C'était à peine si je pouvais me traîner jusqu'à la douche. Plus rien dans le ventre.

Dans un premier temps, Pedro n'a rien dit. Il m'a juste regardé – ou, pour être plus précis, il m'a dévisagé de son regard doux et triste. Puis il a fouillé dans sa veste et en a sorti un petit flacon de verre marron. Lentement, comme si de rien n'était, il a dévissé le bouchon, et a donné une petite secousse experte. Une seule gélule. Un tout petit œuf rouge.

« Ce n'est pas du dopage, a-t-il dit. C'est pour ta santé. Pour t'aider à récupérer. »

J'ai acquiescé. La gélule était encore dans sa main. J'ai vu que son contenu était liquide.

« Si tu courais demain, je ne te la donnerais pas. Mais tu cours après-demain, alors si tu prends ça maintenant il n'y a aucun problème, a-t-il dit. C'est sans danger. Ça t'aidera à récupérer. Ton corps en a besoin. »

Je comprenais parfaitement ce que me disait Pedro ; si on me contrôlait le lendemain, le test serait positif. Mais lui et moi savions que les tests n'avaient lieu que les jours de course, et la prochaine était prévue dans deux jours. J'ai tendu la main et il a fait rouler la gélule dans ma paume. J'ai attendu son départ, puis j'ai pris un verre d'eau et je me suis regardé dans le miroir de la salle de bains.

Ce n'est pas du dopage. C'est pour ma santé.

Deux jours plus tard, le Trophée Luis Puig s'ouvrait par une côte, une longue montée en lacets, avalée à une cadence extraordinaire. J'ai eu un coup de mou, comme d'habitude. Mais quelque chose s'est produit. À l'approche du sommet, j'ai remarqué que je remontais dans le peloton ; j'ai dépassé un coureur, puis trois, puis dix. Entendons-nous bien : je n'étais pas subitement devenu Superman – j'étais à l'agonie, à ma limite absolue. Mais les autres agonisaient un peu plus vite. Quand le peloton s'est disloqué, j'étais avec les meilleurs.

En toute objectivité, je savais très bien ce qui se passait : l'œuf rouge – j'apprendrais par la suite que c'était de la testostérone – s'était répandu dans mon sang, déclenchant une cascade d'altérations bénéfiques : il avait accru l'irrigation de mes muscles et réparé les microblessures, me procurant une sensation générale de bien-être. Ce n'était pas moi qui grimpais la côte, mais un moi amélioré. Un moi plus équilibré. Comme l'aurait dit Pedro, un moi en meilleure santé.

Je ne suis pas fier du choix que j'ai fait. J'aurais aimé être plus tenace, j'aurais aimé refuser l'œuf rouge, souffrir encore un jour à l'arrière du peloton, paniagua. J'aurais aimé savoir sur quel chemin je m'engageais, j'aurais aimé renoncer au cyclisme et rentrer chez moi. J'aurais repris mes études, j'aurais peut-être fait une école de commerce, connu une autre vie. Mais je ne l'ai pas fait. J'ai pris la gélule et ça a marché – j'ai roulé plus vite, j'ai eu de meilleures sensations. J'étais bien, et pas seulement sur le plan physique. L'œuf rouge était une sorte de distinction honorifique, le signe que Pedro et l'équipe avaient perçu mon potentiel. J'avais fait un petit pas vers l'équipe de premier niveau.

Je n'ai pas remporté la course, mais je ne m'en suis pas trop mal sorti. À l'arrivée, j'ai accepté les grandes tapes dans le dos de mon directeur, Johnny Weltz, et j'ai vu les sachets blancs qu'on distribuait. Ce spectacle m'a donné une pointe d'angoisse.

J'avais encore du chemin à faire.

* * *

Après le Tour de Valence, nous sommes partis pour Gérone, une cité médiévale de 100 000 habitants, entourée de remparts, dans les contreforts des Pyrénées – mon nouveau chez-moi pour les sept mois suivants. J'ai retrouvé Haven à l'aéroport de Barcelone et nous avons mis cap nord, pressés de voir cette ville que le directeur d'équipe Johnny Weltz nous avait décrite comme un joyau. Nous suivions la voiture de Johnny, mais il conduisait comme un cinglé, avec des pointes à 160 kilomètres à l'heure. J'ai fait mon possible pour ne pas le perdre, zigzaguant constamment d'une voie à l'autre comme un pilote de Formule 1. (Plus tard, Haven dirait que ce trajet était une métaphore de l'ensemble de notre séjour en Europe : une course effrénée dans le brouillard.)

Johnny ne nous avait pas menti à propos de la ville. Malheureusement, notre appartement était le revers de la médaille : une enfilade de chambres dans une tour délabrée. Nous étions quatre à l'occuper : George Hincapie, Scott Mercier, Darren Baker et moi. Marty Jemison et sa femme logeraient à quelques pas de là. Nous avons tiré les chambres à la courte paille ; Scott, le plus grand, a naturellement tiré la plus petite chambre (allongé, il tenait à peine dedans). Les lieux étaient crasseux, alors Haven a organisé une opération ménage ; on a passé notre première matinée à frotter et à faire la poussière, et l'appartement a fini par ne plus ressembler à un dépotoir, mais à un dortoir universitaire. En souvenir d'une vieille sitcom intitulée *The Jeffersons*, on l'a baptisé « l'Appartement de luxe dans le ciel». Et nous-mêmes, les *Eurodogs*, les «Eurochiens».

Si on avait décidé d'en faire une série télé, Scott Mercier aurait tenu le rôle du Cerveau: vingt-neuf ans, grand, études supérieures, l'élégance d'un pur-sang, tant à vélo que dans la vie.

Darren Baker aurait été l'Anxieux: costaud, coriace, venu au cyclisme sur le tard, après s'être blessé en faisant de la course à pied, il avait démontré depuis qu'il était taillé pour le vélo (notamment en battant Lance dans une course importante en 1992). Darren était du genre réaliste jusqu'à l'os, il ne se laissait pas raconter des conneries et prenait un malin plaisir à toujours dire les vérités qui dérangent.

George Hincapie aurait joué le Taiseux: à vingt-trois ans, il venait de passer quelques années à courir en Europe au plus haut niveau et était considéré comme une étoile montante, un spécialiste de ce qu'on appelle les classiques pavées, ces courses d'un jour ultra difficiles d'Europe du Nord. George était du genre peu bavard, mais à vélo il ne manquait pas d'éloquence, où il associait fluidité de pédalage et esprit acerbe. On a souvent pris la nature silencieuse de George pour de l'indolence; au fil du temps, j'ai pu constater précisément l'inverse. Il était bien plus sage et plus observateur qu'on ne le soupçonnait.

Quant à moi, j'aurais tenu le rôle de l'Agité, le jeune chiot maigrelet qui avait tout à apprendre en matière de vélo. Les premiers jours ont été marqués par la plus totale confusion. Nous ne savions pas où nous entraîner, faire réparer nos vélos, faire les courses pour la maison, louer un film ou retirer de l'argent. Par bonheur, George parlait espagnol, et il s'est chargé avec beaucoup de patience de nous tirer des situations délicates. Les premières semaines, à chaque obstacle linguistique, on criait «George!» – au point que c'est devenu une plaisanterie. Et George ne manquait jamais de rappliquer: il était gentil et patient.

Nous sommes vite devenus amis et n'avons pas tardé à découvrir une grande vérité concernant notre sport: aucune amitié au monde ne vaut celle qui unit les membres d'une équipe de cyclisme. La raison tient en un mot: le *don*. On donne toute sa force: pendant la course, on se protège mutuellement, on se vide pour l'autre, et il en fait autant pour vous. On donne tout son temps : on voyage ensemble, on partage les mêmes chambres, les mêmes repas. On passe chaque jour des heures à courir ensemble, au coude à coude. Je me souviens encore de la façon dont chacun de mes coéquipiers mâchait sa nourriture, préparait son café, comment il marchait quand il était fatigué, ce qu'on lisait dans ses yeux quand il avait passé une sale journée ou au contraire une journée formidable. Dans les sports d'équipe, on parle volontiers de « famille ». Dans le vélo, c'est particulièrement vrai.

Propulsés tous les quatre dans ce pays lointain, nous sommes devenus inséparables. Quand on se rendait à une course, on restait collés ensemble, et le reste du peloton nous jetait des regards amusés et curieux : « Regardez, c'est les nouveaux Américains – sont-y pas mignons ? » Notre sentiment d'être une bande à part était amplifié par le fait que le peloton est une grande clique avec des règles précises, dont nous ne tarderions pas à enfreindre la plupart.

Il y avait la règle contre la clim, par exemple. Pour les Européens, c'était une dangereuse invention qui provoquait des maladies et desséchait les poumons ; quiconque mettait la climatisation dans le bus ou à l'hôtel était considéré comme un pestiféré qui aurait voulu transmettre sa maladie à tout le monde.

Ou la règle interdisant de manger de la mousse au chocolat (ça fait transpirer).

Ou la règle interdisant de s'asseoir au bord du trottoir (ça fatigue les jambes).

Ou la règle interdisant de passer la salière de la main à la main (il faut la poser sur la table, sinon ça porte malheur).

Ou la règle interdisant de se raser les jambes la veille d'une grande course (le corps dépense de l'énergie à faire repousser le poil).

Deux choses faisaient de George un colocataire idéal. D'abord, c'était un type à gadgets. À une époque où les appareils électroniques portables étaient encore une curiosité, George était un petit Future Shop à lui tout seul : il avait un lecteur de DVD portatif, des haut-parleurs, les derniers téléphones et ordinateurs portables, etc. C'est lui qui m'a donné mon premier téléphone et m'a appris à envoyer un SMS.

George m'a aussi appris la paresse. Évidemment, on n'appelait pas ça de la paresse – il s'agissait de « préserver son énergie », activité essentielle pour tout coureur cycliste digne de ce nom. Les règles étaient simples : passer le moins de temps possible debout, dormir le plus possible. George était un as de la détente. Il passait des journées entières allongé et n'adoptait la position verticale que pour manger et s'entraîner. Je le revois encore allongé de tout son long sur le canapé, les jambes surélevées, entouré de son attirail électronique. Il montrait le même souci d'économie quand il s'agissait de décider quoi manger : certains jours George avalait une pizza Margherita au dîner et une autre au souper, au point qu'on s'est mis à l'appeler Pizza Margherita. J'essayais de suivre son exemple en matière d'économies d'énergie, mais ça ne me venait pas naturellement : j'avais trop d'énergie nerveuse à dépenser et je m'inquiétais d'intégrer l'équipe de premier niveau.

Ironie du sort, c'est par George que les soucis ont commencé, à la suite d'une conversation entendue par inadvertance. Les murs de notre *apartamento* étaient en carton et le sol couvert de carrelage blanc : pas moyen de faire tomber une épingle sans être entendu. Le moindre murmure résonnait à travers l'appartement. Et des murmures, il y en avait, notamment entre George et notre directeur, Johnny Weltz.

Le fait que Johnny rende visite à George n'avait rien d'étonnant : après tout, ce dernier était l'un des principaux coureurs de l'équipe, notre meilleur espoir de victoire dans une classique qui aurait été le ticket d'entrée de l'US Postal dans le Tour de France. Ce qui pouvait surprendre, en revanche, c'est que Johnny débarquait parfois avec un sachet blanc. On entendait le froissement du papier. Et puis, quand ils parlaient entre eux, ils se mettaient à murmurer, ou alors à parler en espagnol. George et Johnny avaient beau pratiquer couramment la langue locale, je trouvais ça bizarre – on faisait partie de la même équipe, pourquoi ne pas parler anglais ? Scott, Darren et moi n'avons pas pu résister à notre curiosité. On a vu George déposer un petit paquet de papier d'aluminium dans le frigo, derrière le Coca-Cola. Peu après, un jour que George était sorti, on a pris le paquet dans le frigo. Il contenait des seringues et des ampoules étiquetées EPO.

> Scott Mercier : Un jour, j'ai posé la question à George. Nous étions seuls dans l'appartement. Il se passait tout un tas de trucs, et j'ai voulu en avoir le cœur net. Alors je lui ai demandé : « Tu es obligé de prendre ces produits pour y arriver ? » Il a longuement hésité. George est un homme tranquille. Il ne veut surtout pas de conflit. Il s'est un peu senti sur le gril, mais il a fini par lâcher : « Il faudrait que tu voies par toi-même. » Je savais exactement ce qu'il voulait dire.

Moi aussi, je commençais à comprendre. En mars, pendant le Tour de Catalogne, j'ai partagé ma chambre avec Adriano Baffi. J'en étais assez fier, parce que Baffi était un vieux de la vieille, un grand nom, l'un des mercenaires embauchés par Weisel ; il avait remporté cinq étapes du Giro, ce qui faisait de lui une légende vivante au sein de l'équipe. En entrant dans la chambre, j'ai entendu un vrombissement – la centrifugeuse. Et j'ai vu Baffi, un bel homme plein d'assurance, penché au-dessus d'un appareil similaire à celui de Pedro, mais plus petit et plus joli. Baffi ne se cachait pas, il faisait comme s'il était en train de se préparer un espresso. Il a regardé la graduation sur le côté de l'éprouvette et a souri. « 48 ! », s'est-il exclamé.

Dans ce genre de situation, je prenais toujours un air entendu. Je sais que ça paraît bizarre maintenant – j'aurais peut-être dû lui demander directement pourquoi il vérifiait son propre hématocrite. Mais j'arborais un air décontracté, je ne voulais pas qu'on me regarde de travers. Lors d'autres courses, j'avais entendu les types de l'équipe de premier niveau parler de leur hématocrite, comparer les chiffres, à grand renfort de *oooh !*, de *aaah !* et de plaisanteries. C'était un sujet de conversation récurrent, comme la météo ou l'état de la route. Les chiffres semblaient lourds de conséquences : « Je suis à 43 – vous ne risquez pas de me voir gagner aujourd'hui. » « On m'a dit que t'es à 49 – fais gaffe ! » Au début, je me contentais de sourire en hochant la tête, mais j'ai vite compris toute l'importance de l'hématocrite. Ce n'était pas un chiffre comme un autre, c'était *LE* chiffre, celui qui disait si vous aviez une chance de l'emporter ou pas. Ce n'était pas très bon pour moi, parce que mon propre hématocrite n'atteignait généralement qu'un triste 42. Et plus je me défonçais à l'entraînement et en course, plus ça baissait.

N'empêche, j'ai continué à tenir bon. Pedro me donnait de temps en temps un œuf rouge avant une course, mais ça n'allait pas plus loin. Je n'aurais jamais osé demander de l'EPO à Baffi ou à un autre. Je n'étais pas dans la bonne catégorie, je devais le mériter. Alors j'ai fait ce que je faisais de mieux : j'ai mis le nez dans le guidon, serré les dents et roulé, atteignant la limite pour essayer de la dépasser d'un poil. J'aurais peut-être continué à faire l'autruche un peu plus longtemps, mais il y a eu Marty Jemison.

Je connaissais bien Marty, je le considérais comme un ami. Il était un peu plus âgé que moi ; il avait vécu en Europe et couru dans une équipe hollandaise avant de se joindre à l'écurie Montgomery de Weisel en 1995. Il restait assez discret sur ce passé européen, mais j'avais l'impression qu'en tant qu'unique Américain de l'équipe, ça n'avait pas été simple. Marty était un homme bien, peut-être parfois un peu susceptible, mais globalement cordial et ouvert (depuis, il a monté une boîte de randonnées à vélo qui tourne bien). En tout cas, j'étais au moins sûr d'une chose, c'est que j'étais capable de le battre. Nous avions souvent été opposés au fil des ans, et j'arrivais devant lui dans 80 % des cas, notamment dans les contre-la-montre, qui sont considérés comme la meilleure mesure de la puissance brute d'un coureur. Il n'y avait pas de discussion possible : l'écart entre nos aptitudes respectives était aussi constant et fiable que celui de nos tailles.

Mais au printemps 1997, ça s'est inversé. À l'entraînement et dans les courses de début de saison, Marty faisait soudain mieux que moi, et ça m'a inquiété. Prenait-il quelque chose ? Devais-je faire pareil ?

En avril, j'ai été sélectionné pour l'épreuve la plus difficile que l'équipe avait courue jusqu'alors : le Liège-Bastogne-Liège, un festival de douleur long de 257 kilomètres à travers les Ardennes, considéré par certains comme la plus dure des courses d'une journée. Je me suis lancé à fond dans la préparation de la course, qui me semblait être une occasion en or de parvenir à intégrer l'équipe qui participerait au Tour. Mon objectif était d'arriver dans le premier ou le deuxième groupe – décrocher un A ou un B, selon mon petit système de notation.

J'ai obtenu un bon gros D paniagua. Oui, j'ai fait illusion au début, mais dès que la course s'est durcie, j'ai été largué et j'ai fini dans le quatrième groupe, avec 15 minutes de retard. De son côté, après avoir passé l'essentiel de la course dans le groupe de tête, Marty avait fini dans le deuxième – il était resté dans le coup. Après la course, ma frustration a grimpé d'un cran quand j'ai vu passer les sachets blancs. Je mesurais pleinement l'étendue de l'injustice. D'habitude, Marty finissait loin derrière moi ; aujourd'hui, il était devant. J'avais l'impression de pouvoir calculer les secondes que représentaient ces sachets blancs. Je mesurais la distance qui séparait le coureur que j'étais du coureur que j'aurais dû être. Le coureur que je *devais* être.

C'était de la *bullshit* !

C'était profondément injuste.

À ce moment précis, j'ai eu une vision très claire de mon avenir. À moins d'un changement, j'étais cuit. Je pouvais chercher un autre métier. J'ai commencé à accumuler du stress et de la colère. Je n'en voulais pas à Marty – au fond, il faisait comme tant d'autres : on lui avait donné sa chance et il l'avait saisie. Non, je m'en voulais à moi-même et au monde entier. J'étais en train de me faire avoir.

Quelques jours plus tard, on a frappé doucement à ma porte. Pedro est entré, et il s'est assis sur le lit ; nos genoux se touchaient. Dans ses yeux je lisais de la compassion.

« Je sais que tu travailles vraiment dur, Tyler. Tes résultats sont faibles, mais tu te bats pour rester dans le coup. »

J'ai joué au dur à cuire, mais il a vu que ses paroles me faisaient vraiment plaisir. Il s'est penché vers moi.

« Tu es un coureur épatant, Tyler. Tu sais te pousser à la limite, même quand tu es complètement vidé ; très peu de gens sont capables de ça. La plupart des coureurs abandonnent. Mais toi, tu continues. »

J'ai acquiescé. Je voyais où il voulait en venir, et mon cœur s'est mis à battre plus fort.

« Je crois que tu as peut-être une chance d'intégrer l'équipe du Tour de France. Mais il faut que tu sois en meilleure forme. Tu dois prendre soin de ton corps. Tu dois améliorer ta forme. »

Le lendemain, je recevais ma première injection d'EPO. C'était tout simple. Un peu de liquide clair, à peine quelques gouttes, et une légère piqûre au bras. C'était tellement simple, en fait, que je me suis senti un peu bête – c'est tout ? C'est ça dont j'avais si peur ? Pedro m'a remis quelques fioles d'EPO et quelques seringues à emporter chez moi. Je les ai emballées dans du papier d'aluminium et les ai mises au frigo. Un peu plus tard, je les ai montrées à Haven. On en a brièvement parlé.

« C'est exactement comme passer une nuit dans un caisson d'altitude », lui ai-je dit. Ce n'était pas tout à fait vrai, parce que dormir dans un espace à faible teneur en oxygène, un caisson d'altitude (une méthode légale pour augmenter l'hématocrite), suppose un matériel spécialisé et donne des maux de tête, le tout pour une amélioration beaucoup moins nette des valeurs sanguines. Mais le raisonnement nous arrangeait bien. On savait qu'on entrait en eaux troubles, mais si le médecin de l'équipe estimait que c'était bon pour moi… On savait que c'était interdit. Mais on avait juste l'impression d'être plus malins que les autres.

Je n'ai parlé de ma décision à personne d'autre qu'à Haven. Pas plus à Scott qu'à Darren, George ou Marty. On formait une famille, mais cela m'aurait gêné de le leur dire. Aujourd'hui, j'ai compris que si je ne leur ai rien dit, c'est parce que j'avais honte. Mais, sur le moment, ça semblait couler de source. Selon le terme employé par les Européens, cela faisait de moi un « professionnel[4] ».

---

4. La décision prise en 1997 par Hamilton de se mettre à l'EPO a peut-être reposé sur une supposition erronée à propos de son coéquipier Marty Jemison.

« Ce printemps-là, Tyler et moi étions dans la même galère, on s'accrochait du bout des ongles, dit Jemison. Je suis resté propre jusqu'au bout du printemps. Puis, en juin, juste avant le Dauphiné, Pedro [Celaya] est venu me dire que si je voulais intégrer l'équipe du Tour de France, il allait falloir que je prenne soin de ma santé. Il m'a montré comment, il m'a tout fourni. Alors oui, j'ai fait comme les autres, à partir du mois de juin puis pendant le Tour. Mais ma performance à Liège a été sans tache. J'étais simplement dans un bon jour. »

Jemison, qui a remporté le championnat des États-Unis de cyclisme en 1999, n'a couru que deux Tours de France, et cela s'explique peut-être par la façon dont l'ère de l'EPO a modifié l'évaluation que faisaient les équipes du potentiel de leurs coureurs. « Mon hématocrite était naturellement de 48, alors l'EPO ne m'a pas apporté beaucoup de puissance, dit-il. Plus je restais [au sein de l'US Postal], plus je constatais

* * *

On se demande souvent si l'EPO représente un danger pour la santé. À cela, je répondrai par la liste suivante :

Coude
Épaule
Clavicule (deux fois)
Dos
Hanche
Doigts (multiples)
Côtes
Poignet
Nez

C'est tout ce que je me suis cassé pendant ma carrière de coureur. Dans la profession, ça n'a rien d'extraordinaire. C'est ironique : le cyclisme est censé être bon pour la santé. Mais quand on regarde les pros, on voit ce qu'il en est vraiment : le cyclisme n'a absolument rien d'un sport sain. (Comme le dit mon ancien coéquipier Jonathan Vaughters, si tu veux savoir à quoi ressemble le métier de coureur cycliste, monte dans ta voiture en slip, roule à 65 kilomètres à l'heure et saute par la fenêtre sur un tas de ferraille.) Alors, en ce qui concerne les risques liés à l'EPO, ils paraissent franchement assez faibles.

Qu'est-ce qu'on ressent quand on prend de l'EPO ? On se sent vraiment bien, notamment parce qu'on ne ressent rien de particulier. On n'est pas lessivé. On se sent bien, normal, fort. On a les joues plus roses, on est moins grognon, de meilleure compagnie. Ces petites ampoules fonctionnent comme des signaux radio – elles donnent l'ordre à vos reins de produire davantage de globules rouges, et vos veines en reçoivent rapidement des millions, qui apportent à vos muscles l'oxygène dont ils ont besoin. Le reste de l'organisme est inchangé, c'est juste le carburant qui est meilleur. On peut y aller plus fort, plus long-

---

qu'on me préparait de moins en moins pour l'équipe première. Ils cherchaient clairement des coureurs capables de produire un tout autre niveau de résultats. » Jemison a abandonné l'équipe au terme de la saison 2000.

temps. La sacro-sainte limite de vos capacités recule d'un coup – et sacrément.

Entre coureurs, on parlait d'une lune de miel à l'EPO, et en ce qui me concerne, c'est ce que j'ai vécu : un phénomène essentiellement psychologique. Quelques gouttes d'EPO et vous êtes soudain capable de franchir des barrières sur lesquelles vous butiez depuis toujours. Soudain, un monde de possibilités s'ouvre devant vous. La peur fond. On se demande : jusqu'où je peux aller ? Quelle vitesse je peux atteindre ?

Souvent, les gens pensent que le dopage est une affaire de tire-au-flanc qui ne veulent pas se donner de mal. C'est peut-être vrai pour certains, mais dans mon cas, comme dans celui de beaucoup de coureurs que je connais, c'était exactement l'inverse. L'EPO nous donnait la possibilité de souffrir *davantage* ; de pousser plus loin et plus fort qu'on ne l'aurait jamais imaginé, aussi bien à l'entraînement qu'en compétition. Elle récompensait précisément mes points forts : une éthique de travail rigoureuse, la capacité d'atteindre sa limite et de la dépasser. J'en avais presque le vertige : j'étais en terrain inconnu. J'ai commencé à voir les courses d'un autre œil. Elles ne dépendaient plus de la loterie génétique, ou de la forme du jour. Elles ne dépendaient plus de ce qu'on était. Elles dépendaient de *ce qu'on faisait* – de l'intensité qu'on mettait au travail, du soin et du professionnalisme qu'on mettait à se préparer. Les courses devenaient des sortes d'examens que l'on pouvait préparer en étudiant. Tout de suite, mes résultats se sont améliorés ; je suis passé des C et D aux A et B. Au début de l'été, j'ai pris connaissance des règles du jeu :

1. Prendre des œufs rouges pour récupérer une fois par semaine ou toutes les deux semaines ; bien veiller à ne pas les prendre trop près des courses.
2. Se procurer l'EPO pendant les courses, auprès des médecins. Ne pas en acheter ; éviter dans la mesure du possible d'en conserver chez soi, sauf circonstances particulières (en cas de blessure ou de longue interruption entre deux courses). Procéder par injection sous-cutanée, dans la couche de graisse sous la peau. Cela permet une diffusion plus lente, et un effet prolongé.

3. Rester discret. De toute façon, il n'y avait rien à raconter parce que tout le monde était au courant. Ça faisait partie de la décontraction générale. Et puis, si jamais il y avait là quelque chose d'illégal, c'était clairement le fait de l'équipe – c'est elle qui obtenait et distribuait l'EPO. Mon unique mission consistait à la boucler, à tendre le bras et à bien travailler.

Alors qu'on entrait dans les chaleurs estivales, j'ai commencé à obtenir de bons résultats, finissant dans les vingt premiers, les dix premiers. J'étais moins inquiet, plus détendu. Quand les autres coureurs plaisantaient à propos de leur hématocrite, je rigolais avec eux. Quand quelqu'un sortait une vanne à propos de l'EPO, je souriais en connaissance de cause. J'étais le nouveau membre du club des sachets blancs.

En juin, la nouvelle est tombée : les organisateurs du Tour de France avaient décidé d'inviter l'équipe US Postal. Puis, quelques semaines plus tard, j'ai reçu une nouvelle encore meilleure : je ferais partie de l'équipe qui y participerait, aux côtés d'Eki, de George, de Baffi, de Robin et de toute l'équipe de premier niveau. J'ai appelé mes parents à Marblehead pour les inviter à assister à une partie de la course. Après tout, l'occasion risquait de ne pas se représenter. J'étais sur un petit nuage – en tout cas jusqu'au début de la course.

L'édition 1997 du Tour a été invraisemblablement difficile. Les étapes du Tour sont toujours très dures, mais cette année-là, peut-être en réaction à la vitesse accrue du peloton, les organisateurs ont décidé qu'elles seraient *très très* dures – il y avait une étape de 242 kilomètres au cœur des Pyrénées ; sept heures de souffrance ininterrompue sous l'œil des caméras. Cerise sur le gâteau, la météo était infernale, avec des pluies glaciales, du brouillard et des vents de tempête. Si les organisateurs avaient cherché à encourager l'usage d'EPO ils ne s'y seraient pas pris autrement. Les US Postal ont consommé beaucoup de sachets blancs, et je suis sûr que nous n'avons pas été les seuls.

On demande souvent pourquoi il y a plus de dopage lors des longues courses de trois semaines, comme le Tour de France. La réponse est simple : plus longue est la course, plus le dopage est utile – en particulier l'EPO. Règle de base : si tu ne prends rien pendant une course de trois semaines, ton hématocrite baisse d'environ 2 points par semaine, soit 6 points au total. C'est ce qu'on appelle l'anémie du sportif. Toute perte de 1 point d'hématocrite représente 1 % de perte de puissance – autant de force en moins pour pédaler. Par conséquent, quand on fait une longue course en roulant paniagua, sans apport de globules rouges, on aura perdu à peu près 6 % de puissance au terme de la troisième semaine. Et dans un sport où le titre se joue souvent sur un écart de puissance d'un dixième de point, c'est une condamnation sans appel.

EPO ou non, la journée la plus dure du Tour a été celle de la quatorzième étape. Ce jour-là, l'équipe Festina a fait un grand numéro comme on n'en avait jamais vu. Au pied des 21,3 kilomètres d'ascension du col du Glandon, ses neuf coureurs se sont placés en tête de course et ont roulé à plein régime, atteignant une vitesse inconcevable qu'ils ont maintenue en franchissant le col de la Madeleine et jusqu'à l'arrivée à Courchevel. On ne le saurait que plus tard : Festina avait dégainé une nouvelle arme, quelque chose qui dépassait l'EPO. Le lendemain, la rumeur courait que Festina avait utilisé ce qu'on appelle des perfluorocarbures (PFC), du sang de synthèse qui accroît la capacité en oxygène, et pour lequel aucun test n'existait. L'usage de PFC comportait des risques énormes, des risques vitaux, même. L'année suivante, un coureur suisse nommé Mauro Gianetti finirait en réanimation ; les médecins soupçonneraient la prise de PFC, malgré ses dénégations. Mais Festina avait démontré que les PFC apportaient aussi une récompense – alors ces innovations, trop radicales pour rester secrètes bien longtemps, ont vite été adoptées par d'autres équipes. On peut parler de « course aux armements », mais il est important de comprendre que cette course opposait des équipes, pas des individus. Les médecins d'équipe cherchaient à garder une longueur d'avance sur les autres médecins d'équipe ; le boulot du coureur consistait simplement à obéir[5].

5. Les démonstrations excessives comme celle de Festina survenaient généralement à l'apparition d'un nouveau mode de dopage. Le cas le plus remarquable s'était produit au printemps 1994, dans la Flèche wallonne, quand les trois coureurs de l'équipe Gewiss avaient tout simplement distancé le reste des coureurs à une vitesse impen-

J'ai bouclé le Tour 1997, et j'ai survécu. Riis était le grand favori, mais, à la surprise générale, il s'est fait battre par un de ses coéquipiers, un Allemand musclé de vingt-trois ans aux yeux écarquillés, Jan Ullrich. Ullrich était un vrai phénomène, il avait une fluidité et une puissance incroyables pour son âge. À le voir, j'ai pensé comme la plupart des observateurs : c'est incontestablement le successeur d'Indurain, celui qui va régner sur le Tour pendant la décennie à venir.

Quant aux coureur de l'US Postal, on s'en est pas mal sortis pour une équipe de nouveaux venus ; notre leader, Jean-Cyril Robin, a fini 15e. Moi, 69e au général, quatrième de mon équipe (Jemison était 96e, à une demi-heure derrière moi ; George, 104e). Je n'étais pas le meilleur coureur du monde, mais j'étais loin d'être le plus mauvais. La nouvelle règle de 50 % d'hématocrite ne nous empêchait pas vraiment de dormir – à vrai dire, elle me plaisait bien, parce qu'elle semblait avoir pour effet de réduire la fréquence des numéros en échappée des hommes forts (rappelons qu'il n'y avait toujours pas de test pour l'EPO). Grâce aux sachets blancs et à l'essoreuse de Pedro, il n'était pas difficile de rester en dessous de 50. Et si jamais un membre de l'équipe dépassait la barre, il pouvait toujours faire baisser son chiffre par une perfusion de sérum physiologique, ou simplement en avalant des cachets de sel avec deux litres d'eau, un procédé que nous appelions la « dilution ».

Dans un hôtel parisien, une fois le Tour fini, debout devant un miroir, j'ai regardé mon corps. Mes bras étaient fins. On voyait bien les veines sur mes jambes. Mes joues présentaient des creux que je ne

---

sable. Dans l'univers du cyclisme, on n'avait jamais vu une telle domination ; c'était comme si une équipe de la NFL avait remporté un match 99 à 0. En outre, sept des neuf premiers coureurs arrivés étaient italiens, ce qui prouvait que l'innovation de l'EPO, comme la Renaissance, avait pris sa source en Italie avant de se propager ailleurs.

Après la course, le médecin de l'équipe Gewiss, Michele Ferrari, a répondu au journaliste qui lui demandait si ses coureurs prenaient de l'EPO : « C'est un truc que je ne prescris pas, mais on peut acheter de l'EPO en Suisse sans ordonnance, et si un coureur le fait, ça ne me choque pas. » Comme le journaliste signalait que beaucoup de coureurs étaient morts pour avoir pris de l'EPO, Ferrari a dit : « L'EPO n'est pas dangereuse ; c'est l'abus qui l'est. Boire dix litres de jus d'orange aussi est dangereux. »

m'étais jamais vus. Mes yeux affichaient une nouvelle dureté. J'ai rejoint l'équipe en bas, Thom Weisel et nos commanditaires. On a levé nos coupes de champagne. Weisel était satisfait, mais il parlait déjà de l'an prochain, quand nous ferions en sorte de *vraiment* être dans le coup.

Au printemps 1998, deux des Eurodogs ont quitté l'équipe. Scott avait décidé d'intégrer l'entreprise familiale ; Darren, de trouver un emploi dans la finance. George et moi avons quitté l'« Appartement de luxe dans le ciel » pour un trois pièces moderne au centre de Gérone, près des Ramblas. Nous les avons vus partir, à regret. Scott et Darren étaient des types bien ; ils nous manqueraient. Mais nous étions aussi en train de découvrir le fonctionnement de notre monde. Certains tenaient la route, d'autres pas[6].

---

6. Question de bon sens : si tout le monde prenait de l'EPO, cela ne remettrait-il pas l'ensemble des coureurs sur un pied d'égalité ? Selon les scientifiques, la réponse est non, parce que tout médicament produit un effet différent sur chacun. Et plus encore dans le cas de l'EPO, à cause de la diversité des possibilités de progression créée par la limite de 50 % d'hématocrite fixée par l'UCI.

Par exemple : l'hématocrite naturel d'Hamilton est de 42. Prendre de l'EPO pour atteindre 50 représente une augmentation de 8 points, soit 19 %. Autrement dit, Hamilton avait la possibilité d'ajouter 19 % de globules rouges porteurs d'oxygène dans son sang – une augmentation de puissance considérable – sans dépasser la limite lors des contrôles.

Considérons à présent un coureur dont l'hématocrite naturel est à 48. Avec la règle des 50 %, l'EPO ne peut lui faire gagner que 2 points, soit 4 % de globules rouges supplémentaires – le quart de la prise de puissance d'Hamilton. C'est peut-être l'une des raisons pour lesquelles les performances d'Hamilton ont si vite augmenté après sa première prise d'EPO.

Par ailleurs, les études indiquent que certains sont plus réactifs à l'EPO que d'autres ; et certains sont plus réactifs que d'autres à l'intensification des entraînements que permet l'EPO. À cela s'ajoute le fait que l'EPO fait basculer les limites de performance de la physiologie centrale du corps (à quelle fréquence pompe le cœur) vers la physiologie périphérique (à quel rythme les enzymes dans les muscles peuvent absorber l'oxygène).

Pour résumer : l'EPO et les autres produits dopants ne remettent pas le terrain de jeu à niveau : ils ne font que déplacer ses irrégularités. Comme l'a dit le Dr Michael Ashenden : « Le vainqueur d'une course où l'on s'est dopé n'est pas celui qui s'est entraîné le plus dur, mais celui qui s'est entraîné le plus dur *et* dont la physiologie a le mieux réagi aux produits. »

CHAPITRE 4

Chambre commune

Quand j'ai appris que Lance allait se joindre à l'équipe US Postal pour la saison 1998, j'étais à la fois excité et anxieux. Sur le papier, ça se tenait – nous étions la meilleure équipe américaine et Lance était le meilleur coureur américain, du moins l'était-il avant sa maladie. Nous savions tous qu'après les interventions chirurgicales et la chimiothérapie, il avait quatorze mois pour se refaire une santé. Nous avions entendu dire qu'il avait vainement sollicité un contrat auprès des grandes équipes européennes et que Weisel avait fini par l'engager pour la somme relativement modeste de 200 000 dollars plus les primes. Mais la question restait posée : Lance était-il toujours Lance ? Le cancer avait-il affecté ses capacités, sa personnalité ? On a eu la réponse dès le premier jour du stage d'entraînement en Californie.

« Allez tous vous faire foutre ! » a crié Lance en démarrant en trombe pour nous inviter à le prendre en chasse. Son tempérament était intact, et il ne manquait pas non plus de puissance – on a vraiment dû mettre le paquet pour le rattraper.

Quand nous l'avons enfin rejoint, il a lâché : « Alors, c'est tout ce que vous avez, bande de fillettes ? Dites donc, les mauviettes, vous allez vous laisser botter le cul par le Cancéreux ? »

J'étais soulagé. Je ne sais pas ce que je m'imaginais – un Lance chauve et chevrotant, avec un déambulateur ? Il avait perdu quelques kilos, mais à part ça il était égal à lui-même, la même agressivité, le même mordant.

Quand Lance débarque quelque part, il a l'habitude de secouer le cocotier, de faire monter la température de la pièce. Je crois que c'est plus fort que lui : il est allergique au calme, il n'est à l'aise que dans la bousculade, l'action, l'énergie. Il a le don de déceler les points faibles, d'appuyer là où ça fait mal. Et il sait tout sur tout : la meilleure sorte de céréales, le meilleur endroit pour s'entraîner, le meilleur type de bouchon pour une bouteille, le meilleur soigneur, le meilleur pain, le meilleur café, la meilleure start-up pour investir. Lance a réponse à tout et ne se prive pas de le faire savoir. Ce qu'il admire lui inspire un hochement de tête approbateur ; ce qu'il n'admire pas lui arrache un *pffffff* bien audible (une habitude apparemment acquise auprès des Européens). Il n'y a pas de zone grise ; tout est soit formidable, soit épouvantable. Pour rire, on disait que le mot qui énervait le plus Lance était « peut-être ».

Mais ce que Lance détestait par-dessus tout, c'étaient les « geignards ». Je ne sais pas trop d'où lui venait le terme, mais ça voulait dire ce que ça voulait dire. Le geignard était un pleurnicheur, un faiblard, un quelqu'un qui n'y arrivait pas ou – pire – qui se plaignait en plus de ne pas y arriver. Si tu étais toujours en retard ou mal organisé, ça faisait de toi un geignard. Si tu n'étais pas assez fort pour rouler par mauvais temps, ou si tu cherchais des excuses pour expliquer une mauvaise performance, tu étais un geignard. Si tu étais un « suceur de roues » (quelqu'un qui roule constamment dans le sillage des autres), tu étais un geignard. Et quand tu étais un geignard, c'était pour la vie.

Prenez Bobby Julich, par exemple. Cet ancien coéquipier de Lance chez Motorola faisait partie des meilleurs coureurs américains. Je ne sais pas trop pourquoi, mais Lance l'a toujours eu dans le nez. Peut-être parce qu'ils avaient été adversaires chez les juniors et que leur rivalité perdurait ? Ou bien parce que Bobby se donnait parfois des airs sophistiqués à l'européenne et passait pour un intellectuel (le genre de truc qui vous condamnait sans appel aux yeux de Lance) ? Ou encore parce qu'il avait tendance à la ramener avec sa dernière blessure ou ses dernières idées en matière de nutrition comme s'il n'y avait pas de sujet plus fascinant au monde ? En tout cas, dès qu'il entendait le nom de Bobby, Lance secouait la tête avec ce mélange de mépris et de dégoût qui signalait qu'on était en présence d'un geignard de première. (Pour rendre justice à Bobby, précisons qu'il avait l'air de se moquer éperdument de ce que Lance pensait de lui.)

Ou bien prenez encore le directeur de l'US Postal, Johnny Weltz. Johnny était chaleureux et amical, mais l'organisation n'était clairement pas son fort. Début 1998, il a commis deux ou trois erreurs – des histoires de réservation de chambres d'hôtel, de calendrier des courses, ou de matériel, je ne sais plus très bien – et dès ce moment, Lance s'est mis en quête d'un nouveau directeur d'équipe. Cela donne une bonne idée de l'influence de Lance au sein de l'US Postal : une fois qu'il avait pris une décision, c'était plié. Je ne dis pas que Lance était à côté de la plaque – Johnny pouvait vraiment se montrer très brouillon. Mais ce qu'il y avait de particulier, et d'incroyable à mes yeux, c'était le caractère soudain et absolu de sa décision, comme si on avait actionné un interrupteur. Paf ! Weltz était catalogué geignard et affublé d'un nouveau nom : *Fucking* Johnny Weltz.

Heureusement pour nous, nous avions aussi deux modèles d'anti-geignards : l'implacable Russe Viatcheslav Ekimov, « Eki », et notre nouvel équipier Frankie Andreu, qui avait couru avec Lance chez Motorola. Lance n'accordait pas facilement son respect, mais il respectait infiniment Eki – son éthique du travail, son professionnalisme, sa manière de relever tous les défis sans un battement de cils. Eki tenait le compte précis des kilomètres qu'il parcourait chaque année ; on lui demandait parfois où il en était, juste pour entendre le nombre. En général ça se situait aux alentours de 40 000 kilomètres, un tour du monde.

Frankie était un peu notre Eki américain, et une sorte de grand frère pour Lance. On aurait pu l'appeler « *No-Frills* Frankie » : c'était un grand gaillard costaud et franc du collier, tout droit sorti du Michigan, le bon sens personnifié, respecté de tous. Frankie et Lance se connaissaient depuis un moment ; je l'ai dit, ils avaient couru ensemble pour Motorola. Sur le vélo, Frankie était une bête – il avait fini 4e aux jeux Olympiques de 1996 et possédait un flair formidable pour l'attaque. Mais c'est une fois redescendu du vélo que s'exerçait sa véritable influence sur l'équipe, parce que c'était l'un des rares à toujours dire le fond de sa pensée, quoi qu'il en coûte, et en particulier à Lance. Les soigneurs l'avaient surnommé « Ajax », en référence à la poudre à récurer, parce que c'était l'effet que produisait une conversation avec lui : on se faisait décaper à coups de grandes vérités[1].

À la vérité, la condition physique de Lance n'était pas très reluisante, du moins au début. Il a attaqué la saison 1998 en essayant de rouler comme il le faisait autrefois – sur les parcours d'entraînement, il prenait toujours la tête du groupe, piquait un sprint à la fin, fusait dans les descentes comme s'il courait pour de vrai. Il se donnait totalement, pour prouver à tout le monde et à lui-même qu'il avait retrouvé toute sa forme. Le problème, c'est qu'il n'était plus le même. Ses forces l'abandonnaient de façon imprévisible. Certains jours, il était aussi fort que nous. D'autres, c'était le néant ; il disparaissait, se rangeait sur le côté et rentrait à l'hôtel, et après il était taciturne et désagréable. Ces sautes de forme lui tapaient manifestement sur les nerfs. Il était fragile, vivait chaque journée comme une réussite ou un échec, comme un triomphe ou une tragédie. Il n'y avait pas de demi-mesure.

De retour en Europe, notre première course a été la Ruta del Sol, en Espagne, où Lance a fini 15e. Quand on l'a félicité pour la qualité de son finish, Lance n'a rien voulu entendre. Ce n'est pas qu'il faisait la gueule, mais on aurait dit qu'il trouvait impensable de ne pas avoir gagné. Il n'a jamais caché combien il détestait perdre, mais à mon avis c'est plus profond. La défaite provoque un court-circuit dans son cerveau : il trouve que c'est illogique, que c'est impossible. Quelque chose a dû se détraquer dans l'univers, et il faut le réparer. Je pense que c'est après cette course que nous avons tous pris la mesure réelle de son ambition et du chemin qu'il lui restait à parcourir. Ça m'a fait de la peine.

C'est à partir de ce moment que Lance et moi avons commencé à passer plus de temps ensemble, à vélo et à la ville. Sans doute avait-il besoin de quelqu'un à qui se confier, avec qui traîner, et je faisais bien

1. Un an plus tard, quand Armstrong tarderait à remettre à l'équipe les primes traditionnelles pour la victoire au Tour de France 1999, c'est Andreu qui irait lui demander de verser à chacun ses 25 000 dollars.

l'affaire. Assez vite, on s'est mis à rouler côte à côte lors des parcours en groupe, puis à aller boire un café ensemble. Peu après, au printemps 1998, on a commencé à partager la même chambre pendant les courses. Pour moi c'était un vrai honneur, parce que je savais que c'était Lance qui l'avait demandé.

Il m'arrive encore de me demander pourquoi Lance m'a choisi comme camarade de chambre. Je pense que, contrairement à d'autres, je ne lui faisais pas de la lèche. Vous seriez étonnés de voir à quel point certains types se métamorphosent au contact d'un gars comme Lance – d'un coup, ils se mettent à parler fort, ou à faire les intéressants, ou à déborder de familiarité envers lui. Par exemple, pas mal de gars de l'équipe appelaient sa femme, Kristin, par le surnom que Lance employait, « Kik », comme s'ils étaient les meilleurs amis du monde – « J'ai passé un moment avec Lance et Kik hier », et ainsi de suite. Je ne me l'étais jamais permis, c'était trop familier. C'était peut-être de la pudeur, ou la réserve typique de la Nouvelle-Angleterre ; toujours est-il que Lance avait dû apprécier.

Quand nous étions ensemble, Lance monopolisait pratiquement la conversation. Il revenait longuement sur chaque course, analysait les bons et les mauvais points. Il hochait la tête ou faisait *pfffff* à propos de la façon dont l'équipe était dirigée, soulignant le manque d'organisation de Johnny Weltz et se félicitant des signes de progrès. Mais surtout, il parlait des autres coureurs.

Voici comment se passait à l'époque une conversation entre deux coéquipiers qui commençaient à se connaître. C'était assez bizarre : on se dopait tous les deux et on *savait* qu'on se dopait tous les deux, mais on n'en parlait jamais ouvertement, du moins au début. Au lieu de quoi, on parlait des autres. On disait quelque chose du genre « Untel, il avait des ailes aujourd'hui ». Ou on comparait un coureur à une moto. Ou on disait qu'il était vraiment hyper, hyperfort. L'autre comprenait – il savait qu'on parlait de dopage, si l'autre a roulé aussi vite c'est parce qu'il était « chargé ».

Pendant les courses, Lance disait souvent : « Pas normal. » Dès qu'un coureur montrait une puissance étonnante, il le disait très fort, d'une voix légèrement teintée d'humour, mais néanmoins lourde de sens. C'était destiné à ce que tout le monde entende. Parfois il le disait en français : « Pas normal. » Par exemple :

Un coureur au bout du rouleau lançait une attaque solitaire et remportait une course importante : « Pas normal. »

Un sprinter musclé emmenait le peloton dans une ascension longue et raide : « Pas normal. »

Une petite équipe inconnue avait d'un coup trois de ses membres dans les dix premières places : « Pas normal. »

Au bout d'un moment, je me suis mis à le dire moi aussi. Ça me faisait du bien, parce que ça m'aidait à oublier que rien n'était normal dans notre monde. Petit à petit, la confiance s'est installée entre Lance et moi. On s'est ouverts un peu plus, on s'est mis à parler boutique. On a parlé des doses d'EPO qu'on prenait, du coup de fouet que ça nous donnait (on avait à peu près les mêmes valeurs). On parlait des produits de récupération, ceux qu'on aimait ou pas. On parlait de la cortisone, régulièrement utilisée lors des longues courses par étapes pour combattre la fatigue et améliorer la récupération (c'était interdit, mais il suffisait d'avoir une dispense pour usage thérapeutique – en gros, un mot du médecin – pour que ça devienne légitime).

Lance m'a raconté que la cortisone avait tendance à le brider le jour de l'injection – elle l'empêchait de pousser aussi fort qu'il l'aurait voulu – et il préférait donc en prendre le matin d'étapes relativement faciles. Il m'a parlé du gonflement du visage que peut produire l'excès de cortisone, et m'a rappelé le cas d'Ullrich dans le dernier contre-la-montre du Tour 1997 – il avait la tête comme une citrouille. Lance était une vraie encyclopédie : il connaissait toutes les anecdotes, même celles des courses auxquelles il n'avait pas participé. Je n'avais pas la moindre idée d'où il les sortait, mais il avait manifestement ses sources. Il accumulait constamment les données sur la façon dont s'entraînaient les autres, sur les médecins avec lesquels ils travaillaient, les méthodes qu'ils adoptaient, et il ne se privait pas de faire étalage de ce savoir. Je me souviens d'avoir trouvé ça curieux – pour ma part, seul mon propre programme m'intéressait, pas celui des autres.

« *Fucking* Once », crachait Lance à propos de l'équipe espagnole qui avait fini aux trois premières places de la Ruta del Sol. « C'est la première course de la saison et toute l'équipe se pointe gonflée à bloc. Ils avaient des ailes. »

« Gonflée à bloc » voulait dire dopée. Il y avait tout un vocabulaire : l'EPO était le « zumo », ce qui en espagnol veut dire le « jus ». On l'appelait aussi « OJ », « salsa », « vitamine E », « thérapie » ou « Edgar », pour Edgar Allan Poe. Je ne sais pas qui a trouvé celle-là, mais on l'aimait bien : « Je vais parler à Edgar. » « Je vais voir Edgar. » « Mon vieux pote Edgar. » Si quelqu'un nous avait entendus, il aurait pensé qu'Edgar était un membre de l'équipe.

Lance plaisantait à propos des Espagnols, mais on sentait qu'il était sérieux. Il respectait l'équipe Once et son professionnalisme. Leur programme était parfaitement au point. Ils avaient toute une flottille de coureurs expérimentés, de bons médecins et un directeur réputé pour sa subtilité, Manolo Saiz. Lance voulait que l'US Postal s'inspire de l'équipe Once.

Mais au printemps 1998, Lance avait à l'esprit des problèmes bien plus importants. Le Paris-Nice, première course majeure de la saison, avait été un revers pour lui. Le prologue déjà avait été décevant, mais ça s'est compliqué : il s'est trouvé en difficulté lors d'une deuxième étape glaciale. Après avoir passé la journée à s'échiner à rattraper ses concurrents sous la pluie, il a abandonné. Il a tout largué. Il a fait ce dont nous rêvions secrètement : il s'est rangé sur le bord de la route, a arraché son dossard, grimpé dans la voiture d'équipe et pris l'avion pour rentrer chez lui sans prévenir. Ça s'est passé sous les yeux de Frankie, qui a dit qu'il avait pensé que Lance abandonnait définitivement le cyclisme.

Ça me faisait de la peine. Je savais toute l'énergie que Lance avait mise dans son retour à la compétition, à quel point il le désirait. J'étais sûr qu'il s'en sortirait bien – quel que soit l'objectif qu'il se fixe, Lance n'échoue jamais. Je l'imaginais déjà à Wall Street, ou à la tête de sa propre entreprise, ou faire de la télévision.

Quelques semaines plus tard, la nouvelle est tombée : Lance n'avait pas dit son dernier mot. Il allait retraverser l'Atlantique pour une nouvelle tentative, lors du Tour du Luxembourg, en juin. Ce ne serait pas une course facile. Une partie de la crème serait là : Erik Dekker, Stuart O'Grady, Erik Zabel et Francesco Casagrande – des types qui visaient le Tour de France. Personne ne l'a dit tout haut, mais l'enjeu était clair : pour Lance, c'était sans doute la course de la dernière chance. Si ça ne marchait pas à cette occasion, c'en serait fini de son grand retour.

Au Luxembourg, Lance et moi avons partagé une chambre minuscule dans un hôtel *cheap*. On était comme deux jeunes en camp de vacances. Allongé sur son lit, sur le flanc, le coude replié sous la tête, Lance m'a bombardé de questions.

« Tu crois que je peux battre Casagrande ?

— Bien sûr.

— *Pour de vrai ?* (Sa voix avait monté d'un cran.)

— Il est bon en montagne, mais tu le tueras au contre-la-montre.

— Je le tuerai au contre-la-montre, a-t-il répété, comme pour mieux retenir ces paroles. Putain, que je vais le tuer au contre-la-montre.

— Aucun doute. Et facile en plus. »

Après quelques secondes, Lance a repris.

« Dis, tu crois que je peux battre Dekker ?

— Tu peux écraser Dekker », ai-je dit, en riant pour bien montrer que je le pensais vraiment.

Puis, comme avec Casagrande, nous avons parcouru une à une toutes les raisons qui faisaient qu'il allait forcément écraser Erik Dekker.

On a passé en revue la plupart de ses principaux concurrents, au point qu'à un moment, les rôles semblaient s'être inversés : c'était moi le vieux renard et lui le jeune loup, fragile et bourré de doutes. Alors est venue la dernière question. Lance m'a regardé droit dans les yeux – comme il l'avait fait lors de notre premier échange. Mais là, pour une fois, il ne cherchait pas à faire passer un message. Il voulait vraiment savoir.

« Tu crois que je peux gagner le Tour un jour ? »

J'ai hésité, parce qu'à vrai dire je ne le pensais pas. Lance était bon, mais le Tour supposait un tout autre niveau. J'ai pensé à la correction que lui avait flanquée Indurain en 1994, au fait qu'il n'avait jamais été bien placé au général pendant toute la durée de la course, et qu'il n'avait fini qu'un seul des quatre Tours auxquels il avait participé.

« Bien sûr. Tu es déjà très fort. Et tu vas le devenir encore plus.

— Vraiment ? »

Il était méfiant. Il a répété ce qu'il disait souvent : ce qui l'inquiétait, c'était la montagne.

« Écoute, tu es capable de grimper avec tous ces gars. Tu ne peux peut-être pas lancer une attaque, mais tu peux t'accrocher. Et tu peux les prendre au contre-la-montre. Si tu t'accroches en montagne et les écrases au contre-la-montre, tu peux gagner. Alors pour moi, oui, tu peux remporter le Tour.

— Tu n'es pas en train de me faire marcher ? Tu penses vraiment que je peux gagner le Tour ?

— Absolument. »

Le plus intéressant, c'est que je crois que Lance savait que je mentais. Il est doté d'un détecteur de baratin de première. Mais cette fois, il avait besoin que je lui mente.

Ces discussions m'ont permis de prendre la mesure de ce qu'il affrontait. Il y avait la bataille physique – il fallait qu'il retrouve sa forme. Et il y avait la bataille stratégique – il avait besoin d'une bonne équipe, d'une équipe qui le soutiendrait. Ensuite, s'il arrivait à obtenir tout cela, il y avait encore les grosses pointures de la trempe de Riis et Casagrande, qui mijotaient allez savoir quoi pour le battre. Je comprenais cette focalisation sur le Tour. C'était de loin la plus grande course du monde, le seul objectif qui mérite un tel effort.

Le Tour du Luxembourg a bien commencé ; Lance retrouvait peu à peu la forme. Au début de la dernière étape, il était premier *ex æquo*. La météo était particulièrement mauvaise, il pleuvait des cordes et il y avait un vent de côté. Lance n'en demandait pas plus ; il avait toujours préféré le mauvais temps – pas par amour des intempéries, mais parce qu'il savait que ça affectait davantage le moral de ses adversaires.

Il m'arrive parfois de perdre de vue à quel point Lance était un bon coéquipier. Il ne se lançait pas dans la course avec quelques idées vagues, une simple envie de réussir. C'était une machine qui se mettait en branle, il était comme éclairé de l'intérieur ; chacune de ses manœuvres était une question de vie ou de mort. Quand ça n'allait pas, c'était la catastrophe – il n'y avait rien de pire au monde. Mais quand ça fonctionnait, c'était magique.

Dans l'autocar avant l'étape, Lance avait exposé les grandes lignes de son plan : couvrir la moindre échappée, puis attaquer dans la côte la plus raide. Ça a marché. Très tôt dans l'étape, Lance, Marty Jemison, Frankie Andreu et moi avons lancé une petite échappée, et on a commencé à gagner des secondes sur le peloton. Lance poussait des cris, hurlait, comme devenu fou. On avait semé ses rivaux, mais ce n'était pas assez.

« *Go go go go, fucking go !* Vous allez vous faire un max aujourd'hui. *Motherfuckers*, comment vous allez faire du pognon si on gagne cette course ! »

Avec l'intelligence qui le caractérise, Frankie a fait une échappée tardive en solitaire et a gagné l'étape ; on a franchi la ligne une minute après lui et Lance terminait premier au général. Au moment de notre arrivée, la sono crachait *Born in the USA* de Bruce Springsteen. Lance était allumé comme un sapin de Noël. Il poussait des cris, des hululements, il nous collait de grandes claques dans le dos. Il a appelé son agent, Bill Stapleton. Il a appelé Weisel. Il a appelé un journaliste de *VeloNews*. Il a appelé sa mère.

« On a gagné, on a gagné, on a gagné ! »

J'aimais bien, il disait « on ».

* * *

Pris d'une heureuse inspiration, Lance a estimé qu'il n'était pas prêt pour le Tour de France 1998 et il s'est rabattu sur les trois semaines du Tour d'Espagne, la Vuelta. Ça lui a évité de voir son grand retour associé au scandale de l'« affaire Festina ». Lui est passé à côté, pas moi. C'était mon deuxième Tour ; et il serait l'un des plus mémorables, pas dans le bon sens du terme.

Tout a commencé le jour où une voiture de l'équipe Festina conduite par un soigneur belge nommé Willy Voet a été arrêtée et fouillée par les douaniers français à la frontière franco-belge. Il y avait dans le coffre assez de produits dopants pour approvisionner plusieurs pharmacies, 234 doses d'EPO, 82 flacons d'hormone de croissance, 160 gélules de testostérone, etc. (Cela ressemblait sans doute à ce que l'US Postal et bien d'autres équipes emportaient en course.) Il y avait même des vaccins contre l'hépatite – ce qui m'a surpris, mais c'était une bonne idée, vu le nombre de piqûres que recevaient ces coureurs.

Ça a tout de suite été le chaos. Une nuée de gendarmes s'est jetée sur le Tour, fouillant voitures et autocars. Les dirigeants de l'équipe Festina ont tout nié en bloc pendant plusieurs jours, puis ils ont été exclus de la course quand les preuves sont devenues trop accablantes. La police a trouvé un butin du même type dans les bureaux de Festina, avec en plus des PFC ; il s'est avéré que l'équipe entretenait une caisse noire destinée à l'achat de ces produits, alimentée par les coureurs à hauteur de plusieurs milliers de dollars par tête. Le plus surprenant pour moi a été de voir des coureurs français emmenés par les gendarmes, menottes aux poignets – à la différence des États-Unis, le dopage est un délit en France. Les coureurs ont organisé des protestations très théâtrales, mais finalement inutiles, menaçant de ne plus courir si on leur manquait de respect. Pendant ce temps, les équipes se débarrassaient frénétiquement de leurs pharmacies dans les toilettes des autocars, des caravanes et des hôtels ; il y en avait pour des milliers de dollars. J'entends encore Ekimov dire en plaisantant qu'il allait plonger dans les toilettes de l'autocar de l'US Postal pour tout récupérer[2].

La police ne rigolait pas. Le Suisse Alex Zülle, un prétendant au titre portant les couleurs de Festina, a subi une fouille à corps et passé

---

2. Dans *From Lance to Landis*, de David Walsh (New York, Ballantine Books, 2007), la soigneuse de l'équipe US Postal Emma O'Reilly dit avoir entendu les dirigeants de l'équipe estimer qu'ils avaient jeté pour 25 000 dollars de produits médicaux dans les toilettes de la caravane.

vingt-quatre heures en cellule sans rien recevoir d'autre qu'un verre d'eau. Il a avoué: « Tout le monde savait que tout le peloton se dopait et j'avais deux possibilités. Soit je la bouclais comme tout le monde, soit je laissais tomber et n'avais qu'à redevenir peintre en bâtiment. Je regrette d'avoir menti, mais je n'avais pas le choix. »

C'est la seule fois où j'ai vu Pedro réellement inquiet. Des types se retrouvaient en prison; d'ailleurs, son successeur chez Once, un médecin nommé Terrados, a été arrêté. Je dois dire que j'ai ressenti une sorte de soulagement. Je n'avais pas d'EPO sur moi (enfin, peut-être dans mes veines, mais le test de dépistage n'existait pas encore). Assez curieusement, j'étais satisfait de savoir que le terrain serait nivelé, que nous allions finir le Tour paniagua. Dans un de ses grands élans de sincérité, Frankie « Ajax » a dit que toute cette folie était peut-être une bonne chose, parce que le cyclisme était en train de s'égarer. Nous, coureurs, n'étions que la piétaille d'une course aux armements qui tournait mal.

En plus de tous ces remous, une rumeur insinuait que certains coureurs avaient choisi une voie très téméraire ou particulièrement stupide: ils étaient passés au plan B. Ils se procuraient leur Edgar tout seuls. Ils se fournissaient ailleurs: ils se le faisaient remettre furtivement par une petite amie, un mécanicien, ou un quelconque cousin. C'était comme ça. Les autorités fermaient une porte, les coureurs ouvraient deux fenêtres.

Après les arrestations, le Tour 1998 a changé de nature. La question n'était plus de savoir qui serait le plus fort, mais le plus audacieux, qui avait le meilleur plan B. Et certains se sont montrés particulièrement habiles. L'équipe Polti avouerait plus tard qu'elle avait conservé une boîte isotherme remplie d'EPO dans un aspirateur. L'équipe GAN plaisantait sur le fait qu'ils avaient caché leur réserve sur le bord de la route. La course a été remportée par Marco Pantani, le grimpeur italien, et dominée par l'équipe française Cofidis, qui a placé trois coureurs dans les sept premières places, notamment la troisième, décrochée par nul autre que Bobby Julich. La performance de Cofidis a suscité une rumeur selon laquelle ils avaient continué à prendre de l'EPO alors que le reste du peloton avait arrêté; rien n'a jamais été prouvé. Pour notre part, on a roulé paniagua, on s'est traînés sans pouvoir faire beaucoup mieux que survivre[3].

Malgré toute l'agitation, j'ai trouvé le moyen de vivre un épisode personnel important qui, quand j'y repense, m'a transformé. Le 18 juillet, lendemain de l'exclusion de l'équipe Festina, se déroulait la première épreuve de vérité du Tour : un contre-la-montre individuel de 58 kilomètres, en Corrèze, sur un parcours en dents de scie éreintant. C'était le genre d'étape conçue pour favoriser les grands costauds, pas les gringalets comme moi. L'équipe misait si peu sur mes chances qu'elle n'a même pas envoyé une voiture pour m'assister en cas de problème mécanique. Ça m'a vraiment mis en rogne, mais je n'ai rien dit ; mes jambes parleraient pour moi.

Et mes jambes ne se sont pas contentées de parler – elles ont chanté. J'ai atteint mes limites habituelles, j'ai senti que je butais contre mon bon vieux mur et, d'un coup, j'ai trouvé une nouvelle cadence. J'ai dépassé un coureur après l'autre, à toute allure. Au moment des derniers coups de pédale avant la ligne d'arrivée, je voyais des étoiles, par manque d'oxygène. Quand les étoiles se sont dissipées, j'avais battu tous les coureurs sauf un, l'enfant prodige allemand Jan Ullrich. Les observateurs n'en revenaient pas. Et moi non plus. Moi, 2e lors de la plus dure journée du Tour ?

Ce soir-là, Pedro est venu me voir. Il était pétulant, ses yeux étincelaient de joie. Plus que tout autre, il comprenait le sens profond de ma performance. Dans notre sport, on utilise parfois un terme pour parler d'une course où un coureur manifeste des capacités de champion – c'est une « révélation ». Pedro m'a informé que je venais d'avoir

---

3. La performance de Cofidis en 1998 était inhabituelle en termes statistiques. Sur l'ensemble de leur carrière, les quatre premiers coureurs Cofidis à l'arrivée (Bobby Julich, Christophe Rinero, Roland Meier et Kevin Livingston) totalisent 15 participations au Tour, pour une 45e place en moyenne. « La troisième place de Bobby [Julich] au Tour [1998] a mis Lance dans tous ses états », se souviendrait Betsy Andreu, la femme de Frankie. « Lance n'avait jamais considéré Bobby comme un coureur de ce niveau-là, alors on s'est amusés à le taquiner avec ça. Avec le recul, je pense que ça a beaucoup motivé Lance – si Bobby pouvait finir troisième, Lance se sera probablement dit qu'il pouvait gagner. »

ma révélation et que, plus impressionnant encore, je l'avais fait avec un hématocrite à 44.

« 44 ! » Il l'a répété plusieurs fois. Ce nombre le frappait, il y lisait la vitesse que j'aurais pu atteindre, que je pouvais toujours atteindre, en devenant plus professionnel. Il a posé une main paternelle sur mon épaule et dit quelque chose qui a transformé ma vie.

« Tu peux gagner le Tour de France un jour. »

Dans un éclat de rire, je lui ai dit d'arrêter. Mais Pedro a insisté. Je pouvais remporter le Tour. Pas cette année, pas l'an prochain. Un jour. Il s'est expliqué avec tout l'aplomb d'un médecin.

« Tu es bon au contre-la-montre, tu es bon en montagne, et tu sais pousser quand tous les autres n'y arrivent plus. Écoute-moi et retiens ce que je te dis, Tyler. J'ai vu passer beaucoup, beaucoup de coureurs, et tu as quelque chose de spécial, Tyler. Tu es un coureur spécial. »

* * *

Cet automne-là, une fois la saison terminée, je suis rentré aux États-Unis. Quelques mois plus tard, Haven et moi nous sommes mariés. De temps à autre, la question du dopage resurgissait. Les gens avaient entendu parler de l'affaire Festina, et ils voulaient savoir ce que j'en pensais. Je répondais généralement qu'on avait beaucoup exagéré, qu'il y avait bien des brebis galeuses, mais qu'elles avaient été démasquées. J'ai dit que j'étais heureux que le scandale ait éclaté, parce que ça rendait service aux autres coureurs, ceux qui voulaient une compétition propre, c'est-à-dire nous.

Un après-midi, c'est mon père qui m'a posé la question. Il m'a fait asseoir, puis il m'a parlé de Festina. Mon père est un malin ; il savait que l'affaire Festina n'était pas de celles qu'on évacue du revers de la main. Il a été très clair : il ne voulait pas me voir mêlé à de vilaines choses, des choses que je regretterais plus tard.

Je n'ai pas hésité.

« Papa, le jour où je serai obligé de prendre ces trucs pour courir, je raccrocherai. »

J'aurais pensé qu'il était plus difficile que ça de mentir à son père ; en fait, ça m'est venu très facilement. Je l'ai regardé droit dans les yeux ; les mots sont sortis si naturellement que j'en ai honte aujourd'hui. La vérité était bien trop compliquée. Cet automne-là, aux amis qui m'interrogeaient à propos de Festina, j'ai dit la même chose, mais avec encore plus de conviction : « Le jour où je serai obligé de prendre ces trucs pour courir, je raccrocherai. » Ça me faisait du bien de le répéter. Mentir devenait de plus en plus facile. Tous voulaient croire que j'étais propre et d'une certaine façon, moi aussi.

Après cette conversation avec mon père, j'ai refermé une porte blindée sur ma vie de coureur cycliste. J'avais passé l'initiation à laquelle aucun de nous n'échappait : il fallait apprendre à vivre sur deux planètes à la fois. Seule Haven connaissait la vérité. Au moment même où je rassurais mon père, je savais que j'étais sur le point de m'enfoncer encore plus profondément.

Lors du banquet donné à Paris par l'US Postal à la fin du Tour, le bruit avait commencé à circuler parmi nous. Avec toutes ces histoires, les équipes ne seraient plus en mesure de nous fournir en EPO et autres produits. US Postal prendrait à sa charge les produits légaux destinés à la récupération, mais pour le reste, il faudrait qu'on se débrouille. J'ai reçu le message cinq sur cinq. Une nouvelle ère s'ouvrait.

CHAPITRE 5

Une équipe d'enfer

Contrairement à ce qu'on pourrait croire, le cyclisme est le sport d'équipe par excellence. Le leader est porté par ses coéquipiers – ses « domestiques » – qui usent leurs forces à le protéger du vent contraire, à imprimer la cadence, à poursuivre les attaquants et à le ravitailler en eau et en nourriture. À l'abri des regards, il y a un deuxième niveau de domestiques : le directeur technique, les soigneurs, les mécanos, les chauffeurs, tout un réseau de gens qui travaillent ensemble pour le même objectif. Chaque course est un exercice de coopération – lorsque tout se passe bien, une sensation unique s'installe, un sentiment d'appartenance et de fraternité. C'est un pour tous, tous pour un.

De toutes les équipes dont j'ai fait partie, l'US Postal de 1999 est l'une de mes préférées. Pas à cause de nos exploits, mais pour l'immense plaisir que ça nous a procuré. Avec le recul, les méthodes que nous avons employées pour remporter le Tour m'inspirent des sentiments mitigés. Mais je ne peux pas nier que j'ai pris un grand plaisir dans cette équipe parce que : 1) l'US Postal n'a rien fait que les autres ne faisaient pas ; et 2) on n'avait absolument rien à perdre.

Il y avait le décapant Frankie Andreu, « Ajax », le patron, le chef de route, avec sa grosse voix qui portait à des kilomètres. Il y avait mon colocataire de Gérone, George Hincapie, « Quiet Man », en passe de devenir l'un des meilleurs coureurs au monde.

Il y avait Kevin Livingstone, fraîchement arrivé de Cofidis, une dynamo, aussi bien au sein de l'équipe que sur son vélo. Kevin était un formidable grimpeur, doublé d'un excellent comique. J'ai rarement ri autant que lorsque nous prenions une bière ensemble – il imitait à la perfection tous les membres de l'équipe (dont Lance, mais nous gardions sagement cette imitation pour nous). Pendant les courses, Kevin était toujours prêt à « se sacrifier », c'est-à-dire à aller à la limite et au-delà au service d'un coéquipier, encore plus si ce coéquipier s'appelait Lance. Ces deux-là se connaissaient depuis un bail : lorsque Lance se remettait de sa chimio, c'est Kevin qui l'avait emmené donner ses premiers coups de pédale.

Il y avait Jonathan Vaughters, « le Nerd ». Si Bill Gates s'était consacré au cyclisme, il aurait ressemblé à Jonathan. Doté d'une intelligence frôlant le génie et naturellement doué pour tout, Jonathan devait sa réputation au sein de l'équipe à quatre choses : 1) ses aptitudes de grimpeur ; 2) l'invraisemblable bordel de ses chambres d'hôtel (où on aurait dit que la laveuse avait explosée) ; 3) ses flatulences, plus invraisemblables encore, dues aux milk-shakes protéinés qu'il avalait constamment ; 4) sa tendance à poser des questions gênantes, notamment en matière de dopage. Nous, on se contentait de faire ce que nous disaient les médecins, mais Jonathan lisait des ouvrages savants sur le sport et mettait au point ses propres programmes d'entraînement. Il menait constamment sa petite enquête : D'où vient ce truc ? Quels sont ses effets ? De toute évidence le dopage l'inquiétait davantage que nous, mais il n'avait rien d'un abstinent : d'ailleurs, il a battu le record de l'ascension du mont Ventoux, l'un des cols les plus durs, les plus légendaires de la profession.

Il y avait Christian Vande Velde, un jeune homme de Chicago nonchalant, au talent immense, dont l'une des principales caractéristiques, à part sa force colossale, était d'être le fils de John Vande Velde, qui jouait le rôle d'un des méchants cyclistes italiens dans le film classique *La Bande des quatre* de Peter Yates (certains d'entre nous connaissaient les répliques par cœur). Christian avait vingt-trois ans, c'était sa deuxième année en Europe et tout lui faisait écarquiller les yeux ; il me faisait un peu penser à moi-même.

Il y avait le Danois Peter Meinert Nielsen et le Français Pascal Deramé, deux puissants moteurs dans les étapes de plat, deux bonnes pâtes. Il y avait une sacrée équipe de soigneurs, avec notamment l'Irlandaise Emma O'Reilly et le Belge Freddy Viane, qui n'étaient pas seulement vifs d'esprit, mais drôles.

Et puis il y avait les équipiers invisibles. Ceux dont personne ne parlait jamais, mais dont le rôle était peut-être encore plus important. C'est à cette catégorie qu'appartenaient « Motoman » et le Dr Michele Ferrari. J'ai rencontré l'un et l'autre à peu près à la même époque, au printemps 1999, pendant la préparation du Tour.

* * *

J'ai fait la connaissance de Motoman dans la villa niçoise de Lance et Kristin, le 15 mai, alors que je venais de débarquer de Boston. Son prénom était Philippe – je n'ai jamais su quel était son nom de famille. Il était en train de tailler les rosiers. Je me souviens du soin avec lequel il maniait les sécateurs, comme s'il faisait quelque chose de vraiment important. Philippe était un homme élancé, musclé, les cheveux bruns coupés de près, avec un large front et une boucle d'oreille dorée. Il affichait cette décontraction française qui semble vouloir dire « Tu peux dire ou faire ce que tu veux, ça ne m'étonnera pas ».

Lance m'a fait un rapide résumé du parcours de Philippe : c'était un ancien coureur amateur d'une équipe française, un copain du coureur britannique Sean Yates, lui-même ami de Lance. Il avait travaillé comme mécanicien dans un magasin de vélos de la région. Philippe connaissait comme sa poche les routes du coin ; il savait où se trouvaient les plus belles côtes. Lance l'avait embauché pour s'occuper de la maison en leur absence, faire des courses, réaliser les petits boulots qu'il lui demandait à l'occasion. Philippe était visiblement fier de sa situation, mais, à l'époque, Lance paraissait plus fier encore de connaître ce

Français si cool. Le plus cool de tout, c'est que Philippe possédait une superbe moto. Je l'ai aperçue quand il est parti: c'était une bête imposante avec du chrome partout.

Kristin nous a rejoints dehors; elle était enceinte de quatre mois. Ils venaient d'acquérir cette villa, qui devait valoir une jolie somme. Voir Lance mener grand train n'avait rien de surprenant; il avait gagné beaucoup d'argent avant son cancer et ne se privait pas de le dépenser. Partout autour de nous, des ouvriers mettaient la dernière main aux travaux de rénovation, dont la date de fin était sans cesse repoussée, comme toujours.

«*Fucking French*», disait Lance.

À mes yeux, l'endroit semblait tout droit sorti d'un film. Roseraie, piscine, balcons de marbre surplombant les toits à tuiles rouges de Nice, avec, en contrebas, la Méditerranée. En les voyant comme ça, j'ai senti une pointe de mélancolie; Lance et Kristin étaient en train de se bâtir une existence, comme Haven et moi en rêvions parfois. Nous avions décidé de ne pas avoir d'enfant pour l'instant, pas avant de nous être établis, et nos goûts nous portaient davantage vers la maisonnette rustique que vers la villa. Mais un jour, ça viendrait, c'était sûr.

Ce qui m'occupait pour l'instant, c'était l'avenir immédiat. Je venais de passer deux semaines à Boston sans notre ami Edgar (à ce stade de ma carrière, je n'allais pas prendre le risque de passer de l'EPO à la douane, et je n'avais aucun contact pour m'en procurer aux États-Unis). Du coup, mon hématocrite avait baissé et il me fallait un coup de fouet, surtout qu'on allait s'entraîner dur. Une fois Kristin repartie, j'ai interrogé Lance.

«Dis, tu n'aurais pas un peu de Poe à m'avancer?»

Lance a machinalement désigné le réfrigérateur. Je l'ai ouvert, et là, dans la porte, à côté d'une pinte de lait, se trouvait une boîte d'EPO, les petites fioles bien alignées, avec leur bouchon, comme des petits soldats dans leurs cases de carton. Tant d'insouciance m'étonnait. Il m'était arrivé de conserver de l'EPO dans mon frigo à Gérone, mais j'avais retiré les fioles de leur emballage pour les envelopper dans du papier d'aluminium et les ranger au fond, à l'abri des regards. Mais

Lance paraissait ne pas avoir ce genre de souci. Je me suis dit qu'il savait ce qu'il faisait. J'ai pris une fiole et l'ai remercié.

Il fallait que je sois au mieux de ma forme, parce que les semaines à venir s'annonçaient intenses. US Postal s'était recentrée sur l'objectif de Lance et avait placé le Tour en tête de ses priorités. Le directeur technique, Johnny Weltz, avait cédé la place à un homme choisi par Lance lui-même : Johan Bruyneel, un ancien coureur belge à l'œil vif, retraité depuis peu. Johan avait le profil idéal : il avait couru pour les génies espagnols de la Once et connaissait leur système. Johan avait le même esprit malin et avide d'information que Lance ; dès leur rencontre, c'était à qui finirait la phrase de l'autre. La refonte de l'équipe s'est également traduite par l'arrivée d'un nouvel encadrement ; le remplaçant de Pedro était l'ancien médecin de la Once, un Valencien sans humour et bourré de caféine nommé Luis García del Moral, que les coureurs n'ont pas tardé à surnommer « Petit Diable » ou « El Gato Negro » (le Chat noir). Son caractère austère trouvait un léger contrepoids dans la personnalité amicale et facile à vivre de son assistant, Pepe Martí.

Il y a eu d'autres changements. Dans le nouveau système de l'après-Festina, nous n'obtiendrions plus d'EPO auprès du personnel de l'équipe pendant les courses ; il fallait assurer son propre approvisionnement. Je l'ai fait à la clinique de Del Moral à Valence ; certains de mes équipiers se rendaient en Suisse, où l'EPO était en vente libre. En théorie, on avait mis au point ce nouveau système au nom de la « sécurité » – pour éviter une nouvelle affaire Festina. Mais j'avais l'impression qu'on faisait exactement le contraire, parce que le risque du transport et du passage des frontières retombait à présent sur nous, sans parler de la dépense. Ça ne me plaisait pas du tout, parce que c'était une corvée supplémentaire à gérer. Mais je l'ai fait. Le 25 mai, j'ai pris une voiture jusqu'à Valence où j'ai acheté 20 000 unités – de quoi tenir environ deux mois – pour environ 2 000 dollars.

Mais il y avait plus urgent : on était à six semaines du début du Tour de France et un paquet de questions restaient sans réponses, à commencer par savoir si Lance serait assez fort pour viser le titre, et notre équipe pour le soutenir. Et puis, au fond de moi-même, j'avais une autre question : allions-nous prendre le risque d'emmener Edgar avec nous pendant la course ? Pas question de transporter de l'EPO dans les véhicules de l'équipe. N'empêche, on l'avait bien vu l'année précédente, les coureurs ou les équipes qui avaient accès à l'EPO bénéficiaient d'un avantage considérable.

C'est là qu'est intervenu Philippe.

Dans sa cuisine, Lance m'a exposé son plan : il paierait Philippe pour suivre le Tour à moto, avec une boîte isotherme bourrée d'EPO et un téléphone prépayé. Quand nous aurions besoin d'Edgar, Philippe se faufilerait dans la caravane du Tour et nous livrerait. Simple, rapide, aussitôt arrivé, déjà reparti. Zéro risque. Par souci de discrétion, Philippe n'approvisionnerait pas tout le monde ; seulement les grimpeurs, ceux qui en avaient le plus grand besoin et donneraient le meilleur retour sur investissement : Lance, Kevin Livingston et moi-même[1]. « Los Amigos de Edgar. » Dès cet instant, Philippe a cessé d'être Philippe l'homme à tout faire. Lance, Kevin et moi avons baptisé Philippe « Motoman ».

Lance rayonnait – il adorait ces intrigues à la MacGyver. Quatre personnes seulement seraient au courant : Johan Bruyneel et nous trois. Les Français pourraient passer la journée à nous fouiller, ils ne trouveraient rien. Et puis, nous étions certains que la plupart des autres équipes allaient mettre en place leur propre version de Motoman. Pourquoi s'en seraient-elles privées ? Lance avait vaincu un cancer et était revenu dans la course ; il n'allait pas attendre les bras croisés en espérant que ça se passe bien ; il allait faire le nécessaire. La passivité n'était pas son genre, parce qu'il n'arrêtait pas de se demander ce que tramaient les autres. C'est cette inquiétude qui l'incitait aussi à faire tester son matériel en soufflerie, à se montrer pointilleux sur la diète et impitoyable à l'entraînement. C'est drôle, le monde a toujours cru que cette motivation était intérieure, mais pour ce que j'en ai vu, ça venait plutôt de l'extérieur, de la peur de se faire doubler par un autre qui l'aurait surpassé dans la réflexion, le travail ou la stratégie. J'ai fini par

1. Livingston n'a jamais fait de commentaire public sur le dopage. Il n'a pas donné suite à nos demandes d'entretien.

y déceler la règle d'or de Lance: « Quoi que tu fasses, ces salopards sont toujours en train d'en faire plus. »

C'est cette règle qui l'a conduit à travailler avec l'autre équipier invisible de l'US Postal, le Dr Michele Ferrari. Ferrari était un médecin italien de quarante-cinq ans, si brillant, si novateur qu'on prétendait qu'il avait à lui seul transformé le cyclisme. Il avait servi les meilleurs coureurs, les meilleures équipes, ses honoraires étaient les plus importants, et il était si mystérieux qu'on l'appelait « le Mythe » dans le peloton.

Ma première rencontre avec Ferrari a eu lieu en avril 1999, sur une aire de repos de l'autoroute qui relie Monaco à Gênes. Quand Ferrari est arrivé, j'ai vu un homme plutôt maigrichon, aux airs d'oiseau à lunettes, au volant d'une modeste roulotte de camping, et ça m'a un peu déçu. Considérant la réputation de Ferrari (sans parler de son nom de famille), je m'attendais à le voir débarquer au volant d'une voiture de sport italienne aux lignes pures. Il m'a fallu un peu de temps pour comprendre le côté génial de cette apparence; c'était le camouflage idéal.

Ferrari ne ressemblait à aucun des médecins que j'ai été amené à rencontrer, aussi bien avant qu'après. Autant Pedro était tout en contact humain, autant Ferrari vous abordait comme un problème de maths à résoudre. Il se déplaçait partout avec sa balance et son adipomètre pour mesurer la graisse sous-cutanée. Il avait une centrifugeuse à hématocrite, des seringues et une calculatrice. Quand ses yeux sombres me regardaient à travers ses grandes lunettes années 1980, j'entendais presque les chiffres tourbillonner dans sa tête. Contrairement à Pedro, Ferrari se contrefichait de savoir comment vous vous sentiez, ou ce qui se passait dans votre vie. Seuls l'intéressaient la masse corporelle, le taux d'adiposité, le nombre de watts (la mesure de la puissance – en gros, la force avec laquelle on pédale) et l'hématocrite. J'avais espéré l'impressionner avec ma ligne; on n'était qu'à six jours de Liège-Bastogne-Liège, l'une des épreuves les plus dures du printemps. Mais après m'avoir ausculté, Ferrari a secoué la tête de déception.

« Ahhhh, Tyler, vous êtes trop gros. »

« Ahhhh, Tyler, votre hématocrite n'est qu'à 40. »

« Ahhhh, Tyler, vous n'êtes pas assez puissant. »

J'ai pensé *Cause toujours*. Puis il a ajouté quelque chose:

« Tyler, vous n'irez pas au bout de Liège. »

Là, j'ai pensé *Mon œil!* Son assurance m'avait vexé. Je n'étais pas réductible à une simple équation. Comment pouvait-il savoir ce dont j'étais capable? D'ailleurs, il s'est trompé, j'ai fini la course, et même 23e, ma meilleure performance à l'époque, après avoir passé la course entière à penser à Ferrari.

Mais Lance adorait Ferrari, parce qu'il répondait à son amour de la précision, des chiffres et des certitudes. J'ai eu le sentiment que la relation de Lance avec Ferrari reposait sur la même base que celle que j'avais avec Pedro: une confiance absolue. De toute évidence, Ferrari avait dit à Lance que, s'il atteignait certaines valeurs, il aurait une chance de remporter le Tour de France. Cette perspective l'avait enflammé. C'était le type d'objectif spécifique qui lui permettait de s'épanouir. Dans les mois qui ont précédé le Tour, les entraînements ont pris une intensité comme je n'en avais jamais connu. Lance était focalisé sur la promesse de Ferrari: atteignez les bons chiffres et de bonnes choses s'ensuivront[2].

L'importance prise par Ferrari dans la vie de Lance était flagrante, notamment parce que ce dernier ne cessait de parler de lui, en particulier pendant l'entraînement. Dix personnes pouvaient lui donner le même conseil, seul comptait l'avis de Michele, qui était parole d'évangile. Lance accordait tant de valeur à Ferrari qu'il avait, je pense, obtenu un accord d'exclusivité selon lequel Ferrari ne s'occuperait d'aucun

2. L'inverse aussi était vrai: quand ses chiffres baissaient, Armstrong devenait nerveux – et cela s'est vu en janvier 1999 lors du stage d'entraînement de l'US Postal à Solvang, en Californie. Tous les coureurs de l'équipe ont pris part à un contre-la-montre de 10 kilomètres avant de subir une analyse de sang; en combinant les valeurs sanguines avec les temps réalisés, on obtenait un niveau de forme générale. Une fois les calculs accomplis, Lance était deuxième – derrière Christian Vande Velde. Mais au lieu d'en informer Lance, Bruyneel a légèrement modifié les résultats pour placer Lance en tête. Comme le confierait George Hincapie à Juliet Macur, journaliste du *New York Times*: « Nous ne voulions pas le dire à Lance parce que ça l'aurait contrarié, mais personne ne l'a dit à Christian non plus. On voulait en quelque sorte éviter de bousculer la hiérarchie. »

autre prétendant au Tour. Avec Kevin, on disait toujours que Lance parlait plus de Michele que de sa femme.

Lance s'est quand même efforcé de rester discret sur ses rapports avec Ferrari – sans toujours y parvenir.

> JONATHAN VAUGHTERS : Je me souviens de la Setmana Catalana [course espagnole], en mars 1999 : Marco Pantani avait dominé la première étape de montagne ; il semblait voler, totalement à l'aise, alors que Lance était en milieu de peloton. Après l'arrivée, à peine installés dans la voiture d'équipe, voilà Lance, tendu, accroché à son portable en pleine discussion sur ce qu'il devait faire pour aller plus vite que Pantani trois mois plus tard, lors du Tour. Ce n'était pas une conversation ordinaire, parce que Lance parlait en langage codé. Je ne me souviens pas des termes précis, mais ça donnait quelque chose du genre : « Alors je dois manger une pomme cette semaine ou deux la semaine prochaine ? » Puis, quand il a raccroché, je lui ai demandé : « C'était qui ? » Et Lance m'a répondu : « Mêle-toi de tes affaires. » Plus tard, j'ai fait le lien ; c'était forcément Ferrari.

* * *

Quand j'y pense aujourd'hui, je suis frappé par la chance dont nous avons bénéficié lors du Tour de France 1999, d'autant plus si l'on songe à l'importance qu'aurait l'édition 1999 dans la suite des événements ; c'est celle qui a déclenché toute la folie qui a suivi. Ce qui me frappe le plus et me fait encore réfléchir dans mon lit, près de quinze ans plus tard, c'est qu'il s'en est fallu d'un cheveu qu'il ne se passe rien du tout.

Le 3 juillet, quand on a débarqué sur les lieux du prologue du Tour de France, on voyait tout de suite qui étaient les outsiders. Tout autour de nous, des équipes comme Once, Banesto et Telekom disposaient d'autocars de rock stars, avec couchettes, éclairage halogène, stéréo, TV, douches et machine à espresso.

Nous, on était comme les Bad News Bears, du film *Une équipe d'enfer*[3]. Nos caravanes étaient parmi les plus minables du continent. La première était en location ; l'autre appartenait au chef mécanicien

---

3. Comédie racontant le parcours rocambolesque d'une lamentable équipe de base-ball jusqu'au sommet, ou presque. NdT.

belge de l'US Postal, le grincheux Julien DeVriese. On appelait sa caravane « Chitty-Chitty-Bang-Bang » parce qu'elle branlait de toutes parts dès qu'elle roulait : les portes des placards s'ouvraient au premier tournant ; toutes les charnières grinçaient terriblement ; ça faisait un tel vacarme qu'on s'entendait à peine. Julien nous avait imposé une règle : « Défense de chier dans la roulotte ! » Il était intraitable là-dessus – et on le savait parce que chaque fois qu'on le croisait, il pointait son gros doigt en disant de sa voix éraillée : « Défense de chier dans la roulotte ! » On lui répondait que ça lui aurait pourtant fait du bien.

Je n'avais pas trop à me plaindre, car j'avais eu la chance d'être affecté à l'autre caravane, qui ne transportait que trois coureurs – Lance, Kevin et moi, plus le chauffeur. Ils étaient six à s'entasser dans la caisse de DeVriese. Cette répartition avait été décidée à cause de Motoman : Lance, Kevin et moi étant les seuls membres de l'équipe destinés à recevoir de l'EPO pendant la course, il était logique de nous regrouper. C'était plus net comme ça, pour reprendre les termes de Lance. On a gardé le secret sur ces livraisons, mais les autres se doutaient bien qu'il y avait anguille sous roche.

Malgré l'état de nos caravanes, on avait un bon feeling par rapport à la course. Pendant la préparation, chaque semaine nous apportait son lot d'informations concernant nos concurrents.

- En janvier, la Fédération française de cyclisme s'était mise à tester le profil sanguin de ses coureurs ; on appelait ça le suivi longitudinal, et ça signifiait qu'il serait plus difficile pour les coureurs français de prendre de l'EPO sans se faire attraper.
- En mai, le Belge Frank Vandenbroucke s'était fait suspendre pour s'être procuré des produits interdits.
- En juin, alors qu'il était sur le point de remporter son second Giro, le vainqueur du Tour 1998, Marco Pantani, meilleur grimpeur du monde et l'un des coureurs que Lance redoutait le plus, avait été frappé d'une suspension pour avoir dépassé la limite de l'hématocrite à 50 %.
- À la mi-juin, le magazine allemand *Der Spiegel* avait publié une enquête sur le dopage organisé chez Telekom, première équipe

allemande, dont faisaient partie Bjarne Riis et Jan Ullrich. L'article regorgeait de détails, notamment sur le programme d'entraînement (ils appelaient l'EPO « vitamine E » et ne la payaient pas cher – environ 50 dollars pour 1 000 unités, alors qu'on payait près du double). L'article évoquait le recours par Telekom à une clinique privée ; certains entraîneurs racontaient que Riis avait couru le Tour 1995 – qu'il n'avait *pas* remporté – avec un hématocrite à 56,3. L'article et le tollé qui s'était ensuivi nous avaient inspiré des sentiments mitigés : d'un côté, la peur que ce type de détails fasse surface ; de l'autre, le soulagement d'échapper à la pression et à l'attention que subissaient les équipes européennes.

- Fin juin, Riss et Ullrich s'étaient blessés lors du Tour de Suisse – fracture du coude pour Riis et blessure au genou pour Ullrich. Ils avaient dû déclarer forfait pour le Tour.

Cette accumulation d'incidents a fait du Tour 1999 l'un des plus ouverts de l'histoire moderne, le premier en cinquante ans où aucun ancien vainqueur ne prendrait le départ. Lance figurait dans la longue liste des vainqueurs possibles, derrière Alex Zülle (un ancien de Festina, autorisé à remonter sur son vélo après une brève suspension et une amende), tout comme le favori local Richard Virenque, le grimpeur espagnol Fernando Escartín, les Italiens Ivan Gotti et Wladimir Belli, et Bobby Julich. Les organisateurs du Tour faisaient tout leur possible pour redorer le blason de leur course, ils l'appelaient même « le Tour du renouveau ».

Comme tout le monde, je n'étais pas optimiste sur les chances de Lance, essentiellement parce qu'il devrait prouver qu'il était capable de grimper aux côtés des meilleurs. Et le dispositif Motoman m'inquiétait aussi. À chaque fois que j'apercevais un gendarme, je pensais à Philippe, qui attendait quelque part avec son EPO et son téléphone. Et s'il se faisait prendre ? Et s'il décidait de nous balancer, de parler à la police, à la presse ? Le système Motoman me semblait un pari très risqué. En tout cas, si Lance était inquiet, il ne le montrait pas. De toute façon, il n'est jamais aussi heureux que lorsqu'il fait un pari, quand il anticipe les coups, comme aux échecs. Dès qu'il me sentait inquiet, il s'efforçait de me rassurer. « Tout va bien se passer. C'est infaillible. On va les asphyxier. » Johan Bruyneel avait l'air confiant lui aussi.

> JONATHAN VAUGHTERS : Quelques jours avant le Tour, j'ai demandé à Johan si l'équipe allait transporter des produits interdits en France. J'avais vu ce qui était arrivé à Festina, et franchement, j'avais une peur bleue de me faire arrêter. Alors j'ai demandé à Johan : « Notre équipe ne va rien faire entrer en France, pas vrai ? » Johan s'est fendu d'un grand sourire entendu et m'a dit : « Tu n'as à t'inquiéter de rien. »

Le plus drôle, c'est que le Tour a failli s'achever pour nous avant même d'avoir commencé. La veille ou l'avant-veille de la course, Johan nous a informés que, selon les tests médicaux du Tour, l'hématocrite de plusieurs d'entre nous frôlait dangereusement la limite de 50 % : je ne me souviens pas des chiffres exacts, mais ils étaient tout juste en dessous de 50. George était à 50,9 (à l'époque, on n'avait de soucis à se faire que si l'on *dépassait* 50 ; le seuil a ensuite été fixé de manière plus précise à 50,0). Aucun de nous n'était au-delà, mais on était vraiment tout près, ce qui, aux yeux de l'UCI, n'était pas bon. Je me souviens que Jonathan Vaughters était particulièrement inquiet. On a corrigé la situation comme d'habitude en prenant des pastilles de sel et en ingurgitant toute l'eau qu'on pouvait contenir. Jonathan disait qu'il était allé aux toilettes toutes les deux heures cette nuit-là.

Puis le boulet est à nouveau passé tout près. Le jour du prologue, on a fait une dernière reconnaissance des 6,8 kilomètres du parcours. Lance voulait vérifier s'il pouvait passer le grand braquet pour monter la dernière bosse. On roulait sur le plat, à fond, et Lance regardait sa chaîne, tête baissée, quand une voiture Telekom a débouché juste devant lui. Il a foncé droit dessus à toute allure. Mais George a vu la voiture, poussé un cri, et Lance a levé la tête juste à temps pour l'éviter. Il a accroché le rétroviseur et s'est retrouvé au sol, mais sans se faire de mal. Je me demande encore ce qui serait arrivé si George n'avait rien vu, s'il n'avait pas crié.

Lance a survolé le prologue, et il a tout de suite pris 7 secondes sur Zülle. Je crois que ça l'a stupéfait autant que le reste du monde. Une fois franchie la ligne d'arrivée, il n'a pas su quoi faire. Le premier à lui tomber dans les bras a été le Petit Diable, le D[r] del Moral. Dans les interviews d'après la course, Lance, pris de court, s'est montré maladroit, incapable de trouver ses mots. Il ne cessait de répéter que c'était formidable pour l'équipe, pour l'encadrement, pour tout le monde. Sa victoire semblait irréelle. C'était forcément passager – un coup de chance qui serait vite rectifié.

Mais deux jours plus tard, ça s'est reproduit. La deuxième étape, à travers la Bretagne, empruntait notamment le passage du Gois, la chaussée étroite reliant l'île de Noirmoutier au continent, praticable à marée basse seulement. L'amour des organisateurs pour les vues imprenables obligerait les coureurs, après 80 kilomètres, à franchir à toute allure ce passage étroit, humide et glissant. Intelligemment, Lance et George s'étaient démenés pour occuper la tête de course ; le reste de l'équipe s'efforçait de les suivre. Évidemment, peu après le début de la traversée, quelqu'un est tombé au cœur du peloton ; la mêlée qui s'est ensuivie a fait chuter les coureurs par dizaines, bloquant le passage et provoquant l'abandon de Jonathan Vaughters. La plupart des autres prétendants à la victoire – dont Zülle, Belli et Gotti – sont restés bloqués derrière. Ils ont tenté de refaire leur retard en catastrophe, mais en vain.

Le plus naturellement du monde, Lance avait creusé un écart colossal de 6 minutes sur ses principaux rivaux. Les gens ont parlé de coup de chance, mais les coureurs, et Lance encore moins, ne voyaient pas les choses de cet œil. Tout le monde savait que la chaussée serait glissante. Tout le monde savait qu'un accident était probable. Tout le monde avait eu sa chance de se placer parmi les premiers. C'était toujours pareil : l'injustice faisait partie intégrante de ce qui rendait le Tour équitable, parce que tout le monde devait composer avec. Ça le faisait ou ça ne le faisait pas, point barre.

Mais le Tour n'était pas fini, loin de là. Nous savions tous que les étapes décisives seraient la huitième et la neuvième : un contre-la-montre de 56 kilomètres à Metz, suivi d'un jour de repos, puis l'étape reine – un méchant triplé de cols, le Télégraphe, le Galibier et l'arrivée en Italie, perchée sur la station de ski de Sestrières. À mesure qu'approchait le grand moment de vérité, les médias se sont employés à faire mousser l'événement, les débats tournant essentiellement autour de deux questions: le peloton était-il vraiment propre? Et Lance, qui n'avait jamais brillé dans les longues ascensions européennes (le seul Tour qu'il avait achevé lui avait valu la 36e place), serait-il capable de grimper avec ses concurrents?

Deux jours avant l'échéance, on s'est préparés. On a utilisé le téléphone secret pour appeler Philippe, qui a fendu la foule avec sa livraison. On ne voulait pas introduire de l'EPO à l'hôtel, alors on se piquait habituellement dans la roulotte. Les choses se passaient de la manière suivante: à la fin d'une étape, on filait dans la caravane pour se laver, boire et se changer. Les seringues nous attendaient, parfois enfouies dans nos chaussures de sport, parfois dans nos musettes de course.

La vue d'une seringue m'a toujours donné un haut-le-cœur. Il fallait faire vite – s'injecter le produit et se débarrasser des indices. Parfois, c'était del Moral qui nous piquait, parfois nous-mêmes, selon ce qui serait le plus rapide. Et on peut dire qu'on était rapides – il nous fallait trente secondes tout au plus. Pas besoin d'être précis: le bras, le ventre, tout faisait l'affaire. On a pris l'habitude de placer les seringues usagées dans une canette de Coke vide. Elles passaient juste par l'orifice – *plonk, plonk, plonk* –, on entendait les aiguilles s'entrechoquer. On traitait cette canette de Coca-Cola avec respect. C'était la Bouteille de Coke radioactive, celle qui pouvait mettre fin au Tour, démolir l'équipe et notre carrière, peut-être même nous envoyer dans une prison française. Une fois les seringues à l'intérieur, on l'écrasait, histoire de lui donner l'air d'une vieille boîte de conserve à jeter. Puis del Moral la fourrait au fond de son sac à dos, mettait ses Ray-Ban, ouvrait la petite porte branlante de la roulotte et traversait la foule qui se massait autour de notre véhicule. Tout le monde voulait voir Lance. Personne ne faisait attention à l'inconnu au sac à dos qui fendait la foule tranquillement, parfaitement invisible.

Lors du contre-la-montre de la huitième étape, Lance a frappé fort, prenant près de 1 minute à Zülle (je m'en suis moi-même pas trop mal tiré en finissant 5e). Mais ce que tout le monde attendait, c'était la neuvième étape – la montée jusqu'à Sestrières. La première grande ascension du Tour est une épreuve de vérité, c'est là que commence vraiment la course. Tout le monde a les yeux rivés dessus, parce que c'est là que les prétendants abattent enfin leurs cartes.

La matinée était froide et pluvieuse. Dans la première partie de la course, on a assisté à de multiples attaques ; tout le monde cherchait à faire ses preuves. Frankie a accompli un travail fantastique de capitaine de route, surveillant les possibles échappées avec l'œil d'un faucon, veillant à ce que personne ne puisse prendre le large. On a protégé Lance aussi longtemps que possible, puis on l'a laissé avec un groupe de prétendants de premier plan. Quelques coureurs peu crédibles ont tenté une échappée ; Escartín et Gotti, considérés comme les meilleurs grimpeurs, les ont pris en chasse. Le scénario de la course semblait écrit d'avance : Lance avait fait fort jusqu'ici, mais les vrais grimpeurs allaient prendre le relais. La victoire d'étape reviendrait probablement à Escartín ou à Gotti.

Puis, alors qu'il restait environ huit kilomètres, quelque chose d'inattendu s'est produit : Lance a attaqué, avalé Escartín et Gotti et filé tout seul vers la victoire. J'ai compris que Lance était en train de réaliser un exploit, j'entendais les acclamations devant moi sur la route, et Johan et Thom Weisel étaient excités comme des poux sur la fréquence radio de notre équipe. Mais c'est seulement le soir, en voyant les images à la télévision, que j'ai compris à quel point Lance avait fait fort.

« Armstrong les a passés en revue comme s'ils étaient à l'arrêt ! » criait le commentateur Paul Sherwen. L'attaque de Lance était encore plus impressionnante par son style – il ne s'était pas mis en danseuse, debout sur les pédales, comme la plupart des attaquants, mais était resté assis sur sa selle. Sa cadence n'avait quasiment pas varié. Il l'avait simplement maintenue, moulinant sur son braquet, et semant l'un après l'autre tous les coureurs. Je connaissais la puissance de Lance – on s'entraînait ensemble tous les jours. Mais là, j'étais complètement scié. C'était un autre Lance, que je n'avais encore jamais vu. Il avait franchi un palier.

Les sceptiques se sont immédiatement fait entendre. On a su plus tard que, dans la salle de presse, l'attaque de Lance avait fait ouvertement rigoler quelques vieux briscards – pas parce qu'ils étaient admiratifs, mais parce qu'ils y voyaient une preuve flagrante de dopage. Le lendemain, les articles parlaient avec insistance de Lance « l'extraterrestre », une façon codée de désigner un coureur dopé. Pour *L'Équipe*, Lance était « sur une autre planète ».

Puis ça s'est encore gâté. *Le Monde* a révélé que Lance avait été testé positif à la cortisone après le prologue, ce qui a déclenché une sacrée pagaille. Pas seulement pour l'équipe US Postal, mais pour le Tour lui-même, qui ne pouvait pas se permettre un nouveau scandale de dopage. L'incroyable retour de Lance tombait à pic, puisqu'il symbolisait le fait que l'épreuve était sortie la tête haute du nuage noir où l'avait plongée l'affaire Festina. Et voilà que tout était remis en cause.

Lance et US Postal ont choisi de répondre le plus simplement du monde. Ils ont inventé une histoire bidon : souffrant d'une irritation à la selle, Lance avait, selon certains, fourni une ordonnance antidatée pour une crème de soin contenant de la cortisone[4]. Les sceptiques ont aussitôt souligné qu'Armstrong n'avait pas déclaré cette ordonnance dans son dossier médical avant le Tour, mais personne à part quelques journalistes ne semblait s'en soucier. L'UCI n'avait pas envie de pincer Lance ; elle a admis l'ordonnance, et le Tour du renouveau a repris la route[5].

C'est à ce moment que le Tour de France est devenu une épreuve sportive d'un autre niveau ; à partir de là, tout reposait sur le contrôle du récit, et donc des journalistes. En 1999, comme chaque année, la plupart des journalistes couvrant la compétition n'avaient qu'une envie, se concentrer sur l'intensité dramatique de la course et tourner si possible la page du dopage. Mais pas tous. Un petit groupe s'acharnait à

---

4. Comme le raconte Emma O'Reilly, soigneuse de l'US Postal, dans *From Lance to Landis* : « À un moment, deux dirigeants de l'équipe se trouvaient dans la pièce avec Lance. Tout le monde parlait en même temps. "Qu'est-ce qu'on va faire, qu'est-ce qu'on va faire ? Il faut garder ça sous silence, on serre les coudes. On ne panique pas. Il faut qu'en sortant d'ici on ait la même histoire à raconter." » D'après O'Reilly, après cette réunion, Lance lui a dit : « Maintenant, Emma, tu en sais assez pour me faire tomber. »
5. Concernant l'UCI, ce type de connivence n'était pas nouveau. Dans son livre *Massacre à la chaîne*, le soigneur de Festina Willy Voet affirme que l'UCI avait déjà accepté une exemption thérapeutique antidatée concernant la lidocaïne pour permettre au coureur français Laurent Brochard d'éviter d'être testé positif lors du Championnat du monde de 1997.

poser des questions embarrassantes. Armstrong les appelait « les trolls[6] ». La règle était simple : les trolls cherchaient à faire tomber Lance, et Lance s'efforçait de les repousser.

Au début, Lance n'a pas vraiment brillé à ce jeu. Il était sur la défensive, désarçonné, susceptible. « Ça fait une semaine que ça dure, et on n'a rien trouvé », a-t-il lâché dans une interview, en haussant un peu trop le ton. « Et vous ne trouverez rien. Que ce soit *L'Équipe*, Channel 4, un journal espagnol ou hollandais, il n'y a rien à trouver. » Dans une autre, il a souligné : « Je n'ai jamais été contrôlé positif. On ne m'a jamais attrapé avec quoi que ce soit. »

On ne m'a jamais attrapé avec quoi que ce soit ?

Mais Lance apprenait vite. Je me souviens d'une conférence de presse où un journaliste a remarqué que beaucoup trouvaient sa réussite miraculeuse. Qu'en pensait-il lui-même ? Lance, qui n'est pas croyant, a réfléchi deux secondes, puis il a eu cette réponse géniale :

« Oui, c'est un miracle. Il y a quinze ou vingt ans, je n'aurais pas été vivant, et encore moins au départ du Tour de France, ou en maillot jaune. Alors oui, je trouve que c'est un miracle. »

Comme les trolls continuaient de le harceler sur la question de la cortisone, Lance a fait ce qu'il faisait le mieux : passer à l'offensive directe. Il a commencé par dire que *Le Monde* faisait partie de la « presse de caniveau » et pratiquait un « journalisme de charognards ». Puis il a musclé ses dénégations ; au lieu de se focaliser sur sa personne, il a pointé du doigt les motivations et la crédibilité de ses assaillants. Lors d'une conférence de presse, au journaliste qui insistait, Lance a dit : « M. Le Monde, êtes-vous en train de me traiter de menteur ou de dopé ? »

Jamais une telle réplique ne me serait venue à l'esprit, et j'imagine mal ce qui se serait passé si le journaliste avait répondu : « Pour tout dire, je vous traite des deux à la fois. » Mais Lance m'a fait comprendre

6. En langage Internet, un « troll » est une personne qui participe à une discussion ou à un débat (par exemple sur un forum) dans le but de susciter ou de nourrir artificiellement une polémique, et plus généralement de perturber l'équilibre de la communauté concernée. NdT.

la force brute de la pure offensive. S'il répondait comme ça, c'est parce qu'il croyait intimement – et il le croit encore à ce jour – qu'il n'avait pas triché, car dans son esprit tous les participants à la course carburaient à la cortisone et possédaient leur propre équivalent de Motoman. Chacun faisait l'impossible pour gagner, et ceux qui ne le faisaient pas étaient des geignards qui ne méritaient pas la victoire.

J'ai toujours dit que, même si on nous avait branchés au meilleur détecteur de mensonge du monde, nous aurions réussi le test. Pas parce qu'on se racontait des histoires – on était parfaitement conscients d'enfreindre les règles –, mais parce qu'on ne considérait pas ça comme de la tricherie. Enfreindre les règles nous paraissait juste, parce qu'on savait que tout le monde faisait pareil.

Vous me traitez de menteur ou de dopé ?

Je crois que c'est à cet instant précis que Lance a pris l'ascendant sur ses contradicteurs. Il leur a montré qu'il n'était pas comme les autres, qu'il n'allait pas baisser la tête ou marmonner de timides protestations en attendant que les trolls le mettent à bas. Et ça a marché. Le lendemain, les médias n'ont pas trop évoqué les soupçons ou les contrôles positifs ; ils ont surtout parlé du combat de Lance contre ces accusations, un combat qui ne pouvait évoquer dans l'esprit des gens que l'autre combat de Lance, celui contre sa maladie. Il a pris les sceptiques par les cornes, comme il l'avait fait avec le cancer, et ça a marché.

Évidemment, Lance n'a pas eu à affronter que les journalistes. Il y avait aussi le coureur français Christophe Bassons, un personnage intéressant. Doté d'un talent naturel immense (son VO_2 max – sa consommation maximale d'oxygène, une mesure de la capacité aérobie – était de 85, soit supérieur de 2 points à celui de Lance), Bassons ne se contentait pas de refuser le dopage pour lui-même, il brisait l'omerta en le dénonçant ouvertement. Ses coéquipiers l'appelaient Monsieur Propre. Ce refus de se taire posait un réel problème à Lance. Tout en participant au Tour 1999, Bassons tenait une colonne dans *Le Parisien* où il disait la vérité : l'affaire Festina n'avait rien changé.

Lance a pris les choses en main. Le lendemain de sa victoire à Sestrières, pendant la course, il est venu à la hauteur de Bassons pour lui dire que ses commentaires faisaient du tort au cyclisme ; Bassons a répondu qu'il ne disait que la vérité ; Lance lui a suggéré d'aller se faire foutre et d'abandonner le vélo.

À ce stade, les coureurs auraient pu se rallier à Bassons, donner de la voix. Mais pour une raison ou une autre – peut-être la peur, peut-être la forte personnalité de Lance, peut-être le poids de l'habitude – ils ne l'ont pas fait. Au cours de cette étape et de celle du lendemain, l'isolement de Bassons est devenu manifeste. Personne ne prenait sa défense. Personne ne lui adressait plus la parole, pas même dans sa propre équipe. Comprenant ce qui se passait, Bassons a abandonné dès le lendemain.

Prise sous le feu de la controverse, notre équipe s'est soudée. Lance portait le maillot jaune, alors il fallait tout faire pour contrôler la course. C'est devenu de plus en plus dur. On avait déjà perdu Jonathan ; on a alors perdu Peter Meinert Nielsen pour une vilaine tendinite au genou. Chaque jour ressemblait au précédent : Johan commençait par nous présenter un plan complexe, visant à nous permettre de garder la main sur la course. Puis Lance prononçait son discours de motivation et nos cœurs se gonflaient de l'importance de ce moment où, contre toute attente, une vraie occasion s'offrait à nous, les Bad News Bears, avec nos roulottes pourries, de gagner la plus grande course du monde. Et ça marchait : chaque jour, nous donnions nos tripes pour que Lance reste en jaune.

Au fil du Tour, nos coureurs qui n'avaient pas droit à Edgar ont commencé à accuser le coup. Malgré le fait qu'ils roulaient paniagua, ils faisaient un travail impressionnant, alors on a voulu leur donner un coup de main. Un soir de la deuxième semaine, on a constaté qu'il nous restait un petit surplus d'Edgar – peut-être 2 000 unités. Qu'allions-nous en faire ? On n'allait tout de même pas les jeter à la poubelle, et il n'était pas question de prendre le risque de trop faire monter notre hématocrite. C'est Lance qui a eu l'idée : donnons-les à Frankie. On a envoyé quelqu'un le chercher dans sa chambre ; il était tellement épuisé qu'il dormait déjà. D'un hochement de tête, Frankie a accepté notre proposition. Chaque jour qui passait nous rapprochait de l'arrivée. On s'efforçait de ne pas trop penser à la victoire ; il fallait se concentrer pour contenir Zülle et les autres rivaux. Mais le 21 juillet, en entrant dans Pau, nous laissions la dernière étape de montagne derrière nous et la possibilité d'une victoire finale est devenue plus concrète. À moins d'un grave pépin – accident, maladie ou blessure – Lance remporterait le Tour de France.

La seule ombre au tableau était qu'un membre de l'équipe était en train de craquer: Motoman était au bout du rouleau. Je comprenais son problème: suivre le Tour jour après jour, semaine après semaine, était forcément une épreuve difficile. Les foules sont immenses. Les routes sont barrées. Les hôtels sont pleins à craquer. Alors Philippe campait, dormait à la belle étoile, s'improvisait des abris sur les aires de repos et les parkings. Lors d'une communication téléphonique avec Johan ou Lance, Philippe a dit qu'il n'en pouvait plus. Il ne pouvait pas continuer. Heureusement, nous avions désormais la course bien en main. À une semaine de l'arrivée, on a dit à Motoman de rentrer à Nice[7].

Alors que le Tour touchait à sa fin, Lance nous a dit qu'il fallait trouver un moyen de remercier Philippe pour ses efforts. On savait que Lance offrait des Rolex à certains des soigneurs et des membres de

---

7. En 2005, dans le cadre d'une étude rétrospective menée par le Laboratoire national de détection du dopage de Châtenay-Malabry visant à perfectionner ses méthodes, on a cherché la présence d'EPO dans des échantillons d'urine du Tour 1999. Grâce au numéro à six chiffres d'identification des coureurs, le journaliste de *L'Équipe* Damien Ressiot a établi que quinze de ces échantillons appartenaient à Armstrong. Six de ces quinze échantillons étaient positifs, notamment ceux prélevés après le prologue et la première, la neuvième, la dixième, la douzième et la quatorzième étape; en outre, plusieurs autres révélaient la présence d'EPO artificielle en trop faible quantité pour que le test soit positif. Tous les échantillons prélevés après la quatorzième étape se sont révélés négatifs.

Armstrong a affirmé que les échantillons avaient pu être manipulés. Mais d'après le Dr Michael Ashenden, l'un des plus grands experts mondiaux en matière de dopage, les chances qu'un individu parvienne à manipuler les échantillons pour obtenir précisément ce schéma de pic et de traînée résiduelle sont quasi nulles; en fait, il n'existe pas à sa connaissance d'instrument de laboratoire aussi finement calibré. Comme l'a résumé Ashenden: « Il ne fait aucun doute dans mon esprit que [Lance Armstrong] a pris de l'EPO pendant le Tour 1999. »

Plus intéressant encore, tout indique qu'en 1999 Armstrong faisait partie d'une minorité. Sur les 81 échantillons d'urine prélevés lors du Tour 1999 auprès d'autres coureurs qu'Armstrong, seuls 7 se sont révélés positifs à l'EPO, soit 8,6 %.

l'encadrement, alors, avec Kevin, on a décidé de faire pareil pour Philippe. On s'est cotisés et Becky, la fiancée de Philippe, a acheté la montre à Nice et l'a apportée à Paris.

La dernière semaine a été réglée comme du papier à musique ; tout s'est si bien passé qu'au moment de conclure, on n'arrivait toujours pas à y croire. Une fois franchie la ligne d'arrivée, on a fait la remontée traditionnelle des Champs-Élysées, vu l'Arc de Triomphe entouré d'une foule énorme brandissant des drapeaux américains et du Texas, puis, descendus de vélo, nous avons erré sur les pavés, incrédules et heureux, embrassant nos femmes, nos parents, nos coéquipiers. Je me souviens des bouchons de champagne qui sautaient, des millions de flashs, d'un homme dans la foule qui jouait du tuba. On se serait cru dans un film hollywoodien.

La fête organisée par l'US Postal pour la victoire a été tout aussi fantastique. Thom Weisel a loué le dernier étage du musée d'Orsay, sur les berges de la Seine ; entre les commanditaires, les parents et les amis, il y avait près de deux cents personnes. Weisel exultait, il levait son verre à tout bout de champ et rappelait sans cesse que nous avions remporté le « Tour de *Fucking* France ». Je me souviens d'avoir aperçu l'agent de Lance, Bill Stapleton, sur un balcon, au téléphone, en train de préparer la suite – Letterman, Leno, Nike, le *Today Show*, tout y passait –, son téléphone fumait. À un moment de la fête, le portable de Lance a sonné. Il s'est levé pour répondre, et s'est absenté quelques minutes.

À son retour il a dit : « Ça, c'était cool. C'était le président Clinton. »

Le moment était venu d'adresser des remerciements à tous ceux qui avaient rendu la victoire possible. Lance est monté sur le podium, et il a dit : « C'est moi qui portais le maillot jaune sur les Champs-Élysées aujourd'hui, mais la part de ce maillot qui me revient correspond à peu près à la fermeture éclair. Le reste, le corps, les manches, le col, tout cela je le dois à mon équipe, à l'encadrement et à ma famille. Je le pense du fond du cœur. »

À l'écart de la cohue, dans un coin tranquille de la salle, on a pris le temps de tenir une petite cérémonie privée. Kevin et moi avons offert sa Rolex à un Motoman épuisé, mais heureux. On lui a donné l'accolade puis il a passé la montre au poignet. Elle lui allait parfaitement[8].

---

8. Quand Hamilton m'a parlé pour la première fois de Philippe/Motoman, en août 2010, il ne se souvenait que de son prénom. Après quelques mois, j'ai localisé une personne qu'Hamilton a identifiée sur une photo comme étant Motoman. Il s'agissait de Philippe Maire, résidant de Cagnes-sur-Mer, où il tient un magasin de vélos haut de gamme nommé *Vedettes'n'Bikes*. Il y vend du matériel de marque. En juin 2012, on pouvait voir sur la page Facebook de Maire une photo de lui avec Armstrong prise en 1999, où les deux hommes se tenaient bras dessus, bras dessous en souriant dans un magasin de vélos. Sur la légende, on pouvait lire : « Bon travail. »

J'ai appelé Maire, qui m'a confirmé avoir travaillé pour Armstrong en tant que mécanicien et jardinier quand Lance habitait Nice. Je lui ai ensuite demandé s'il avait suivi le Tour 1999 à moto.

– P.M. *(levant la voix)* : Non, je n'ai rien suivi du tout. Si vous voulez me parler, vous venez au magasin, je vous vois, on fait connaissance, mais là, je ne comprends pas. Les types, ils peuvent m'appeler, m'expliquer, parce que je ne comprends pas.

– Est-ce que Tyler Hamilton peut vous appeler ?

– P.M. (*vite*) : Non, non, non, non. Si vous voulez, vous dites à Kevin Livingstone de m'appeler, qu'il m'explique ce que vous voulez. Là je ne comprends pas, désolé.

– Est-il vrai oui ou non que vous avez suivi le Tour 1999 à moto ?

– P.M. : Ahhhhhh, non, non.

– Ce n'est pas vrai ? C'est un mensonge ?

– P.M. : Ce n'est… pas vrai.

– Ceux qui me racontent que vous avez suivi le Tour 1999 sur votre moto ne me disent donc pas la vérité.

– P.M. (*précipitamment*) : Désolé, désolé. Je suis un cycliste. Je vends des vélos, mais je ne comprends pas ce que vous voulez. Je vous dis au revoir. » (*Il me raccroche au nez.*)

Quelques semaines plus tard, j'ai rappelé Maire. Quand j'ai évoqué le Tour 1999 et lui ai fait part du récit d'Hamilton, Maire m'a répété plusieurs fois qu'il se trouvait en France, pas aux États-Unis.

« C'est une putain de plaisanterie. Je ne suis personne. Juste un petit mec en France ; je ne suis qu'un bon mécanicien, c'est tout. »

Maire reconnaît avoir été présent à la fête donnée par l'US Postal au musée d'Orsay.

Quand je lui ai dit qu'on pourrait trouver insolite que le mécanicien/jardinier d'Armstrong fasse mille kilomètres pour assister à la fête de l'US Postal, Maire m'a répondu qu'il était monté à Paris pour assister à la dernière étape. Comme je lui demandais s'il avait reçu une Rolex d'Hamilton et de Livingston, il a ri :

« Non, non, non, non, non ! Personne ne m'a acheté de Rolex. Personne, ha ! ha ! Mais si vous connaissez quelqu'un qui veut m'offrir une Rolex, d'accord. J'aime Cartier, ha ! ha ! Chanel, Gaultier, c'est sûr. »

CHAPITRE 6

2000 : la machine se met en place

« Haven et toi, vous devriez vous installer à Nice. »

Lance l'avait dit avec légèreté, mais pour moi c'était du lourd. À l'automne 1999, j'habitais encore à Gérone, mais le centre de gravité de l'équipe s'était déplacé vers Nice, sur la Côte d'Azur. Lance et Kristin vivaient là, tout comme Kevin Livingston et celle qui était désormais sa femme, Becky, ainsi que Frankie Andreu et son épouse Betsy ; Michele Ferrari n'était qu'à une demi-journée de route. Haven venait de quitter son emploi à Hill Holliday, alors nous pouvions vivre ensemble à plein temps en Europe. S'établir à Nice, l'idée était plus que tentante : nous serions tous réunis pour nous entraîner, travailler, vivre, préparer le prochain Tour de France. En mars 2000, Haven et moi avons donc emménagé dans une maisonnette jaune au bout d'une allée bordée de rosiers à Villefranche-sur-Mer, à moins de deux kilomètres de chez Lance et Kristin. Pour la première fois, nous avions de l'argent nous aussi : j'avais signé un contrat de 450 000 dollars (soit une coquette augmentation de 300 000 dollars par rapport à l'année précédente) avec une prime de 100 000 dollars si je contribuais à une nouvelle victoire de Lance dans le Tour.

C'était un vrai changement de planète : les yachts des milliardaires flottaient dans le port et les couples de retraités se promenaient avec leurs énormes lunettes de soleil et leurs tout petits chiens. De chez nous, on apercevait la légendaire villa Nellcôte, où les Rolling Stones avaient enregistré *Exile on Main Street* ; Monaco était à un jet de pierre.

C'était l'un de ces endroits où vous croisiez une femme ravissante et réalisiez une seconde plus tard : « Wow ! c'était Tina Turner. »

Kevin, Lance et moi roulions tous les trois le plus souvent, parfois rejoints par Frankie. On se retrouvait sur la basse corniche, avant de prendre la direction des hauteurs du nord de Nice. Quand on s'entraîne dans ces conditions, on a l'impression d'être avec des amis en train de regarder un film – en l'occurrence, le paysage français qui défilait sous nos yeux. Comme devant un film, on passe le plus clair de son temps à dire des âneries, à se vanner, à essayer de faire se gondoler les autres.

Chacun avait son rôle. Frankie était le point d'ancrage : l'œil toujours alerte, indémontable. Kevin était le pétillant ; toujours de bonne humeur, avec ses blagues idiotes inépuisables et son répertoire d'imitations (celle de Michele Ferrari était plus vraie que nature : « Ahhhh, Tyler, vous êtes trop gros ! »). Moi, j'étais le bon copain, le taiseux, le pince-sans-rire qui voit tout et ne dit pas grand-chose.

Lance, c'était le big boss, désormais illuminé par sa nouvelle vie, par la réussite. Déjà plutôt intense, il l'est devenu deux fois plus. Tout l'intéressait ; un jour c'étaient les valeurs technologiques, « le meilleur *fucking* investissement sur le marché » ; le lendemain, une boulangerie normande qui fabriquait « le meilleur *fucking* pain que tu aies jamais goûté » ; puis un groupe qui était « le meilleur *fucking* groupe que tu aies jamais entendu ». Pour tout dire, il avait généralement raison.

Lance avait aussi toujours un œil sur la concurrence. Il parlait sans cesse d'Ullrich, de Pantani, de Zülle et des autres. Il savait beaucoup de choses – qui travaillait avec quel médecin, qui se focalisait sur quelle course, qui pesait cinq kilos de trop, qui était en train de divorcer. C'était une sorte de journal humain : après deux heures passées à rouler avec lui, on avait toutes les infos sur le peloton.

Il lui arrivait parfois d'être trop bavard. Je me souviens qu'un jour, à la terrasse d'un restaurant niçois au bord de la mer où nous étions avec Kevin, Lance a raconté qu'il avait entendu dire que certains coureurs espagnols avaient adopté un nouveau type d'EPO. Il parlait vraiment fort, ouvertement, sans recourir à notre langage codé, au point que j'ai croisé les doigts pour que personne ne parle anglais aux tables voisines. C'est devenu si préoccupant que j'ai dit quelque chose du genre « Hé, les murs ont peut-être des oreilles ». Mais ça n'a pas paru l'inquiéter, et il a continué à parler haut et fort. C'était comme pour l'EPO qu'il gardait dans la porte du frigo. On devenait tous un peu paranos à force de craindre de nous faire pincer, mais Lance se comportait comme s'il était invulnérable. Au fond, c'était peut-être pour lui une manière de se rassurer.

J'ai beaucoup appris au contact de Lance, mais ma véritable éducation s'est faite de façon sporadique, quand, à quelques semaines d'intervalle, Ferrari débarquait en ville. C'était notre entraîneur, notre médecin, notre dieu. Il avait le chic pour profiler nos entraînements comme des séances de torture : presque au point de nous tuer, mais pas tout à fait. Depuis, Lance a souvent déclaré publiquement que Chris Carmichael était son entraîneur officiel – et Carmichael ne s'est pas privé de faire fructifier cette réputation. Je sais que les deux hommes étaient amis. Mais en toute franchise, pendant les années où je me suis entraîné avec Lance, je n'ai pas souvenir de l'avoir jamais entendu mentionner Chris, ni du moindre conseil que celui-ci lui aurait donné. En revanche, il n'avait que Ferrari à la bouche, au point que ça devenait pénible. « Michele dit qu'on devrait faire ci, Michele dit qu'on devrait faire ça[1]. »

---

1. Dans ses livres et sur son site Internet, Carmichael affirme avoir été l'entraîneur d'Armstrong lors de ses sept victoires au Tour de France. Dans un entretien accordé à *USA Today* en juillet 2004, Carmichael décrit un système par lequel Armstrong aurait envoyé chaque jour ses données d'entraînement à Ferrari, qui les aurait transmises à Carmichael, qui les aurait alors intégrées au programme d'entraînement.

Pourtant, dans les entretiens réalisés pour *Lance Armstrong's War*, Ferrari déclare ne jamais avoir communiqué avec Carmichael. « Je ne travaille pas avec Chris Carmichael. Je travaille pour Lance, et Lance seulement. »

Voici ce que disent à ce propos les coureurs de l'US Postal :

Jonathan Vaughters : « En deux ans, je n'ai jamais entendu Lance faire référence à Chris. »

Floyd Landis : « Arrêtez le délire. Carmichael est un brave homme, mais il n'avait aucun rapport avec Lance. Carmichael était un leurre. »

Christian Vande Velde : « Chris ne s'est jamais mêlé des entraînements quotidiens de Lance. Je crois que son rôle tenait plus de l'ami, du type avec qui tu parles de tout et de rien. »

J'avais beaucoup à apprendre. Jusqu'alors, je m'étais entraîné comme le font la plupart des coureurs cyclistes de la vieille école – à l'instinct. Bien sûr, je faisais des fractionnés et je tenais le compte des heures accomplies, mais ça n'avait rien de très scientifique. C'est très clair quand je regarde mon journal, où la plupart des jours ne comportent qu'un seul chiffre : le nombre d'heures passées à rouler – plus il était élevé, mieux c'était. Tout cela a changé dès mon arrivée à Nice. Lance et Ferrari m'ont montré qu'il y avait davantage de variables que je ne le soupçonnais, et toutes comptaient : les watts, la cadence, les intervalles, les zones, les joules, l'acide lactique et, bien sûr, l'hématocrite. Chaque sortie à vélo devenait un problème mathématique : un ensemble de valeurs précisément établies qu'il fallait atteindre – ça peut paraître simple, mais en vérité c'était incroyablement difficile. Rouler six heures est une chose. Rouler six heures en suivant un programme de watts et de cadences en est une autre, notamment si ces watts et ces cadences ont été déterminés pour vous emmener à l'extrême limite de vos capacités. Grâce à des doses régulières d'Edgar et d'œufs rouges, on s'est entraînés comme je ne l'aurais jamais imaginé : jour après jour, en rentrant à la maison, je m'effondrais sur mon lit, épuisé à en perdre connaissance.

À peu près une fois par mois, Ferrari faisait le trajet depuis sa maison de Ferrare pour nous soumettre à des tests. Ça ressemblait à des expériences scientifiques, sauf que ce qu'il mesurait, c'était à quel point nous le décevions. Il logeait toujours chez Lance et Kristin, si bien qu'en me levant le matin je le retrouvais là-bas. Il m'attendait avec sa balance, son adipomètre et sa centrifugeuse. Deux piqûres, trois tours de centrifugeuse, et il se mettait à secouer la tête.

« Aaaaaah, Tyler, vous êtes trop gros. »

« Aaaaaah, Tyler, votre hématocrite est trop bas. »

Ferrari aimait nous tester au col de la Madone, 12 kilomètres de pente raide à l'extérieur de Nice. Parfois ça se passait sur un kilomètre, on faisait le parcours plusieurs fois en augmentant le nombre de watts et Ferrari mesurait le lactate dans notre sang, et traçait une courbe avec les valeurs afin de déterminer notre seuil (en gros, la puissance que nous pouvions durablement fournir sans nous cramer). Ensuite, on grimpait la Madone à fond, poussant la machine au maximum. Pour Ferrari, un bon résultat à la Madone était presque aussi important qu'une victoire en course.

Je puisais auprès de Ferrari tout un tas de renseignements : je notais à l'avance mes questions sur des serviettes en papier pour ne pas oublier de les lui poser. Il m'a appris pourquoi l'hémoglobine était un meilleur indicateur du potentiel que l'hématocrite (elle mesure mieux la capacité de transport d'oxygène). Il m'a expliqué qu'une cadence plus rapide est moins éprouvante pour les muscles puisque la charge de travail est transférée du physique (les fibres musculaires) à un autre système, nettement préférable : l'appareil cardiovasculaire et le sang. Il m'a expliqué que la meilleure mesure d'aptitude s'exprimait en watts par kilogramme – la puissance fournie, divisée par le poids. Le nombre magique, c'était 6,7 watts par kilo, celui qu'il fallait absolument atteindre pour remporter le Tour.

Michele était littéralement obsédé par le poids – et je pèse mes mots. Il en parlait davantage que des watts ou de l'hématocrite, qu'on pouvait facilement améliorer avec un peu d'Edgar. Pourquoi ? Parce que perdre du poids était le moyen le plus difficile, mais le plus efficace de faire monter l'indice crucial des watts par kilo, et donc d'avoir une bonne performance pendant le Tour. Il nous a beaucoup plus embêtés avec ses régimes qu'avec l'hématocrite. On en plaisantait avec Lance et Kevin : les gens prenaient Ferrari pour un chimiste fou, alors qu'en fait c'était un conseiller de chez Weight Watchers !

Les repas en compagnie de Ferrari étaient un cauchemar. Il avait l'œil sur la moindre bouchée qu'on avalait ; un biscuit sec ou une part de gâteau suscitait invariablement un froncement de sourcils et une grimace de déception. Il a même convaincu Lance de s'acheter une balance pour peser ses aliments. Je ne suis pas allé aussi loin, mais il m'a quand même fait adopter d'autres méthodes : je buvais des litres d'eau gazeuse pour faire croire à mon estomac qu'il était rassasié. Poussé à bout comme il ne l'avait jamais été, mon corps ne comprenait plus rien – il lui fallait à manger, vite ! Mais là encore, comme pour tant d'autres choses, Ferrari avait raison : à mesure que mon poids baissait, mes performances s'amélioraient. De manière continue.

Ça n'avait plus grand-chose à voir avec le cyclisme que je connaissais. L'adversaire, ce n'étaient plus les autres coureurs, la montagne ou nous-mêmes, mais les chiffres, ces sacro-saints chiffres qu'il nous collait sous le nez en nous défiant de partir à leur conquête. Ferrari transformait notre sport – un sport romantique où il suffisait de grimper sur son vélo en espérant être dans un bon jour – en tout autre chose, qui tenait plutôt de la partie d'échecs. J'ai compris que le Tour de France ne dépendait pas de la volonté divine ni de la génétique ; ce qui faisait la différence, c'étaient l'effort et la stratégie. La victoire irait à celui qui travaillerait le plus dur et le plus intelligemment.

* * *

Le moment est venu de répondre à une question importante : était-il possible à cette époque de remporter une course cycliste professionnelle tout en étant *clean* ? Un coureur non dopé avait-il la moindre chance contre des adversaires sous Edgar ?

La réponse, c'est que cela dépend de la course. Pour les épreuves courtes, même les courses par étapes d'une semaine, la réponse est sans doute oui, mais avec des nuances. J'ai gagné de petites courses de quatre jours paniagua, avec un hématocrite à 42. J'ai remporté des contre-la-montre dans les mêmes conditions. J'ai entendu parler d'autres coureurs qui en ont fait autant.

Mais dès que la course dure plus d'une semaine, un coureur propre ne peut pas concurrencer ceux qui prennent de l'Edgar, l'avantage de ces derniers devenant trop important. Plus longue est la course, plus cet avantage augmente – d'où la puissance d'Edgar dans le Tour de France. C'est une question de coût, au sens physiologique. Les grands efforts – remporter une étape dans les Alpes ou un contre-la-montre – sont trop coûteux en énergie ; ils provoquent un affaiblissement du corps, une chute de l'hématocrite, une diminution de la testostérone. Sans Edgar ni œufs rouges, ces coûts s'additionnent. Avec Edgar et les œufs rouges, on récupère, on se rétablit et on peut continuer au même niveau. Le dopage est moins un accélérateur magique qu'un moyen de maîtriser les déclins.

Ce printemps-là, à Nice, j'ai suivi des entraînements très durs et très longs dont je ne me serais pas cru capable. Et ça a payé. Voici deux entrées de mon journal de l'an 2000. (Note : le 30 mars, je courais déjà depuis près de six semaines. Par ailleurs, j'ai noté « RC » face aux chiffres de mon hématocrite pour faire croire qu'il s'agissait de mon rythme cardiaque. Bien joué, non ?)

30 MARS
Poids : 63,5 kg (139 livres)
Masse graisseuse : 5,9 %
Watts moyens : 371
Watts par kilo : 5,84
RC [hématocrite] : 43
Hémoglobine : 14,1
Rythme cardiaque max. : 177
Temps à la Madone : 36' 03"

31 MAI
Poids : 60,8 kg (134 livres)
Masse graisseuse : 3,8 %
Watts moyens : 392
Watts par kilo : 6,45
RC [hématocrite] : 50
Hémoglobine : 16,4
Rythme cardiaque max. : 191
Temps à la Madone : 32' 32"

En soixante jours, parti d'un niveau de milieu de peloton, j'avais presque atteint le chiffre magique de Ferrari pour remporter le Tour – un progrès de 10 % dans un sport ou un demi-point suffit à décider du dénouement d'une grande course. Le moment était idéal pour moi, parce que le Critérium du Dauphiné libéré, la course d'une semaine dans les Alpes françaises qui sert de répétition générale aux prétendants au Tour, approchait à grands pas. Je savais que Lance voulait le gagner, mais je me disais que je pouvais faire bonne figure, et asseoir ma position de premier lieutenant.

C'est à cette époque que mes rapports avec Lance ont commencé à basculer. Il connaissait mes chiffres. Il voyait où j'en étais et à quelle vitesse je progressais. J'ai remarqué que, lorsqu'on s'entraînait côte à côte, Lance faisait exprès d'être un petit peu devant moi, sa roue légèrement en avance sur la mienne. Étant moi-même d'un naturel borné, je répondais. C'est devenu une habitude : Lance prenait quinze centimètres, et je répondais en ramenant ma roue à un centimètre derrière la sienne. Il reprenait alors de nouveau quinze centimètres et je répondais – un centimètre derrière. Je restais toujours derrière pour lui laisser le contrôle de la cadence. Ce petit centimètre qui nous séparait a fini par devenir lourd de signification. C'était comme une conversation, avec Lance qui posait les questions.

« *Et ça, t'en dis quoi ?*

— Je suis là.

— *Et ça ?*

— Toujours là.

— *OK, et ça alors ?*

— J'suis encore là mon gars. »

À l'époque, c'était pour moi un motif de fierté – la fierté de montrer quel valeureux lieutenant j'étais. Il m'a fallu du temps pour y voir le germe de la catastrophe.

* * *

Le second volet de mon apprentissage s'est produit dans la vie domestique. Haven, qui est une organisatrice-née, s'est plongée la tête la première dans notre nouvelle existence niçoise. Elle a pris des cours de français. Elle s'est occupée des courses, de la banque, des paperasses, de tout, quoi. Elle a trouvé un marché de fruits et légumes formidable sur lequel elle faisait une razzia quotidienne ; elle découpait ma salade en petits morceaux, parce qu'elle savait que je consommerais moins d'énergie à la digérer. Ce genre de petit détail important faisait que je l'appréciais encore plus. Haven n'était pas venue pour faire du tourisme, elle était prête à tout pour m'aider, pour tenir sa place dans notre binôme.

Entre nous, tout se passait à merveille, sauf dans un domaine. La marche à pied. Je sais, ça paraît incroyable, mais c'est l'une des premières règles que j'ai apprises en accédant au cyclisme de haut niveau : « Si tu es debout, assieds-toi ; si tu es assis, allonge-toi ; et fuis les escaliers comme la peste. » Le cyclisme est le seul sport au monde où plus on s'améliore, plus on ressemble à un petit vieux. Je ne connais pas vraiment l'explication physiologique de ce phénomène, mais le fait de marcher ou de rester trop longtemps debout vous épuise et vous fait très mal aux articulations, ce qui contrecarre votre programme d'entraînement. (Bernard Hinault, quintuple vainqueur du Tour de France, détestait les escaliers au point que, certains soirs, il se faisait porter dans sa chambre d'hôtel par les soigneurs pour ne pas avoir à marcher.) Du coup, quand Haven me demandait si j'étais partant pour une promenade dominicale sur la plage, ou une petite randonnée dans l'arrière-pays, ou même un petit tour jusqu'au marché du coin, je déclinais son offre. « Désolé, chérie, il faut que je me repose. »

D'autres tâches m'attendaient quand même à la maison, qui concernaient souvent Edgar. D'abord, il fallait s'en procurer, ce qui était devenu plus compliqué depuis que l'équipe n'en emportait plus lors des courses. Il m'a donc fallu acquérir le premier de mes nombreux téléphones secrets – des cartes prépayées. Je m'en servais pour appeler del Moral ou son assistant, Pepe Martí, à qui je disais que j'étais à court de « vitamines », d'« antiallergique », de « compléments en fer » ou du terme que nous utilisions à ce moment-là. Puis, je prenais la voiture pour retrouver Pepe à un endroit convenu à l'avance, où il me remettait une provision d'œufs rouges et d'EPO provenant de la clinique du D^r^ del Moral. En général, j'achetais de quoi faire une vingtaine d'injections, soit une durée d'environ deux mois. Je transportais mon paquet dans un sac isotherme garni de poches de glace, et del Moral y adjoignait généralement une ordonnance bidon au nom de Haven – généralement pour une perte de sang due à des troubles menstruels – au cas improbable où je me serais fait arrêter et fouiller par la police, ce qui, Dieu merci, n'est jamais arrivé.

Contrairement à Lance, je préférais ne pas ranger les boîtes étiquetées AMGEN ou EPREX au milieu de mes canettes de Coke Diet. J'ai donc mis au point tout un système. Je commençais par faire tremper l'emballage en carton dans l'eau jusqu'à le rendre illisible, puis je le déchirais en tout petits bouts que je jetais aux toilettes. Après quoi, je décollais du bout de l'ongle les étiquettes des fioles de verre contenant l'EPO, qui mesuraient à l'époque environ quatre centimètres sur un et demi, et je les jetais à leur tour dans les toilettes. Puis, j'emballais le tout dans du papier d'aluminium et le rangeais au fond du frigo, derrière les légumes. Plus tard, pour faire le malin, j'ai acheté une fausse boîte de boisson gazeuse pourvue d'un couvercle dévissable secret, comme on en voit dans les publicités des magazines de bande dessinée, mais j'ai eu peur que quelqu'un la prenne pour une vraie et essaie de la boire. L'alu s'est avéré plus efficace, parce que personne ne penserait jamais à ouvrir un petit paquet tout fripé qui aurait pu contenir des restes. Le système fonctionnait à merveille, à un détail près : les étiquettes, bien que roulées en boule, restaient collantes, et elles avaient une fâcheuse tendance à se retrouver sur ma chemise ou au fond de mes poches. Plus d'une fois il m'est arrivé, au cours d'un souper ou lors de courses à l'épicerie, de mettre la main à la poche pour y prendre quelque chose et de l'en retirer avec une étiquette d'EPO. Oups !

C'était à peu près tout. La liste des produits n'était pas longue : de l'Edgar et de la testostérone (Andriol). Un œuf rouge d'Andriol chaque semaine ou tous les quinze jours en période d'entraînement suffisait généralement ; et si jamais il fallait une dose moins importante, on pouvait piquer l'œuf avec une épingle, presser un peu de jus sur la langue et garder le reste pour plus tard. Ferrari avait trouvé le moyen de mélanger l'Andriol à de l'huile d'olive ; il la conservait dans un flacon de verre opaque pourvu d'un compte-gouttes, pour les petits coups de fouet. Je me souviens que Lance m'en a donné un jour lors d'une course : il tenait le compte-gouttes et j'ouvrais la bouche comme un oisillon. Del Moral m'a suggéré d'essayer l'hormone de croissance lors d'un cycle d'entraînement – une demi-douzaine d'injections sur vingt jours –, mais j'avais les jambes lourdes, gonflées et je me sentais mal, alors j'ai arrêté.

Je me faisais une piqûre d'Edgar tous les deux ou trois jours, généralement 2 000 unités, ce qui paraît beaucoup, mais ne représente en fait que le volume de la gomme à effacer d'un crayon mine. Je me piquais juste sous la peau, au bras ou au ventre ; l'aiguille était si petite qu'elle ne laissait quasiment pas de trace. Vite fait, bien fait, et hop ! une petite étincelle dans le sang.

Quand j'avais fini une fiole, je l'enveloppais dans plusieurs feuilles d'essuie-tout ou de papier hygiénique et je la pilonnais avec un marteau ou le talon d'une chaussure pour broyer le verre. J'emportais mon petit paquet de verre pilé et de papier au lavabo où je le rinçais abondamment pour éliminer toute trace d'EPO. Puis je jetais le tout dans les toilettes ou à la poubelle – dans ce dernier cas, je le recouvrais du truc le plus crado possible : une vieille peau de banane, du marc de café. Il m'est arrivé de me couper avec le verre, mais dans l'ensemble, le système était bon ; je pouvais dormir sans craindre une descente de police.

En vérité, je devrais dire : nous pouvions dormir. Je n'avais aucun secret pour Haven. Elle était au courant des voyages, du prix, de mon système de pilonnage-rinçage, de tout. J'aurais trouvé incorrect de le lui cacher, et puis il valait mieux qu'on soit au diapason, au cas improbable où la police ou les contrôleurs antidopage auraient débarqué. Ce n'est pas non plus qu'on discutait EPO au petit déjeuner. Nous détestions l'un et l'autre en parler, avoir à s'en occuper. Mais c'était toujours là entre nous, dans l'air, cette vilaine corvée désagréable qu'on n'aimait pas, mais qu'il fallait bien accomplir. « Aucune tâche n'est trop petite, aucune tâche n'est trop dure. »

Je ne peux pas parler au nom des autres, mais j'avais le sentiment que la plupart des coureurs observaient le même type de transparence totale avec leur femme ou leur compagne. À une exception près :

Frankie Andreu. C'était difficile pour lui parce qu'il avait épousé Betsy, qui éprouvait à l'égard du dopage le genre d'aversion que le pape a pour le diable.

Betsy Andreu était une brune séduisante du Michigan, au rire franc, d'un naturel ouvert et sans manières, la copie conforme de son mari. Cela faisait plusieurs années qu'elle gravitait dans la sphère de Lance (Lance et Frankie avaient couru ensemble chez Motorola de 1992 à 1996). Les rapports entre Betsy et Lance avaient connu deux périodes bien distinctes. Pendant la première, avant le cancer, ils s'entendaient à merveille. Avec leur forte personnalité, ils aimaient se chamailler à propos de politique ou de religion : Lance était athée ; Betsy, une catholique pratiquante et anti-avortement. La confiance que lui accordait Lance était telle qu'elle avait même un droit de regard sur le choix de ses petites amies. Betsy, qui n'avait pas toujours été enthousiasmée par les conquêtes de Lance, avait immédiatement donné son feu vert pour Kristin. Cette confiance tenait au fait que, pour lui comme pour elle, il n'y avait pas de demi-teinte. Betsy avait une vision sans nuance du monde – c'était vrai ou faux, bien ou mal. Ils n'aimeraient pas se l'entendre dire aujourd'hui, mais ces deux-là ne se ressemblent pas qu'un peu.

Leur relation a changé un jour d'automne en 1996, quand Betsy et Frankie, qui venaient de se fiancer, ont rendu visite à Lance avec un petit groupe d'amis dans sa chambre de l'hôpital d'Indianapolis où il soignait son cancer. Selon Betsy et Frankie, qui en témoigneraient plus tard sous serment, deux médecins étaient entrés pour poser une série de questions médicales à Lance. En se levant, Betsy a dit : « Je crois qu'on devrait leur laisser un peu d'intimité. » Lance a insisté pour qu'ils restent et Lance a répondu aux questions. Quand le médecin lui a demandé s'il avait déjà pris des produits dopants, Lance, le plus naturellement du monde, a répondu oui. Il avait pris de l'EPO, de la cortisone, de la testostérone, de l'hormone de croissance et des stéroïdes. (Armstrong a affirmé sous serment que l'épisode n'a jamais eu lieu.)

Pour ma part, je trouve que cette désinvolture à l'égard du dopage ressemble bien à Lance. C'est cette même pulsion qui lui faisait ranger son EPO en évidence dans son frigo à Nice ou en parler tout haut au restaurant. Lance tenait à minimiser le dopage, à montrer qu'il n'y avait pas de quoi fouetter un chat, qu'il était plus fort, lui, que n'importe quelle seringue ou pilule.

Betsy et Frankie ont gardé tant bien que mal leur contenance, mais dès qu'ils sont sortis, Betsy a pété un plomb. Elle a dit à Frankie que si lui aussi prenait ces saloperies, il était hors de question de se marier. Frankie lui a juré que non, et Betsy a fini par se calmer. Quelques mois plus tard, ils se mariaient, mais Betsy n'a plus jamais posé le même regard sur Lance et sur la profession.

Compte tenu des exigences de notre métier, on comprend bien que la position de Frankie était particulièrement délicate. Kevin, Lance et moi parlions ouvertement de Ferrari ou d'Edgar devant nos femmes et nos copines, mais dès que Betsy pointait le bout du nez, motus. La phrase que ressassait constamment Frankie, c'était : « Betsy va me tuer. » Il devenait particulièrement nerveux avant les repas en groupe. « Pas un mot les gars – Betsy va me tuer[2]. »

---

2. Étonnée de la performance réalisée en montagne par Frankie lors du Tour de France 1999, Betsy l'a pris entre quat'z-yeux : « Comment diable as-tu pu faire aussi bien en montagne ? » Frankie a refusé de répondre. Betsy en a tiré ses conclusions : l'US Postal avait un système de dopage organisé, dont Ferrari et Armstrong étaient le cœur.

L'année suivante, Betsy est devenue une militante antidopage acharnée, et une épine dans le pied d'Armstrong et de l'US Postal. Son implication est encore montée d'un cran en 2003 quand elle a collaboré avec David Walsh à la rédaction de *L.A. Confidentiel*, puis en 2005 lorsque, dans le cadre du contentieux opposant Armstrong à l'assureur SCA Promotions, on l'a fait témoigner sous serment à propos de l'incident de la chambre d'hôpital survenu en 1996. Petit à petit, Betsy s'est transformée en véritable centre d'information sur le dopage, tant pour les journalistes que pour les instances antidopage.

« C'est drôle, dit-elle de son activité, Lance se plaît à me décrire comme une grosse harpie aigrie et obsessionnelle qui aurait juré d'avoir sa peau. Mais la seule chose qui m'intéresse depuis le début, c'est de faire jaillir la vérité. »

Frankie, lui, aborde la chose différemment. Si l'on excepte sa demi-confession au *New York Times* en 2006, où il raconte avoir découvert les produits dopants en 1995, alors qu'il courait chez Motorola avec Armstrong, et reconnaît avoir pris de l'EPO pour préparer le Tour de France 1999, il a globalement choisi de garder le silence sur le dopage – une attitude qui engendre une tension très particulière dans le petit ranch que partage le couple avec ses trois enfants. À l'été 2010, l'inspecteur fédéral Jeff

Frankie a fait ce qu'il a cru bon de faire. Par bonheur pour lui, il n'avait pas à en faire autant que Kevin, Lance et moi. Parce que Frankie était un *rouleur*[3], un costaud taillé pour les étapes de plat, celles où ça roule, et il avait donc moins besoin d'Edgar et d'autres substances que nous, les grimpeurs. Nous devions pousser notre moteur à 99 % de sa capacité pendant le Tour, mais Frankie pouvait s'en sortir avec les tripes, en se maintenant plus près de son état naturel.

J'admirais la conscience de Betsy, mais je n'avais pas moi-même ce genre de scrupules. J'apprenais vite. Grâce à la centrifugeuse de Ferrari, j'ai appris à calibrer seul les doses d'EPO qu'il me fallait pour alimenter mes entraînements de plus en plus intensifs. Ferrari m'a expliqué que se piquer à l'EPO, c'est un peu comme régler le thermostat d'une maison : ça met du temps à faire de l'effet, le corps fabriquant davantage de globules rouges dans le courant de la semaine qui suit. Si tu n'en prends pas assez, la maison sera trop froide – l'hématocrite sera trop bas. Si tu en prends trop, la maison sera trop chaude – tu dépasseras la limite de 50 %.

Je suis devenu capable d'estimer le niveau de mon hématocrite à la seule couleur de mon sang. Quand Ferrari me piquait le doigt pour tester mon taux de lactate, je regardais les petites gouttes. Si elles étaient claires et aqueuses, c'est que mon hématocrite était bas. Si elles étaient sombres, c'est qu'il était plus élevé. Je trouvais un certain plaisir à voir cette couleur foncée, riche, toutes ces cellules entassées là-dedans qui constituaient une sorte de soupe épaisse, prêtes à se mettre au boulot ; ça me donnait envie de m'entraîner encore plus fort.

L'entraînement est devenu comme un jeu. Jusqu'où peux-tu pousser ? Combien de poids peux-tu perdre ? Es-tu capable de t'attaquer à ces chiffres, de les atteindre ? Et puis, en toile de fond, il y avait cette angoisse qui pressait, qui incitait à travailler plus fort : « Quoi que tu fasses, ces salopards sont en train d'en faire plus. »

Novitzky a passé deux heures à interroger Frankie au téléphone. Quand Frankie a raccroché, Betsy a remarqué qu'il paraissait ébranlé. Elle lui a demandé ce qu'il avait dit. « Je n'ai pas envie d'en parler », a répondu Frankie. Betsy a alors appelé Novitzky pour lui poser la même question. Novitzky a rigolé. « C'est votre mari. Demandez-lui. »

3. En français dans le texte. NdT.

Il y avait aussi un autre jeu, sans rapport avec l'EPO celui-là, mais avec Lance : comment s'entendre avec lui ? C'était un être susceptible, et à l'approche du Tour 2000, ça ne s'arrangeait pas. En juin, le charme bordélique des Bad News Bears semblait relégué à la préhistoire. Lance était plus tendu, plus distant. Avec nous, il se comportait moins comme un coéquipier que comme un PDG : atteignez vos chiffres, sinon… Il démarrait au quart de tour, et on s'en apercevait aussitôt qu'on avait droit au Regard – ce long regard fixe de trois secondes.

Les médias ont évoqué cette façon qu'il a de vous fixer comme s'il était doté d'un superpouvoir dont il n'usait que pendant les temps forts de la course, mais pour nous, ça se manifestait surtout dans l'autocar de l'équipe ou à la table du petit déjeuner. Si jamais on coupait la parole à Lance, on avait droit au Regard. Si on contredisait Lance, on avait droit au Regard. Si on arrivait à l'entraînement avec plus de deux minutes de retard, on avait droit au Regard. Mais ce qui ne manquait jamais de déclencher le Regard, c'était le fait de rire à ses dépens. Derrière son apparente dureté se cachait une sensibilité peu commune. Un jour, au déjeuner, mon coéquipier Christian Vande Velde s'est moqué des Nike toutes neuves que Lance portait. Christian est un garçon formidable – il ne pensait pas à mal, il cherchait juste à participer à l'ambiance, et il a lancé un commentaire de collégien sur ces chaussures. « Super les *runnings*, *dude* ! », a rigolé Christian. Lance l'a mal pris et a adressé à Christian son Regard. C'était cuit. Je n'irai pas jusqu'à dire que ça a mis fin aux perspectives de Christian au sein de l'US Postal. Mais ça n'a certainement pas joué en sa faveur.

Mais ce qui énervait vraiment Lance, c'étaient les types qui râlaient à propos du dopage.

Jonathan Vaughters était celui qui se faisait le plus remarquer à cet égard. Avec son esprit analytique, J.V. n'était pas du genre à tenir le dopage comme allant de soi. Il ne pouvait pas se contenter de suivre les instructions de Lance et Johan. Il fallait qu'il pose des questions que les autres ne posaient pas : Pourquoi faisons-nous ça ? Pourquoi l'UCI n'impose-t-elle pas le respect du règlement ? Pire, le dopage avait tendance à le tourmenter ; il s'inquiétait tout le temps de la police et des contrôles. Il faisait même état de son sentiment de culpabilité – un sentiment auquel pour la plupart nous avions renoncé depuis longtemps. Pour Lance, les questions et les scrupules de J.V. étaient la preuve qu'il n'avait pas la bonne attitude. Je l'entends encore s'énerver à la fin du Dauphiné de 1999 parce que J.V. avait eu la mauvaise idée de se déclarer satisfait de sa deuxième place dans l'étape – Lance disait que la deuxième place était celle du « premier perdant ». À la fin du Tour 1999, tout le monde voyait bien que J.V. ne s'adaptait pas au système de Lance et Johan.

Vaughters a quitté l'équipe US Postal en 2000 pour se joindre à l'équipe du Crédit agricole, que les lois françaises, plus strictes, contraignaient à se tenir à l'écart du dopage. Il a hypothéqué sa carrière pour ne pas être mêlé à la culture du dopage. Mais à l'époque, Lance voyait en lui le roi des geignards. Dans l'esprit de Lance, le dopage faisait partie des choses de la vie, comme l'oxygène ou la gravitation. Soit tu le pratiques – et alors tu le fais à fond –, soit tu la boucles et tu dégages, point final. Pas de protestations, pas de jérémiades, pas d'états d'âme. Aux yeux de Lance, J.V. était le pire des hypocrites parce que ses résultats chez Postal lui avaient permis de décrocher un bon contrat de deux ans avec le Crédit agricole et que ça lui donnait l'obligation d'obtenir des résultats pour son commanditaire – après tout, il était payé pour ça. Et soudain J.V. jouait les Monsieur Propre, se plaignait du dopage, affichait sa moralité, pour finir au milieu du peloton ? Geignard[4].

Évidemment, il y avait des façons plus radicales de mettre Lance en colère. C'est arrivé au printemps 2000, au terme d'un entraînement de six heures, alors que Lance et moi grimpions la route étroite menant chez moi. Nous étions fatigués, déshydratés, affamés, et ne demandions qu'à rentrer faire la sieste. C'est alors qu'une petite voiture nous a rattrapés à vive allure, manquant de nous heurter, et le conducteur

4. Vaughters a raconté que, lors d'un entretien avec les médecins du Crédit agricole préalable à la signature de son contrat, il leur a avoué qu'il s'était dopé chez US Postal, et qu'on ne pouvait donc attendre de lui les mêmes résultats. « Tout était sur la table avant la signature du contrat », dit-il.

nous a crié quelque chose en nous dépassant. Furieux, je lui ai crié quelque chose à mon tour. Lance, lui, n'a rien dit. Il est parti en trombe à la poursuite de la voiture. Fin connaisseur du coin, il a pris un raccourci qui lui a permis de rattraper le chauffard au sommet, à un feu rouge. Quand je les ai rejoints, Lance avait arraché l'individu à son siège et le rouait de coups. Le bonhomme, recroquevillé, était en larmes. Je les ai regardés une minute, incrédule. Le visage empourpré, totalement sorti de ses gonds, Lance fichait une sacrée correction à l'automobiliste. Et puis ça s'est arrêté. Lance a jeté le type à terre et s'en est allé. On est remontés sur nos vélos et rentrés en silence. Quelques jours plus tard, Lance a raconté cette histoire à Frankie et Kevin sur le mode humoristique, comme si c'était encore un de ces trucs insensés qui nous arrivaient en France. J'aurais voulu rire avec eux, mais je n'ai pas pu. Je revoyais le pauvre bougre à terre, pleurant, suppliant, et Lance qui s'acharnait dessus. Un spectacle dont je me serais bien passé.

Cette face obscure de Lance nous préoccupait sans doute, mais pour les performances de l'équipe, c'était un moteur. Avec Johan Bruyneel, ils faisaient tourner l'US Postal comme une horloge suisse. On bénéficiait des meilleurs hôtels. Du meilleur traitement de la part des organisateurs des courses. De la meilleure planification. De la meilleure nourriture. Des meilleurs commanditaires. De la meilleure assistance technique, avec des essais en soufflerie. On avait la sensation grisante et collective d'appartenir à quelque chose de grand et d'imposant, comme des astronautes qui se préparent à une mission pour la NASA. Et puis on roulait ensemble chaque jour dans l'un des plus beaux décors de la planète ; on éprouvait le sentiment de se pousser plus loin que jamais, de se transformer en un être plus puissant, un être nouveau – et d'être payé pour le faire. Parfois, en roulant, nos regards se croisaient et on souriait, comme pour dire : « C'est fou ce qu'on vit là, non ? »

* * *

À l'approche du Dauphiné libéré 2000, je débordais de confiance. J'étais plus léger et plus fort que jamais. Lors de ma dernière évaluation de condition physique, Ferrari avait lâché un son que je ne lui avais jamais entendu : « Oooooh, Tyler ! » C'était le son de l'approbation.

Cette force allait être indispensable, notamment pour l'ascension du mont Ventoux, la journée décisive de cette course qui s'étale sur une semaine. Les paysages de France ne manquent pas de bosses légendaires, mais le mont Ventoux l'est peut-être encore plus que les autres. Surnommé le Géant de Provence, il est si impitoyable qu'on peut y laisser la vie : le coureur britannique Tom Simpson y a péri en 1967, d'un excès d'effort, de cognac et d'amphétamines.

Dans la première partie de l'ascension, j'avais d'excellentes sensations. Il faut souligner que lorsqu'un coureur cycliste dit qu'il a d'excellentes sensations, ce n'est pas qu'il se sente bien. En vérité, il se sent très mal – il souffre le martyre, son cœur est sur le point de sortir de la cage thoracique, les muscles de ses jambes hurlent, des éclairs de douleur lui traversent le corps. Ce que ça signifie, c'est que, bien qu'il se sente très mal, il sait que les coureurs qui l'entourent se sentent plus mal encore, et il le sait à de subtiles expressions, des signes révélateurs qui indiquent qu'ils vont craquer avant lui. La douleur, dans ce genre de situation, se charge de signification. Elle peut même être très agréable.

Ce jour-là, donc, sur le mont Ventoux, mes sensations étaient franchement bonnes. Lance roulait à mes côtés, vêtu du maillot jaune, bien placé pour le conserver. À dix kilomètres de l'arrivée, nous étions dans le peloton de tête avec une poignée de rivaux de premier plan. Mon boulot consistait à couvrir les attaques – c'est-à-dire à les prendre en chasse pour ne laisser personne s'échapper. Une fois cela assuré, Lance était censé se préparer, avant d'attaquer à son tour et de remporter l'étape. C'était tout droit sorti du manuel de base du cyclisme.

Au début, ça n'a pas posé de problème : j'ai couvert toutes les attaques. Puis j'ai attendu que Lance occupe l'espace.

Pas de Lance.

J'ai entendu Johan, par radio, qui le pressait d'agir. Le temps s'écoulait.

J'ai commencé à sentir une petite pointe de nervosité. Je voyais Alex Zülle et le grimpeur espagnol Haimar Zubeldia qui me rattrapaient ; d'autres suivaient. Mais où était Lance ?

Les minutes ont passé. D'autres concurrents encore nous ont rejoints ; ça commençait à faire beaucoup de monde. Mais toujours pas de Lance. Puis j'ai entendu la voix de Johan.

« Lance ne va pas y arriver. Tyler, tu mènes le bal. »

J'ai vérifié auprès de Lance.

« Vas-y. Allez go. Vas-y, quoi ! »

J'ai lancé mon attaque alors que nous passions devant le mémorial Tom Simpson, à 1,5 kilomètre de la station météo en forme de phare qui marque le sommet. J'ai puisé profond, peut-être plus profond que je ne l'avais jamais fait jusque-là. Le monde entier s'est réduit à un couloir. J'ai senti que Zülle et Zubeldia n'étaient pas loin, puis qu'ils décrochaient. J'ai senti la présence des spectateurs, mes jambes qui poussaient sur les pédales, mais ça n'avait plus l'air d'être les miennes. J'ai tout donné ; un dernier lacet à droite jusqu'à la ligne d'arrivée, que j'ai franchie.

C'était la folie. On m'attrapait, on me hurlait à l'oreille, les médias se bousculaient. J'étais en plein délire.

J'avais gagné sur le mont Ventoux.

Un soigneur de l'US Postal m'a alpagué, posé une serviette sur la nuque, et conduit jusqu'à l'autocar de l'équipe. Dedans, c'était le calme absolu. Je me suis assis, j'ai défait l'attache de mon casque, et j'ai commencé à savourer. C'était surréaliste.

J'avais été plus fort que tous les autres.

Je faisais à présent partie des favoris pour la victoire finale.

La portière du car s'est ouverte. Lance est monté, l'air grave. Il s'est assis à trois mètres de moi, puis s'est essuyé sans un mot. Je voyais bien qu'il était contrarié. Le silence est devenu un peu gênant.

Après quelques secondes, la porte s'est de nouveau ouverte – Johan, l'air préoccupé, s'est dirigé droit vers Lance. Il lui a mis la main sur l'épaule, s'est assis à côté de lui, parlant doucement, pour le rassurer. Comme une infirmière ou un psychiatre.

« Ce n'est pas la fin du monde, a dit Johan. C'est probablement l'altitude. Tu t'es peut-être entraîné trop fort, non ? On en parlera à Michele. Le Tour commence dans trois semaines. Ne t'en fais pas, on a tout le temps. »

Après quelques minutes passées sur ce mode, Johan a demandé : « Alors, qui a gagné ? »

Sans lever la tête, Lance a pointé le doigt dans ma direction.

Johan est devenu rouge comme une tomate. Il est venu jusqu'à moi pour me donner une drôle d'accolade, me serrer la main, me féliciter. Je pense qu'il avait un peu honte ; il savait à quel point cette victoire était immense, et il m'avait complètement ignoré. Il essayait de se rattraper.

Mais Lance est resté maussade. Ce soir-là, au souper d'équipe, alors que tout le monde levait son verre à ma victoire, il a fui mon regard. Ça avait l'air d'une réaction incontrôlable, comme une allergie : ma victoire – qui profitait à l'US Postal, et donc à lui – le rendait fou.

Le lendemain, vers la fin de l'étape, Lance et moi avons réussi une échappée. Au début, j'étais ravi – si on tenait bon, je serais 1er au classement général et, tout aussi important, on montrerait que, de toutes les équipes qui prendraient part au Tour, l'US Postal était la plus forte. Mais j'ai senti que Lance cherchait à me larguer. Dans les dernières montées, il a continué à accélérer, allant bien plus vite que nécessaire. Et dans les descentes, il filait en flèche, au point de nous entraîner tous les deux au bord de la chute. J'ai dû lui crier de ralentir.

On a franchi la ligne ensemble. Ce jour-là, j'ai eu droit au maillot jaune du leader, au maillot à pois du meilleur grimpeur et au maillot bleu du plus grand nombre de points. La victoire dans le Dauphiné, une course dont les anciens vainqueurs s'appellent Eddy Merckx, Greg LeMond, Bernard Hinault ou Miguel Indurain, a immédiatement fait connaître mon nom. On a commencé à me citer parmi les prétendants possibles au Tour de France. Mais la façon dont Lance avait tenté de me casser dans les montées me préoccupait. C'était comme pendant nos entraînements : « Et ça, t'en dis quoi ? Et ça ? Et ça ? »

Le dernier soir du Dauphiné, Lance et Johan sont venus me trouver dans ma chambre d'hôtel. Je m'attendais à ce qu'ils me parlent de la course, ou de nos projets concernant le Tour de France à venir. Au lieu de cela, ils m'ont dit que mardi, deux jours après la fin de la course, nous irions à Valence pour subir une transfusion sanguine.

CHAPITRE 7

Un cran au-dessus

Avec le temps, le coureur cycliste apprend à se forger un visage de marbre. Si extrêmes que soient ses sensations – si proche qu'il soit de craquer – il fait l'impossible pour les dissimuler. C'est primordial pendant la course, où il peut être décisif de savoir cacher son état véritable parce que cela dissuade les adversaires d'attaquer. Vous êtes tétanisé par la douleur ? Il faut faire semblant d'être détendu, presque de s'ennuyer. Vous n'arrivez plus à respirer ? Il faut garder la bouche fermée. Vous êtes à l'agonie ? Il faut sourire.

J'ai un assez bon visage de marbre, celui de Lance est excellent. Mais il y a quelqu'un qui fait ça encore mieux que nous deux : Johan Bruyneel. Et il ne l'a jamais aussi bien fait que ce soir-là, à la fin du Dauphiné 2000, quand il m'a annoncé qu'une transfusion sanguine était au programme. J'avais déjà entendu parler de ce procédé, mais c'était resté théorique et lointain, du genre : « Tu te rends compte, il y a des types qui stockent leur sang pour se le réinjecter avant une course ! » C'était bizarre, un peu Frankenstein sur les bords, un truc réservé aux robots olympiques de l'autre côté du rideau de fer dans les années 1980. Johan a dit ça comme si c'était normal, sans grand intérêt. Il sait parfaitement donner un air de normalité aux choses les plus scandaleuses – c'est peut-être le plus grand de ses talents. Ça tient à son expression, à l'aplomb de sa grosse voix, à son haussement d'épaules incroyablement naturel alors qu'il expose les détails du plan. Chaque fois que je vois les gangsters sympathiques des *Soprano*, je pense à Johan.

Lance, Kevin et moi allions donc nous envoler pour Valence, en Espagne. Là, on nous prélèverait une poche de sang, qui serait conservée, et on rentrerait dès le lendemain. Plus tard, à un moment clé du Tour, on nous réinjecterait notre propre sang et ça nous donnerait un coup de fouet. Ce serait comme prendre de l'EPO, mais en mieux : on murmurait qu'un test de dépistage de l'EPO avait été mis au point pour les jeux Olympiques 2000, et qu'il serait peut-être utilisé lors du Tour. J'ai écouté Johan, hoché la tête et présenté mon visage de marbre. Quand j'en ai parlé à Haven, elle m'a immédiatement offert son visage de marbre à son tour (les épouses aussi apprennent assez bien à le faire). Mais quelque chose en moi se demandait malgré tout : *C'est quoi ce truc ?*

C'est peut-être ce qui m'a fait arriver en retard le matin de notre départ pour Valence. Je savais que Lance détestait plus que tout les retardataires, mais ce matin-là, j'étais à la traîne de dix bonnes minutes. Notre petite Fiat roulait à tombeau ouvert dans les ruelles de Villefranche ; cramponnée aux poignées, Haven m'a demandé de ralentir. J'ai continué d'accélérer. On était à une douzaine de kilomètres de l'aéroport de Nice. Pendant le trajet, mon téléphone a sonné trois fois. C'était Lance.

« T'es où, *dude* ? »

« Qu'est-ce qui se passe ? On est sur le point de décoller. »

« À quelle vitesse elle va, ta foutue de voiture ? Arrive ! »

On a laissé la voiture au parking de l'aéroport ; j'ai franchi les contrôles et déboulé sur la piste. Je n'étais encore jamais monté dans un avion privé, alors j'ai ouvert grand les yeux : les sièges en cuir, la télé, le petit frigo, l'hôtesse de l'air qui demande si on veut boire quelque chose. Lance faisait comme si de rien n'était, comme si un jet privé n'avait rien d'exceptionnel – ce qui, pour lui, était le cas. Il avait eu l'occasion d'en profiter assez régulièrement depuis le mois de juillet, avec les compliments de Nike, Oakley, Bristol-Myers Squibb et toutes les entreprises qui se disputaient le privilège de le trimballer ici et là. On parlait de chiffres incroyables. *USA Today* avait estimé les revenus de Lance à 7,5 millions de dollars, il touchait 100 000 dollars par intervention publique et son livre de mémoires, *Il n'y a pas que le vélo dans la vie*, était immédiatement devenu un best-seller. L'argent coulait à flots, les nouvelles possibilités qu'il offrait étaient palpables. Nous n'irions plus à Valence en voiture. Plus de soucis avec les douanes ou la sécurité de l'aéroport. Le jet, et tout ce qui va avec, faisait désormais partie de notre panoplie.

Les moteurs ont vrombi, les roues ont décollé, et nous voilà dans le ciel. Au-dessous s'étendait la Côte d'Azur, ses belles demeures, ses yachts ; c'était irréel, un monde imaginaire. Dans l'avion, mon retard m'a été pardonné. Lance était confiant, de bonne humeur, excité, et c'était contagieux. Cette confiance s'est encore renforcée à notre arrivée à Valence, quand nous avons été accueillis sur la piste par les gens de l'US Postal : Johan, Pepe Martí et del Moral. Ils avaient apporté des *bocadillos* – on ne pouvait pas faire la prise de sang à jeun.

On a roulé une demi-heure vers le sud à travers les marais, pendant que Johan et del Moral nous expliquaient les choses. Ce serait très facile, disaient-ils, simple comme bonjour. Parfaitement sûr, aucun souci à se faire. J'ai remarqué que Johan s'adressait davantage à Kevin et à moi qu'à Lance, et que ce dernier n'écoutait pas vraiment ; ça n'avait pas l'air d'être sa première transfusion.

On s'est arrêtés près du village de Les Gavines, dans un hôtel en bord de mer, le Sidi Saler, luxueux et calme, seulement fréquenté par quelques touristes de fin de saison. Nous étions déjà enregistrés ; on a pris l'ascenseur jusqu'au cinquième et traversé les couloirs déserts. On nous a conduits, Kevin et moi, dans une chambre donnant sur le parking ; Lance occupait seul la chambre voisine.

Je m'attendais à trouver une installation médicale sophistiquée, mais ça ressemblait davantage au bric-à-brac d'une expérience scientifique de lycée : un sac isotherme bleu, quelques poches de perfusion, des boules d'ouate, des tuyaux transparents et une balance numérique design. Del Moral s'est mis au travail :

« Allongez-vous sur le lit, remontez votre manche, tendez le bras. Détendez-vous. »

Il a noué un élastique bleu sous mon biceps, posé une poche de transfusion vide au sol près du lit, et frotté l'intérieur de mon coude avec un tampon imbibé d'alcool. Puis l'aiguille. J'avais vu beaucoup d'aiguilles, mais celle-là était énorme – de la taille et de la forme d'une touillette à café. Elle était reliée à une seringue, elle-même raccordée à un tuyau aboutissant à la poche qui attendait, avec une petite mollette blanche pour contrôler le flux. J'ai détourné les yeux et senti l'aiguille pénétrer ma peau. Quand j'ai regardé de nouveau, mon sang s'écoulait régulièrement jusque dans la poche par terre.

Le terme « transfusion sanguine » est souvent accolé à ceux d'« EPO » ou de « testostérone », comme s'il s'agissait de choses équivalentes. Il n'en est rien. Dans ces derniers cas, on avale une pilule, on se met un patch ou on se fait une micro-injection. Là, on regarde une grosse poche de plastique transparent se remplir lentement de son sang chaud rouge foncé. Ça ne s'oublie jamais.

J'ai levé la tête vers Kevin, qui était raccordé comme moi. On se voyait dans la glace de la porte du placard. On a essayé de faire redescendre la tension en comparant la vitesse à laquelle se remplissaient nos poches : « Pourquoi tu traînes comme ça ? Je suis en train de te semer, mon pote. » Johan faisait la navette entre les chambres, s'assurant que tout allait bien, parlant de la pluie et du beau temps.

De temps en temps, Pepe ou del Moral s'agenouillaient pour prendre la poche dans leurs mains et la faire basculer avec la plus grande douceur dans un sens et dans l'autre, pour bien mélanger l'anticoagulant. Il fallait manipuler le sang doucement, m'ont-ils expliqué, parce que les globules rouges étaient vivants. Toute erreur de manipulation – si le sang était secoué, chauffé, ou laissé plus de quatre semaines au frigo – tuerait les cellules.

Le remplissage des poches a pris de quinze à vingt minutes : une pinte, un peu moins d'un demi-litre. Puis on nous a débranchés. Retrait de l'aiguille. Boule d'ouate, pression. Poches scellées, étiquetées et déposées dans le sac isotherme bleu. Del Moral et Pepe sont repartis ; ils n'ont pas dit où ils allaient, mais je suppose que c'était à la clinique de Valence, où les poches seraient stockées au frigo jusqu'à ce que nous en ayons besoin, dans trois semaines, en plein Tour de France.

Je me suis assis sur le lit, j'avais la tête qui tournait. Johan nous a rassurés: c'était normal. Il fallait prendre de la vitamine B et un complément en fer. Avaler un steak. Se reposer. Surtout, ne pas prendre d'EPO, car cela aurait bloqué la production naturelle de globules rouges. Nos forces reviendraient bientôt.

Après cela, on est partis rouler un peu sur la côte, plus au sud. Malgré la chaleur de l'après-midi, on portait des manches longues pour cacher les pansements. On n'a pas roulé vite, mais on a été très vite essoufflés, et on avait la tête qui tournait. On a atteint une colline, une toute petite bosse, au nord d'un village nommé Cullera. En grimpant, je me sentais de plus en plus mal. On manquait tous d'air. On a ralenti jusqu'à rouler au pas, c'était pitoyable.

Quelques jours plus tôt, en forme comme je ne l'avais jamais été, j'avais battu certains des meilleurs athlètes du monde sur le mont Ventoux, et c'est à peine si j'atteignais à présent le sommet de cette colline ridicule. On en riait, parce qu'il n'y avait rien d'autre à faire, mais c'était inquiétant. Ça m'a ébranlé: ma force ne résidait donc pas vraiment dans mes muscles; elle était dans mon sang, dans ces poches de plastique.

C'est devenu encore plus déconcertant deux jours plus tard, quand Kevin et moi avons participé à la Route du Sud, une course éprouvante de quatre jours dans le sud de la France. À mon arrivée, mes camarades, encore impressionnés par ma victoire au Dauphiné, étaient heureux de me voir. Journalistes et médias étaient dans l'expectative; les autres coureurs me regardaient d'un œil nouveau. Après tout, j'avais gagné sur le mont Ventoux; j'étais la valeur montante, pas vrai?

Mais j'étais totalement épuisé, et j'ai été nul, inexistant; Kevin n'a pas fait mieux. Je n'ai pas lutté pour gagner, mais pour rester accroché au peloton. Après la troisième étape, j'ai été obligé de faire ce que je déteste par-dessus tout: abandonner. J'ai arraché mon dossard, plié bagages et quitté notre hôtel la queue entre les jambes.

À mon retour à Nice, je pensais que Lance et Johan s'excuseraient. Tout bien considéré, ce sont eux qui avaient établi le tableau de service de la Route du Sud. À l'origine, d'ailleurs, Lance était censé y prendre part, mais il s'était désisté à la dernière minute parce qu'il souhaitait se reposer avant le Tour.

Ils auraient pu passer un coup de fil pour nous libérer aussi de la Route du Sud, cela nous aurait évité une humiliation et nous aurait préservés pour le Tour. Mais ils n'ont rien fait. Ils ne m'ont rien dit; ils ont fait comme si notre petite escapade à Valence n'avait jamais existé. Tu parles. J'ai appris ce jour-là quelque chose d'important – j'ai tiré la leçon, comme on dit. Je savais que ça ne servirait à rien de râler. Je me suis donc tu et j'ai fait ce que j'avais toujours fait: serrer les dents, envers et contre tout. « Aucune tâche n'est trop petite, aucune tâche n'est trop dure. »

* * *

Le Tour 2000 approchait, et Lance était confronté à deux problèmes majeurs. Le premier était que son avantage physique sur le reste du peloton n'était pas si important que ça. Il le reconnaissait lui-même. L'année précédente, sans l'accident au passage du Gois, il n'aurait battu Zülle que de 1 minute et 34 secondes au classement général; et si l'étape de Sestrières avait duré trois kilomètres de plus, Zülle et les autres l'auraient rattrapé. Le second souci, c'était que les deux grands rivaux qui avaient déclaré forfait en 1999, Jan Ullrich et Marco Pantani, seraient là.

Ullrich était un superman – ou, plus précisément, un superboy, formé en Allemagne de l'Est, au temps où la règle d'or des entraîneurs était de lancer une douzaine d'œufs contre un mur et ne garder que ceux qui n'étaient pas cassés. Ullrich était un œuf incassable, un jeune homme de la Guerre froide qui, comme Lance, n'avait pas connu son père et avait consacré toute son énergie, avec l'aide de l'État est-allemand, à se forger le physique le plus impressionnant de l'histoire du cyclisme. Le corps d'Ullrich ne ressemblait à celui d'aucun autre coureur qu'il m'ait été donné de voir. Il m'arrivait parfois de rouler à sa hauteur rien que pour le contempler: on distinguait carrément sous sa peau le mouvement des fibres musculaires. C'est le seul coureur que j'aie vu dont les veines dessinaient un relief sous le Lycra. Côté mental, ce n'était pas mal non plus : Ullrich était capable d'aller très loin, de puiser très profond. Lors du Tour 1997, alors qu'il n'avait que vingt-trois ans, je l'avais vu remporter l'étape la plus difficile qu'il m'ait été donné de courir, 242 kilomètres pendant huit heures à travers les Pyrénées ; il avait même laminé le redoutable Riis. Sous ce physique imposant se cachait une bonne âme, Ullrich avait toujours un mot aimable pour chacun. Son point faible, c'était sa discipline – il était aux prises avec son poids –, mais il savait se hisser à la hauteur de l'événement et produire une course monstrueuse quand on l'attendait le moins.

Si Ullrich était le superboy, Pantani était le grand mystique : en forme, ce petit Italien timide à l'œil noir était le meilleur grimpeur du monde. C'était un mélange d'artiste et d'assassin : assez vaniteux pour se faire chirurgicalement recoller les oreilles, assez dur pour remporter des courses dans les pires conditions. Il avait battu Ullrich lors du Tour 1998, prenant notamment l'ascendant sur « Der Kaiser » par un orage glacial aux Deux-Alpes. Depuis son exclusion pour cause d'hématocrite trop élevé l'année précédente, Pantani avait connu quelques difficultés. Il avait rédigé des lettres ouvertes à ses admirateurs où il évoquait « une mauvaise passe, et trop de problèmes intérieurs ». N'empêche, Pantani serait de retour pour reprendre son titre, et ses capacités de grimpeur feraient de lui un dangereux adversaire. Si jamais Lance faiblissait en montagne, Pantani risquait fort de le lui faire payer.

Lance n'avait que ces deux noms-là à la bouche. Ullrich et Pantani ; Pantani et Ullrich. Il a suivi l'évolution de leur entraînement, fouillé Internet à la recherche d'obscures publications de Francfort et de Milan. Il disposait d'un tel volume d'informations que j'ai pensé un moment qu'il avait embauché quelqu'un – j'imaginais un jeune stagiaire, installé quelque part devant un ordinateur, faisant la pêche aux infos. Mais j'ai fini par m'apercevoir que Lance faisait ça tout seul. Cette récolte compulsive lui servait de carburant émotionnel. Si Ullrich était en forme, Lance y puisait la motivation pour travailler plus dur. Si Ullrich était en surpoids (et ce printemps-là, c'était le cas), ça l'incitait aussi à travailler plus dur, à montrer au Kaiser qui était le patron.

Le Tour 2000 a été une suite de combats de boxe. Le match Lance *versus* Ullrich n'a pas duré longtemps. Lance lui a porté un coup décisif dès le prologue. Puis il a passé quelques étapes de plat à lui mettre les nerfs en pelote. Il y a mille et une façons d'intimider un adversaire lors d'une course cycliste, et Lance les connaissait toutes. On peut bavarder alors que la route est dure. Grignoter ou boire une longue rasade en roulant vite, juste pour montrer qu'on en est capable. Donner un brusque coup d'accélérateur ; rouler devant, à l'écart du peloton, contre le vent, sans peine. Il n'a pas perdu une occasion de faire savoir à Ullrich qui était le plus fort. Et Ullrich n'avait rien à répondre. Dès la première montée, jusqu'à la station de ski espagnole de Hautacam, Lance lui avait réglé son compte.

Le match Lance *versus* Pantani, en revanche, a été une autre paire de manches. Pantani était impétueux, romantique, le genre d'individu qui aurait tout aussi bien pu finir torero ou chanteur d'opéra. Il ne connaissait pas de répit tant qu'il n'avait pas marqué la course de son empreinte. Lance aimait que les choses soient logiques ; Pantani ne l'était pas, et Lance détestait ça. Pantani avait peut-être une poignée de minutes de retard au classement général, mais tout le monde savait qu'il attaquerait dans la douzième étape, au mont Ventoux, là où Lance avait tant souffert pendant le Dauphiné. Cela convenait parfaitement à Pantani et à son sens de la dramaturgie ; cela nous convenait aussi parce que c'est à cet endroit que Lance et Johan avaient décidé de sortir notre botte secrète.

Après la onzième étape, nous sommes partis pour Saint-Paul-Trois-Châteaux, un village de carte postale où nous passerions le jour de repos avant l'étape suivante. Nous sommes descendus à l'hôtel L'Esplan, qui présentait non seulement l'avantage d'avoir été entièrement mis à notre disposition par le patron et de posséder une belle salle à manger, mais aussi celui de disposer de suites. Kevin, Lance et moi avions deux chambres de ce type avec une entrée commune ;

Kevin et moi avons fait chambre commune, et Lance s'est installé de l'autre côté.

Cette nuit-là, avant le souper, on a procédé aux transfusions dans nos chambres. On a accroché les poches de sang au mur au-dessus de nos lits à l'aide de ruban adhésif. Les poches étaient luisantes, gonflées comme des fruits mûrs. Johan s'est placé devant notre porte, guettant le moindre passage. Kevin et moi nous sommes allongés, chacun sur notre lit ; à travers la porte ouverte, je voyais les pieds de Lance, son bras, les tuyaux.

Del Moral et Pepe ont été rapides et efficaces : l'élastique bleu pour faire ressortir la veine, l'aiguille pointée en direction du cœur, la molette pour contrôler le flux. Ils ont ouvert le robinet et j'ai vu mon sang couler dans le tuyau, traverser l'aiguille et pénétrer dans mon bras ; j'ai eu un frisson. La chair de poule. Del Moral l'a remarqué, et il m'a expliqué que le sang sortait tout juste de la glacière ; ils l'avaient conservé au frais pour réduire le risque d'infection.

La transfusion a duré une quinzaine de minutes. On s'est occupés en faisant les imbéciles, en lançant des vacheries à travers la porte ouverte : « On va tous les niquer sur le Ventoux. » C'était peut-être une façon de se rassurer, de se dire que cet étrange procédé était normal (parce qu'en fin de compte tout le monde fait pareil, pas vrai ?), de mettre le couvercle sur le moindre relent de culpabilité.

Debout dans l'entrée de la suite, Johan nous observait d'un air approbateur. J'ai vu ma poche de sang se vider lentement, les dernières gouttes ruisseler le long du tuyau ; del Moral a interrompu le flux juste avant la fin. Je n'ai pas demandé ce qu'ils allaient faire des poches vides ; je me suis dit que del Moral et Pepe s'en débarrasseraient peut-être dans une décharge anonyme à plusieurs kilomètres de là ; ou plus probablement ils les découperaient en petits morceaux et les jetteraient dans les toilettes de l'hôtel. On est descendus souper. Tout le monde était en short et manches courtes. Nous trois, toujours gelés de l'intérieur, avions gardé notre survêtement.

Pendant le repas, j'ai éprouvé une drôle de sensation : j'étais bien. Normalement, à ce stade du Tour, on se sent un peu zombie – on est fatigué, long à la détente, le regard perdu. Mais là, j'étais léger, en pleine forme. Euphorique, même, comme si j'avais avalé une ou deux tasses de très bon café. Je me suis aperçu dans un miroir: j'avais les joues roses. Lance et Kevin semblaient avoir la pêche eux aussi. On s'est reposés toute la journée, on a fait une promenade, on s'est préparés.

Le Ventoux inspire aux journalistes de grands élans poétiques. Ils parlent de paysage lunaire de cailloux blancs, de désert balayé par le vent, de « tête de mort d'albâtre » et tout le tralala. Mais quand on le grimpe en course, on ne s'attarde pas sur le paysage: on est surtout occupé à déchiffrer les visages et le langage corporel des coureurs qui vous entourent. On guette la main trop cramponnée à son guidon. L'hésitation ou la raideur dans le pédalage. Les épaules qui dansent. Un regard qui descend vers les jambes, des yeux bouffis, une bouche ouverte, n'importe quel signe de rupture imminente. Au départ de l'étape, je savais qu'il y aurait beaucoup d'abandons autour de moi.

Notre plan était que Kevin et moi mettrions le paquet dès le début de l'ascension pour épuiser un maximum de concurrents et permettre à Lance de se préserver aussi longtemps que possible. En atteignant la forêt de pins au pied du Ventoux, on a mis le turbo – moi d'abord, puis Kevin. Comme prévu, le peloton s'est scindé et seuls sont restés dans le coup une douzaine de coureurs; Johan criait dans la radio que c'était bon, tout bon. Mais curieusement, je ne me sentais pas si bien que ça. J'avais les jambes lourdes, gonflées. Je poussais fort, et ce bon vieux mur bien connu est arrivé plus vite que prévu. J'ai poussé plus fort encore, mais il n'y avait rien à faire. J'ai ralenti. J'étais pris de sensations bizarres, pas vraiment dans mon assiette – ma transfusion n'avait peut-être pas bien fonctionné, mon corps avait peut-être mal réagi?

Il me faudrait deux ans pour comprendre, mais à ce moment-là, j'ignorais encore la façon dont mon corps réagit aux transfusions. Quand il est surchargé de globules rouges, le corps n'obéit plus aux lois habituelles: on peut y aller plus fort qu'on ne le croit possible. Le physique hurle de la même façon qu'avant, mais on peut passer outre, ignorer tous ces signaux et continuer à pédaler. J'apprendrais plus tard la bonne façon de faire.

Je ralentissais, et Pantani revenait sur moi. On dira ce qu'on voudra de sa personnalité parfois théâtrale, mais c'était un sacré cador. Après s'être hissé jusqu'au groupe de tête, Pantani, contre toute logique, a porté une attaque, seul devant tout le monde. Lance l'a laissé prendre quelques centaines de mètres d'avance, puis il a contre-attaqué. Aujourd'hui encore, quand je vois les images, la vitesse de Lance me paraît incroyable ; cette façon d'avaler l'écart, de sprinter sur le Ventoux comme on sprinterait à l'entraînement. Il a rattrapé Pantani, et ils ont roulé ensemble à travers la montagne blanche, Lance multipliant les démonstrations de force à l'attention de son rival. Pantani ne pouvait que suivre, en s'accrochant du bout des ongles. C'était spectaculaire. « Ils ont roulé comme des damnés », dirait le coureur José Jiménez. Au moment d'atteindre le sommet, Lance avait fait la preuve de sa supériorité, de façon si écrasante qu'il a levé le pied et laissé la victoire d'étape à Pantani.

Le combat aurait dû prendre fin à ce moment-là : Lance l'avait emporté par KO technique. Mais il n'en a rien été. Vexé de s'être fait offrir le Ventoux par Armstrong (l'Italien ne voulait pas de sa charité), Pantani a décidé de nous faire vivre l'enfer. Pendant les jours qui ont suivi, il n'a plus cessé d'attaquer, tentant échappée après échappée. C'étaient des attaques folles, désespérées, romantiques, alimentées par l'orgueil et allez savoir quoi d'autre. Cela a donné lieu à des problèmes en cascade, parce que Kevin et moi n'arrivions pas à le suivre, contrairement à un groupe réduit d'Espagnols – essentiellement composé de deux petits grimpeurs inépuisables, Roberto Heras et Joseba Beloki – qui, eux, y parvenaient. Lance est donc resté longtemps seul, isolé, privé de l'appui de ses coéquipiers pendant un trop grand nombre d'étapes.

Le pire s'est produit lors de la seizième étape, entre Courchevel et Morzine, quand Pantani s'est échappé très tôt dans la course, un acte suicidaire dont nous pensions qu'il n'irait pas très loin. Mais il est allé très loin. Pantani a maintenu la cadence ; il n'a pas ralenti ; en fait, il n'a pas cessé d'accélérer. On a mis toutes nos forces dans la poursuite, mais sans gagner de terrain. Il n'y avait qu'une chose à faire : Lance a demandé à Johan de lui passer Ferrari au téléphone.

La conversation a été brève – j'imaginais Ferrari devant son graphique en train de faire ses calculs – et la réponse est tombée : la cadence était trop rapide. Pantani allait forcément craquer. Il ne tiendrait pas. Et comme toujours, Ferrari avait raison. Dans la dernière montée, les douze méchants kilomètres du col de Joux-Plane, Pantani a craqué.

Le problème, c'est que Lance a craqué aussi. Assez tôt dans la montée, esseulé une fois de plus, il a commencé à ralentir. Il a bien essayé de ne rien laisser paraître, mais c'est assez vite devenu flagrant : son visage était pâle, ses épaules se sont mises à danser, et avant longtemps Ullrich était revenu sur lui et l'avait dépassé, ses jambes de superman moulinant jusqu'à laisser Lance dans la poussière. C'était l'occasion rêvée pour Ullrich et le cauchemar de Lance. Pendant les vingt minutes qui ont suivi, le duo a roulé à l'extrême limite – Ullrich en sprint, Lance derrière lui, plus raide, plus frénétique, le visage marqué par l'épuisement et la peur. Lance a fait preuve d'une grande résistance ce jour-là ; il n'a perdu que 1 minute et demie, alors qu'il aurait facilement pu en céder 10.

Après cette seizième étape, Lance avait une mine épouvantable ; il était blafard, les yeux bouffis et marqués par des cernes. Dans les interviews, il a traité Pantani de « petit emmerdeur », ce qui n'était pas faux ; le problème, c'est que l'US Postal ne disposait d'aucun recours contre ce genre d'emmerdements – personne n'était assez fort pour ramener Pantani dans le troupeau.

Heureusement pour Lance et pour nous, Pantani avait usé ses dernières cartouches, et il a abandonné le lendemain, invoquant un problème de santé. Lance a récupéré, et on est montés sans encombre jusqu'à Paris où il a pu fêter son deuxième sacre. La soirée s'est déroulée une nouvelle fois au musée d'Orsay, mais sous le triomphe pointait une touche d'inquiétude. Pantani, à lui seul, avait failli compromettre la victoire de Lance. La chance avait voulu qu'Ullrich sorte le grand jeu, conduisant Pantani à la rupture, et que Lance ne perde que moins de 2 minutes au col de Joux-Plane. Or, ni Lance ni Johan n'étaient du genre à s'en remettre à la chance.

La rumeur a alors couru que l'US Postal avait l'intention de recruter des coureurs de premier plan. Le postulant tout désigné était Roberto Heras, l'Espagnol au gabarit proche de celui de Pantani qui avait fini 5e et allait enchaîner en remportant la Vuelta à l'automne. Mais l'affaire n'était pas conclue, pour des raisons évidentes : son contrat avec Kelme comportait une clause libératoire de 1 million de dollars (soit plus que ce que moi et Kevin gagnions ensemble) et le budget total de notre équipe ne dépassait pas les 10 millions de dollars. Nous n'avions pas vraiment les moyens de nous offrir un coureur de ce prix, alors je n'ai pas écouté les rumeurs. Je me suis dit que la composition des US Postal était solide, que nous resterions ensemble encore quelques années. Avec le recul, je me dis que j'aurais dû voir venir la suite.

Quelques semaines après le Tour, je m'entraînais avec Lance dans les hauteurs de Nice quand il s'est mis à parler de Kevin. Lance n'était pas content. Kevin était allé voir Johan pour lui demander plus d'argent – un contrat de deux ans, avec une augmentation significative. Lance secouait la tête.

« Je me demande pour qui il se prend, ce con-là. »

Ça m'a étonné, cette manière de parler, il s'agissait quand même de Kevin Livingston, un fier coéquipier qui venait d'aider Lance à conquérir deux fois de suite le Tour de France, qui avait sacrifié sa place au classement général pour le soutenir, qui était venu lui rendre visite dans sa chambre d'hôpital pendant son cancer, qui avait été son ami le plus proche. Mais pour Lance, tout cela était hors de propos. Kevin était bon, mais ses performances n'étaient pas exceptionnelles. Donc Kevin était remplaçable.

« Kevin s'imagine qu'on va payer, a poursuivi Lance, mais il aura rien. »

Quelques semaines plus tard, je roulais encore avec Lance quand il s'est mis à parler de Frankie Andreu. Frankie avait apparemment demandé une augmentation à son tour, et Lance n'était pas content non plus.

« Frankie s'imagine qu'on va payer, a dit Lance, mais il n'en est pas question[1]. »

Ce n'était pas une affaire de personnes, mais de mathématiques. Si Lance pouvait gagner quelques secondes en adoptant un casque plus léger, il le faisait. Si Lance pouvait gagner du temps en se déplaçant en jet privé, il le faisait. Si Lance pouvait rogner un peu sur les salaires en sacquant de l'équipe un ou deux vieux amis, il le faisait.

Pas plus Livingston qu'Andreu n'ont vu leur contrat renouvelé pour 2001. Kevin a atterri chez Telekom, au service de Jan Ullrich (dans la presse, Lance s'est montré impitoyable, allant jusqu'à déclarer que c'était comme si le général américain Norman Schwarzkopf s'était rallié à la Chine communiste), et Frankie a tout simplement raccroché son vélo. Je crois que ça lui a brisé le cœur ; après avoir quasiment passé sa carrière à rouler pour Lance, il n'avait pas envie de courir dans une autre équipe. Leurs salaires épargnés ont permis de faire signer la doublette espagnole constituée d'Heras et de son coéquipier chez Kelme, Chechu Rubiera, ainsi que le Colombien Victor Hugo Peña, de Vitalicio Seguros – un trio qu'on appellerait bientôt l'Armada espagnole. D'un claquement de doigts, les Bad News Bears avaient cessé d'exister.

Les trolls aussi se sont manifestés cet automne-là. Pendant le Tour, une chaîne de télévision française qui suivait del Moral et le kiné de l'US Postal, Jeff Spencer, les avait filmés en train de se débarrasser de seringues, de compresses maculées de sang et d'un médicament nommé Actovegin. Les Français en ont fait tout un plat, et une enquête de police a été ouverte.

En vérité, nous avions bien pris de l'Actovegin, pas seulement en 2000, mais aussi en 1999. Del Moral en injectait à certains membres de l'équipe avant une série d'étapes importantes du Tour pour amé-

---

1. Betsy Andreu affirme qu'Armstrong a dit à Frankie que la décision avait été prise par Thom Weisel. « Lance a dit : "Ce n'est pas moi ; moi je voudrais que tu restes dans l'équipe ; c'est Thom qui réduit le budget." Ça ne rimait à rien – je veux dire, comment vouliez-vous qu'ils réduisent le budget alors qu'ils venaient de remporter deux fois le Tour ? –, mais Frankie a cru Lance, et ça, c'était une erreur. »

liorer le transport d'oxygène, et c'était indécelable par les tests antidopage. Mais Lance et l'US Postal ont géré le scandale avec une habileté nouvelle. D'abord, ils ont trouvé un motif médical plausible pour expliquer que l'équipe ait été en possession de ce produit (ils ont dit que le mécanicien Julien DeVriese était diabétique, et que l'Actovegin servait aussi à traiter les égratignures survenant en cas de chute). Ils ont ensuite déplacé le débat en se posant en victimes d'un coup monté par la presse à sensations. Puis Lance a engrangé des points bonus en évoquant dans les médias « l'Activo-quelque chose », comme s'il n'avait pas la moindre idée de la façon dont ça se prononçait. Faute d'éléments, l'enquête a été abandonnée. Mais elle a tout de même eu une conséquence de taille : elle a conduit Lance à quitter la France pour de bon. En octobre, il m'a appelé ; il en avait par-dessus la tête des *fucking* Français. Il vendait sa maison niçoise et pliait bagages sur-le-champ. Je ferais bien de l'imiter. Où pouvions-nous nous installer ?

Je n'étais pas heureux de quitter la France ; Haven et moi adorions l'existence que nous menions à Villefranche – le voisinage, les entraînements, les amitiés. Mais Lance était le patron. Kevin et Frankie ne faisaient plus partie de l'équipe. La vie suivait son cours.

J'ai parlé à Lance de Gérone, la vieille ville fortifiée espagnole où j'avais résidé avant de venir en France. Je lui ai parlé des restaurants sympas, du relief propice à l'entraînement, de la demi-douzaine de coureurs américains qui y vivaient déjà, dont certains de nos coéquipiers. Cerise sur le gâteau, nous savions tous que les Espagnols étaient beaucoup plus coulants en matière de dopage ; pas de descentes de gendarmes dans les chambres d'hôtel, pas de journalistes dans les décharges publiques. Il ne lui a pas fallu cinq minutes pour se décider. Nous irions à Gérone.

CHAPITRE 8

La vie de quartier

Il m'est souvent arrivé dans ma carrière d'entendre les journalistes parler de « course aux armements » pour décrire la relation entre contrôleurs antidopage et athlètes, mais l'expression n'est pas tout à fait exacte, parce qu'elle suppose que les contrôleurs ont une chance de gagner. De notre point de vue, ça n'avait rien d'une course. C'était plutôt une grande partie de cache-cache dans une forêt pleine de cachettes introuvables et avec un tas de règles favorisant les fugitifs.

Voici donc ce qui nous a permis de battre les contrôleurs :

Conseil nº 1 : Porter une montre.
Conseil nº 2 : Toujours avoir son portable sous la main.
Conseil nº 3 : Connaître son délai d'« incandescence », c'est-à-dire le temps qu'on reste positif après avoir pris la substance.

Vous aurez remarqué que rien de tout cela n'est particulièrement compliqué. C'est parce que les tests étaient très faciles à contourner. En vérité, ils testaient moins le dopage que la discipline ou l'intelligence du dopé. En faisant un peu attention, on pouvait se doper en étant sûr à 99 % de ne pas se faire prendre.

Au début de ma carrière (de 1997 à 2000), les contrôles ne posaient pas de problème parce qu'ils n'existaient quasiment pas. On n'était contrôlé que lors des courses, et encore, seulement en cas de victoire d'étape ou bien si on avait la malchance d'être parmi les rares noms, un ou deux, tirés au sort pour un contrôle inopiné. Il n'y avait donc qu'à suivre les instructions du médecin d'équipe et bien veiller à arrêter les prises un certain nombre de jours avant la course. N'oubliez pas qu'avant 2000, le test de dépistage de l'EPO n'existait pas, il fallait simplement maintenir son hématocrite sous la barre des 50 %, ce qui, avec les centrifugeuses et un peu d'expérience, n'était pas difficile. Le délai de détection des œufs rouges était de trois jours, c'est à peu près tout ce que j'avais à surveiller.

Vers 2000, de façon très progressive, les contrôles hors compétition ont fait leur apparition. Je me suis volontairement soumis au premier programme de contrôle de l'US Anti-Doping Agency (USADA) parce que je voulais participer aux jeux Olympiques et je me suis dit que ne pas le faire aurait éveillé les soupçons. Les tests avaient lieu tous les trois mois, afin d'établir des valeurs repères, auxquels s'ajoutaient de très rares contrôles hors compétition. Il a malgré tout fallu s'y adapter. Un jour, avant la saison 2000, j'ai demandé à Lance de m'envoyer de l'EPO par exprès d'Austin à Marblehead pour que mes valeurs sanguines au test trimestriel soient plus cohérentes. (Je m'étais dit qu'un bond de mon hématocrite de 39 à 49 n'aurait pas été très discret.)

L'USADA parlait de contrôles « surprises », mais ils n'avaient pas grand-chose de surprenant. À Gérone, on bénéficiait d'office d'un avantage puisque l'organisme de contrôle envoyait un seul individu pour tester tous les cyclistes de la ville. Le premier qui y passait appelait immédiatement ses copains pour les alerter (voir Conseil n° 2) ; l'info circulait très vite. Alors si par hasard vous étiez encore incandescent, vous aviez la possibilité de prendre des mesures d'esquive.

Échapper aux contrôles hors compétition était assez facile. Les agences avaient mis en place ce qu'on appelle le programme de localisation : le coureur était tenu de les informer en permanence de l'endroit où il se trouvait, et tout manquement à cette exigence entraînait un avertissement. Trois avertissements sur une période de dix-huit mois étaient censés entraîner une sanction, en théorie – mais cette règle n'avait jamais été soumise à l'épreuve des tribunaux. Une astuce consistait à rester vague dans la désignation de sa localisation sur le formulaire (je mettais généralement « Entre l'est du Massachusetts et le sud du New Hampshire, dans un rayon de 100 miles autour de Marblehead, Massachusetts»). Une autre consistait à annoncer un changement de programme de dernière minute, de façon qu'ils ne sachent plus trop où vous vous trouviez. Enfin, il y avait toujours la possibilité, au moment où le contrôleur arrivait chez vous et si vous pensiez que vous étiez encore incandescent, de ne pas ouvrir la porte.

Le scénario catastrophe était de vous faire surprendre par le contrôleur au mauvais moment. On racontait des histoires: Untel s'était fait pincer parce que le contrôleur s'était caché dans un parking souterrain. On m'a dit qu'un coureur du Tour de France avait installé un dispositif de miroirs autour de sa porte d'entrée pour pouvoir observer les visiteurs secrètement. Ça semble paranoïaque, mais selon notre façon de voir, c'était juste du bon sens. J'ai envisagé de faire installer une porte à l'arrière de mon appartement de Gérone pour pouvoir aller et venir discrètement, et je m'efforçais de ne jamais m'attarder devant la porte d'entrée, où il était toujours possible de se faire surprendre par un contrôleur. En rentrant de l'entraînement, je passais toujours par le sommet de la colline et je filais dans la descente, lunettes de soleil sur le nez. Je gardais la clé de chez moi dans la main droite pour rentrer plus rapidement. Notre appartement à Gérone était comme le repaire de Batman – une fois à l'intérieur, la porte refermée à double tour, j'étais à l'abri.

Les coureurs qui vivaient avec leur petite amie ou leur femme bénéficiaient d'un avantage important: ils avaient à domicile une sentinelle capable de repousser les contrôleurs, ou de couvrir son conjoint. Haven et moi avions mis au point un petit système. En cas de coup de sonnette imprévu, on se regardait et elle me demandait: «C'est bon pour toi?» Ma réponse était presque toujours: «Oui, c'est bon.»

Fin 2000, dans la maison que Haven et moi venions d'acheter à Marblehead, la sonnette a retenti. Haven m'a interrogé du regard, et cette fois-là, j'ai secoué la tête. Ce n'était pas bon. J'étais incandescent – j'avais récemment pris de la testostérone (mon médecin traitant, trouvant que mon taux naturel était faible, m'en avait prescrit, mais je risquais malgré tout d'être déclaré positif).

« Monsieur Hamilton ? Je viens de la part de l'USADA pour vous administrer un test antidopage. »

Haven et moi nous sommes regardés pendant une longue seconde. Puis, on s'est jetés au sol et on est restés à plat ventre sur le carrelage de notre cuisine toute neuve.

« Ohé, il y a quelqu'un ? »

On a rampé jusqu'à la zone plus sûre de notre salon, d'où on l'a entendu frapper à nouveau. Ce jour-là, on l'a échappé belle. J'ai truqué mes formulaires de localisation, bu des mètres cubes d'eau, pissé comme un fou. Puis, une fois assuré de ne plus être incandescent, je suis allé me soumettre au test.

On pouvait aussi se planquer en présentant une EUT – une exemption pour usage thérapeutique, essentiellement pour la cortisone. L'UCI autorise les coureurs à user de certaines substances si elles ont été prescrites par un médecin. Il suffisait donc à ceux de l'équipe d'inventer un problème bidon – un genou endolori, une irritation de la selle – et de rédiger une ordonnance autorisant l'usage de cortisone ou d'une substance similaire. Il fallait juste veiller à se souvenir du mal que vous avait inventé le médecin – était-ce le genou droit, ou le gauche ? Il m'arrivait avant une course d'aller vérifier dans mes papiers pour être sûr de me plaindre du bon genou si jamais les contrôleurs posaient la question.

Mais la meilleure dissimulation consistait encore à réduire le délai d'incandescence au minimum. Dans la réglementation des contrôles antidopage, la meilleure disposition, celle qui nous offrait la plus grande liberté, était que les visites n'étaient autorisées qu'entre 7 et 22 heures[1]. Cela voulait dire qu'on pouvait prendre ce qu'on voulait

1. Selon le règlement de l'Agence mondiale antidopage, les athlètes sont censés se rendre disponibles aux contrôles vingt-quatre heures sur vingt-quatre. Dans la pratique, toutefois, les contrôleurs respectaient manifestement le créneau 7-22 heures. En fait, la loi française contraint les organismes de contrôle, nationaux et internationaux, à effectuer les tests entre 6 heures et 21 heures ; l'Espagne a adopté une loi similaire en 2009. La disposition répondait au souci de protéger la vie privée des athlètes, et à la considération, erronée, que toute substance présente dans le corps d'un athlète au coucher resterait forcément décelable au matin.

Bernard Kohl, un cycliste autrichien qui a fini 3e au Tour de France 2008, avant de se faire suspendre et retirer son titre pour usage de tonifiant sanguin, a déclaré

à condition que ça soit évacué en moins de neuf heures. Ce qui fait qu'à 22 h 01 le monde du cyclisme était particulièrement actif. Et si vous habitiez en Espagne, c'était encore mieux, parce que les coutumes tardives du pays (on ne dîne souvent qu'à 22 h 30) font que les contrôleurs ne débarquent quasiment jamais à 7 heures, mais vers midi ou plus tard. (Un contrôleur, un gentleman prévenant d'un certain âge qui habitait Barcelone, à une heure de chez nous, prenait la peine de téléphoner la veille au soir pour s'assurer que nous serions là, histoire de ne pas faire le déplacement pour rien.) Mais le meilleur moyen de réduire le temps d'incandescence était de disposer d'un médecin capable de trouver de nouvelles façons d'administrer les substances pour qu'elles s'évacuent plus vite tout en produisant l'effet désiré. Et nous avions le plus malin de tous les médecins : le Dr Ferrari.

Le test de dépistage de l'EPO est un bon exemple de l'immense avantage que nous offrait Ferrari. Les autorités ont mis plusieurs années et dépensé des millions de dollars à mettre au point un test permettant de déceler l'EPO dans l'urine et dans le sang. Il n'a fallu que quelques minutes à Ferrari pour trouver la parade. Sa solution était stupéfiante de simplicité : au lieu de s'injecter l'EPO par voie sous-cutanée (ce qui faisait qu'elle mettait plus de temps à se diffuser), on s'injectait de plus petites doses en intraveineuse, directement dans le sang, où elle faisait toujours monter le taux de globules rouges, mais était éliminée assez vite pour ne pas être détectable. Notre régime a changé. Au lieu de s'injecter 2 000 unités d'Edgar tous les trois ou quatre soirs, on s'en injectait 400 ou 500 unités chaque soir. Temps d'incandescence réduit au minimum ; problème réglé. On appelait ça le microdosage[2].

---

au *New York Times* : « On m'a contrôlé 200 fois dans ma carrière, dont 100 alors que j'avais des produits dopants dans le corps. J'ai été attrapé une fois, mais pas les 99 autres. Si les coureurs pensent qu'ils peuvent se doper sans se faire prendre, c'est parce que le plus souvent ils y arrivent. »

2. C'est un bon exemple du fossé d'information qui sépare les contrôleurs des athlètes. Le Dr Michael Ashenden, l'hématologue qui a pris part à l'élaboration des tests de l'EPO et des transfusions, a ignoré l'existence de la stratégie de microdosage par voie intraveineuse jusqu'au jour où Floyd Landis la lui a expliquée, en 2010.

Le truc, quand on doit s'injecter de l'Edgar en intraveineuse, c'est évidemment qu'il faut bien viser. Loupez la veine – piquez dans les tissus environnants – et Edgar restera beaucoup plus longtemps dans votre corps ; vous risquez d'être positif. Le microdosage requiert donc une main ferme, un bon sens du toucher et beaucoup de pratique ; il faut apprendre à sentir la pointe de l'aiguille qui perce la paroi de la veine et à tirer légèrement sur le piston pour voir apparaître un peu de sang, preuve que vous êtes bien dans la veine. Pour ça, comme pour tant d'autres choses, Lance était béni : il avait des veines grosses comme des canalisations. Les miennes étaient petites, ce qui ne manquait pas de me donner des maux de tête. Quand vous loupez la veine, vous voyez l'EPO former une petite bulle sous la peau. Il m'est arrivé plusieurs fois de constater que ça commençait à se produire, mais assez tôt pour arrêter net et j'ai eu la chance de ne pas me faire contrôler le lendemain. Quelques millimètres dans un sens ou dans l'autre suffisent à briser une carrière. Parfois, quand un coureur est déclaré positif contre toute attente, je me demande si ce n'est pas pour ça.

Évidemment, l'EPO n'était pas le seul produit adapté au microdosage : la testostérone l'était aussi. Vers 2001, on a renoncé aux œufs rouges au profit des patchs, plus pratiques. C'était comme un grand pansement avec un gel de couleur claire au milieu ; on pouvait le conserver deux heures, assez pour recevoir un petit coup de fouet, et être propre comme un nouveau-né le lendemain matin.

Il fallait malgré tout rester prudent. Un jour, quand j'habitais Gérone, je ne suis vraiment pas passé loin. Des amis étaient venus quelques jours en visite chez nous, un ancien camarade de lycée et sa femme, et, peut-être par distraction, j'ai gardé trop longtemps mon patch de testostérone – six heures au lieu de deux. Quand je m'en suis rendu compte – en sentant le plissement du patch sur mon ventre – j'ai eu comme un vertige. J'étais incandescent, et je le serais pendant un jour.

Le lendemain matin de bonne heure, je suis parti rouler un peu, et la chance a voulu que les contrôleurs se présentent en mon absence. Haven m'a appelé pour me prévenir, alors, au lieu de rentrer, j'ai passé la nuit dans un hôtel – ce qui n'a pas manqué d'intriguer nos invités, mais s'est avéré opportun. Recevoir un avertissement n'était pas très grave. Se faire prendre, se faire tester positif, aurait été une catastrophe : j'aurais perdu mon emploi, mes commanditaires, mon équipe et ma réputation. J'aurais mis l'US Postal en danger, ainsi que le gagne-pain de mes amis. Depuis l'enquête française, nos contrats comportaient une clause autorisant l'US Postal à rompre avec tout coureur qui enfreindrait le règlement antidopage. Comme Lance et tous les autres, j'étais à la merci d'un faux pas, d'une petite molécule incandescente, qui pouvait me précipiter dans la ruine et le déshonneur[3].

* * *

À la différence de celui des contrôleurs, le regard de Lance était très affûté en matière de dopage. Il observait tout le monde, traquait les écarts de performance étonnants, faisait attention à qui fréquentait quel médecin. Il fallait qu'il sache qui se dopait le plus, qui faisait preuve d'agressivité, d'ambition, d'innovation – bref, quels coureurs demandaient à être surveillés.

Pendant les préparatifs du Tour 2001, le radar de Lance tournait à plein régime. Ullrich s'entraînait en Afrique du Sud – était-ce une coïncidence si ce pays venait d'approuver un substitut sanguin nommé Hemopure ? Bon nombre d'espoirs espagnols travaillaient avec un médecin madrilène nommé Eufemiano Fuentes. Pantani était au fond du trou, empêtré dans les affres de la cocaïne et d'autres drogues. Surtout, le nouveau test pour l'EPO allait être introduit au printemps, et de nouvelles formes indécelables de la substance étaient déjà en cours de développement. La donne ne cessait de changer.

---

3. Il y avait peut-être aussi des moyens plus simples d'éviter les contrôleurs. Selon Jesús Manzano, ancien coureur de Kelme, le médecin de l'US Postal, Luis del Moral, était alerté à l'avance de leur visite par Walter Virú, ancien médecin de Kelme devenu directeur du laboratoire hématologique espagnol accrédité par l'UCI pour effectuer les contrôles. « Le monde du cyclisme en Espagne est totalement corrompu », a confié Manzano à *L'Équipe* en 2007. Virú a été arrêté par la police espagnole en novembre 2009 et accusé d'entretenir un réseau de dopage.

Pour garder une longueur d'avance, Lance profitait des courses pour recueillir des informations, lancer des rumeurs, et s'informer de ce qui se tramait en coulisses. Il s'installait dans le peloton à la hauteur d'un coureur – souvent choisi parmi les Italiens ou les Espagnols, réputés plus bavards – et l'interrogeait avec sa franchise habituelle. Qu'est-ce qui se passait en ce moment, quelles étaient les nouvelles ? Qui avait des ailes ? Quelle mine avait Ullrich ? Comment grimpait Pantani ? Avec quel médecin travaillaient-ils ? Les coureurs voulaient se faire bien voir par Lance ; ils savaient qu'il avait le pouvoir de les aider autant que de leur nuire.

Lance a aussi obtenu des informations sur mon compte. Un jour, nous roulions sur les hauteurs de Nice et il a dit en passant que le budget de l'équipe US Postal avait été mis à mal par les contrats coûteux d'Heras et de l'Armada. Puis il a parlé de quelque chose dont il n'avait pas à être au courant : la prime contractuelle de 100 000 dollars que je venais de toucher pour avoir fait partie de l'équipe qui avait remporté le Tour.

Ça m'a perturbé – les termes de mon contrat avec l'US Postal ne regardaient personne, et surtout pas Lance. Mon trouble n'a fait qu'augmenter quand Lance m'a ensuite demandé si je voulais bien renoncer à la prime de 25 000 dollars qu'il devait me verser au profit de l'équipe, pour soulager les difficultés budgétaires. Il m'a présenté ça comme une idée sympa, originale, sous-entendant que si j'avais l'esprit d'équipe, j'accepterais.

Avec le recul, c'était une mauvaise idée à bien des égards – c'était un viol de mon intimité, et contraire au simple bon sens : Lance pouvait facilement me payer ce qu'il me devait ; la moindre apparition publique d'une heure lui rapportait quatre fois cette somme. Mais, sur le moment, j'ai eu le sentiment de ne pas avoir le choix : « Oui, bien sûr patron, je cotise. » J'avais vu ce qui était arrivé à Kevin et Frankie. Je savais que tout affrontement avec Lance était un combat perdu d'avance.

Début 2001, certains membres du premier échelon de l'équipe se sont retrouvés pour un stage d'entraînement de début de saison à

Tenerife, dans les Canaries, au large de l'Afrique. C'était un autre de ces arrangements à la MacGyver que Lance affectionnait – un coup de fil, un jet privé, le tout dans le plus grand secret, même à l'égard du reste de l'équipe : il n'y aurait que Lance, moi, les trois nouveaux Espagnols, Johan, Ferrari et deux soigneurs.

Qualifier Tenerife de coin perdu est un euphémisme – l'île est un amas poussiéreux de roches rouges, c'est là qu'ont été tournés des films comme *Voyage au centre de la Terre*. On s'est installés dans un grand hôtel vide au sommet d'un volcan ; je partageais ma chambre avec Roberto Heras, et pendant près de deux semaines nous n'avons rien fait d'autre que rouler, dormir et manger. Ferrari était venu avec sa fille, une adolescente brune maigrichonne qui faisait penser à un modèle réduit de son père. Je revois encore les deux Ferrari, à la table, surveiller du coin de l'œil chacune de nos bouchées.

Lance nous surveillait aussi. Il nous traitait un peu comme si nous étions un prolongement de son propre corps, notamment en matière d'alimentation. Les gars de l'équipe racontaient encore l'histoire survenue deux ans plus tôt en Belgique quand Lance s'était laissé aller à avaler une part de gâteau au chocolat en plein stage d'entraînement. Le gâteau devait être franchement bon, parce que Lance en avait repris une première fois. Puis, chose impensable, il en avait encore repris. En le regardant faire, ses coéquipiers avaient senti leur estomac se nouer : ils savaient comment ça allait finir. L'entraînement prévu le lendemain devait être assez facile. Mais le gâteau a tout changé. Lance avait imposé un parcours brutal de cinq heures pour éliminer le gâteau que lui seul avait mangé. Lance fautait, mais l'équipe entière payait.

Les types de l'Armada étaient sympas : il y avait Chechu Rubiera, un vrai gentleman, ancien étudiant en droit ; Victor Hugo Peña, un solide gaillard colombien avec un requin tatoué sur l'épaule gauche et doté d'une éthique de fer en matière de travail ; et Roberto Heras, un bonhomme paisible aux airs de garçonnet qui prononçait rarement trois mots d'affilée. Un soir, à Tenerife, Roberto a fini par lâcher une phrase.

« Comment un cycliste met-il du sucre dans son café ? »

Tout le monde a donné sa langue au chat. Roberto a attrapé le sachet de sucre et lui a décoché une petite chiquenaude, comme on le fait avec une seringue. Tout le monde a ri.

On a roulé entre cinq et sept heures par jour dans ce paysage rouge lunaire. Chaque soir, on retrouvait notre hôtel vide (on était hors saison). On se serait crus dans *The Shining*. À l'heure du souper, on était seuls dans la salle à manger. On errait dans les couloirs déserts. Un jour, Roberto a essayé de dire: «*I am so fucking bored*» (Putain, ce que je m'emmerde), mais, son anglais n'étant pas au point, il a sorti: «*I am so fucking boring*» (Putain, ce que j'emmerde). C'est devenu notre devise: *Putain, ce que j'emmerde.*

Mais on n'avait pas trop le temps de s'emmerder pour autant. Michele nous gavait de microdoses d'EPO tous les deux jours, généralement le soir. Cela signifiait qu'il fallait être en permanence aux aguets, au cas où un contrôleur aurait décidé de se présenter (c'était hautement improbable, compte tenu de la distance et des frais que cela aurait supposés, mais on ne savait jamais). Un après-midi, Lance a repéré un inconnu dans le hall de l'hôtel, un homme qui n'avait pas l'air d'un touriste. Il posait des questions, examinait les lieux. Lance s'est précipité vers la sortie de service de l'hôtel. Mais ce n'était qu'un reporter du journal local qui avait eu vent de notre présence et espérait obtenir une interview.

On est rentrés de Tenerife épuisés, mais prêts à attaquer la saison. Mes courses du printemps se sont bien passées. Puis, en avril, j'ai connu une petite catastrophe: je me suis cassé le coude en chutant pendant le Liège-Bastogne-Liège. J'aurais préféré quelque chose de spectaculaire, mais c'était l'accident idiot par excellence: le cycliste qui me précédait est tombé et je lui suis tout bêtement rentré dedans. L'instant d'avant, j'étais parti pour faire un bon printemps, et je me suis retrouvé avec une attelle. J'ai choisi de rentrer à Marblehead pour me rétablir, l'espace de quelques semaines; je serais de retour à la mi-mai pour les stages de préparation au Tour et ma grande opportunité de la saison, le Tour de Suisse. J'étais très investi dans le Tour de Suisse parce que Johan m'avait dit que j'y tiendrais le rôle de leader – c'était une immense opportunité et une grande responsabilité. J'ai emporté quelques flacons d'Edgar dans mes bagages. À Marblehead, je me suis entraîné comme si Lance avait été là ; j'ai mangé comme si Ferrari m'avait surveillé. J'ai pris beaucoup d'Edgar (je n'avais pas de centrifugeuse, alors je dosais à l'instinct). J'ai passé du temps avec ma mère, mon père, mon frère et ma sœur, mais pas autant que je l'aurais souhaité. Je ne pensais qu'à mon entraînement. J'avais le Tour de Suisse dans le collimateur, et j'étais bien décidé à ne pas laisser cette blessure m'en priver.

À mon retour, au mois de mai, j'étais en forme. Très en forme, même. Je suis allé tout droit chez le Dr Ferrari, à Ferrare. Il a procédé à ses évaluations habituelles – masse graisseuse, hématocrite, poids – et il a souri. Puis il m'a fait passer un test de condition physique à Monzuno, l'un de ses parcours préférés : 4 kilomètres, 380 mètres de dénivelé, 9 % en moyenne, parmi les fermes et les oliviers. Beaucoup de grands coureurs s'y sont frottés ; c'est d'ailleurs Lance qui détenait le record. Du moins jusqu'à ce jour-là. Quand j'ai atteint le sommet, Ferrari arborait un sourire que je ne lui connaissais pas. J'avais battu le record de Lance. Pour tout dire, je l'avais pulvérisé.

C'était particulièrement plaisant.

Et quand Ferrari a fini d'éplucher mes chiffres, c'était encore mieux. Mon ratio de watts par kilogramme était de 6,8 – je n'avais jamais été aussi haut, je dépassais les 6,7 magiques nécessaires selon Ferrari pour remporter le Tour de France. Je ne m'y croyais pas pour autant (après tout, le test était très bref), mais c'était encourageant. J'étais dans la plus belle forme de ma vie.

Dans notre petit monde, les tests effectués à Monzuno comme au col de la Madone étaient pris très au sérieux ; on leur accordait autant d'importance qu'aux résultats des courses, sinon plus. Certains aimaient faire étalage de leurs résultats, pour ma part je n'en ai parlé qu'à Haven. Malheureusement, Ferrari n'a pas été aussi discret. Quelques jours plus tard, quand j'ai retrouvé l'équipe lors du stage d'entraînement, Lance m'a jeté un drôle de regard.

« Alors comme ça, Monzuno, hein ? C'est toi le boss, maintenant, Tyler. »

Le lendemain matin, ça a été pire encore. On avait testé notre hématocrite, et j'étais à 49,7. Normalement, ce chiffre doit rester confidentiel. Mais pas cette fois.

« Tiens, voilà monsieur Quarante-neuf point sept, a dit Lance. J'ai comme l'impression que c'est toi qui vas nous tirer toute la journée. »

Cela voulait dire que j'allais rouler en tête, la position la plus éprouvante, pour m'épuiser et faire redescendre mon hématocrite.

Ce soir-là, j'ai eu droit à un petit sermon de Johan, assez condescendant, sur le thème de la prudence : je devais faire attention, j'étais trop près de la barre des 50. C'est devenu le sujet à la mode. Même Kristin, la femme de Lance, y est allée de son petit commentaire : « Il paraît que tes chiffres sont élevés, Tyler ? »

J'étais sonné. J'avais pourtant toujours joué le jeu. Certes, mon hématocrite était un peu élevé, mais ça arrivait à Lance assez souvent – et moi je me faisais sermonner par Johan ? Par Kristin ? Mon résultat à Monzuno n'était pas tombé du ciel – j'avais progressé, c'était le fruit d'un travail durement mené, de mon professionnalisme. Je l'avais mérité. Et mon comportement n'avait rien d'imprudent : si un contrôleur s'était présenté, je n'aurais pas été testé positif ; je n'étais pas devenu un cheval fou. Mais au fond de moi-même je savais que tout cela n'avait pas grand-chose à voir avec mon hématocrite ou mon record. C'était surtout que Lance se sentait menacé.

J'avais battu le record de Lance à Monzuno ? « Pas normal. »

Il disait ça avec un aplomb absolu, mais en oubliant un détail essentiel : ses propres performances durant le Tour n'étaient *jamais* normales. Il n'était pas normal de semer tout le monde comme si de rien n'était, comme il l'avait fait à Sestrières en 1999. Il n'était pas normal d'écraser Pantani au Ventoux comme en 2000. Rien dans notre monde n'était normal. Mais dans l'esprit de Lance, « normal » voulait dire « c'est moi qui gagne ».

Un jour j'ai entendu Tony Rominger, un très grand professionnel qui a fait partie des clients de Ferrari, évoquer les difficultés de la compétition au temps de l'EPO. Selon lui, le problème était le suivant : « Aujourd'hui, tout le monde se prend pour un champion. »

Je crois que c'est une grande vérité, et Lance en est le premier élément de preuve. Par son caractère, parce qu'il avait vaincu le cancer et était revenu, Lance était habité de la certitude absolue que, s'il travaillait dur, il méritait de gagner toutes les courses sans exception. Certes, avec ou sans Edgar, Lance était un coureur cycliste exceptionnel. Mais il avait tort, parce que le sport ne fonctionne pas comme ça. Ce que le sport a de formidable – ce qui m'a conduit à m'y investir au départ –, c'est le côté imprévisible, surprenant, humain. Voilà, à mes yeux, le vrai problème de Lance : il était incapable de renoncer à l'idée qu'il était destiné à devenir champion, et tout aussi incapable de renoncer à la force qui lui permettait de maîtriser ses performances avec tant de précision. C'est le vieux paradoxe : Lance était capable de supporter à peu près tout, sauf de perdre. Et ça, à mon avis, ce n'est pas normal[4].

Mais si Lance est le premier élément de preuve, je suis peut-être le second. J'avais vu mes chiffres. J'avais vu le regard de Ferrari. Je me souvenais de ce que m'avait dit Pedro quelques années auparavant. Et imperceptiblement, je me suis mis à y croire : peut-être étais-je destiné à devenir un champion, moi aussi.

* * *

---

4. Armstrong avait une raison supplémentaire de prendre tout cela avec le plus grand sérieux. Au printemps 2001, Tailwind Sports (la société de management qui finançait l'US Postal et dont Armstrong était l'un des propriétaires) avait sollicité les services de SCA Promotions, une entreprise d'assurance d'événements sportifs et promotionnels – qui assurait notamment des concours ouverts au public comme ceux consistant à tenter un panier de basket depuis le milieu du terrain pour 1 million de dollars. L'idée était de faire couvrir par SCA les primes que Tailwind devait verser à Armstrong en cas de victoire dans les Tours de 2001 à 2004. Les chances qu'Armstrong remporte six Tours consécutifs étant jugées très faibles, l'accord avait des allures de pari. Tailwind paierait 420 000 dollars à SCA ; en échange, SCA et ses partenaires s'engageaient à verser les primes croissantes correspondant aux Tours de 2001 à 2004. Par contrat, Armstrong était censé percevoir 3 millions de dollars s'il remportait encore deux Tours consécutifs, 6 millions pour trois et 10 millions pour les quatre, soit 19 millions au total.

D'habitude, nous ne participions pas au Tour de Suisse en raison de sa date – deux semaines avant le départ du Tour de France, cela avait l'inconvénient de limiter notre prise d'EPO avant le Tour. L'édition 2001, toutefois, comportait une caractéristique inédite : une ascension en contre-la-montre très similaire à une étape déterminante du Tour à venir. Lance et Johan ont donc décidé d'inscrire l'équipe ; au début de la saison, Johan m'avait dit que je serais leader.

Je me suis donc préparé de la façon habituelle, en m'entraînant dur et en prenant de l'Edgar pour que mes taux soient bons. Deux jours avant la course, j'ai totalement arrêté d'en prendre. Malgré les assurances de Ferrari, je n'avais pas envie de courir de risques. Je n'allais pas me balader avec de l'EPO pendant une course, et encore moins depuis que les autorités disposaient d'un test de dépistage.

Ce que j'ignorais, en revanche, c'est que Lance n'avait pas la moindre intention de lâcher quoi que ce soit. Avec Ferrari, ils avaient élaboré un plan : Michele avait recommandé à Lance de dormir sous une tente d'altitude et de prendre des microdoses d'Edgar en intraveineuse, 800 unités chaque soir. Il pourrait ainsi maintenir son hématocrite sans risquer d'être détecté par le nouveau test, qui reposait sur la comparaison entre les taux d'EPO synthétique et naturelle. La tente d'altitude lui ferait fabriquer davantage d'EPO naturelle, qui contrebalancerait les résidus éventuels d'EPO synthétique. La manœuvre était typique de Ferrari – simple, élégante, et exclusivement réservée à Lance.

Lance et moi avons fini le prologue dans un mouchoir de poche – il m'a battu de 5 secondes seulement. Mais au fil de la course, il est resté fort alors que j'ai faibli. À l'approche de la huitième étape, celle de l'ascension en contre-la-montre, Lance occupait une bonne 3e place ; j'étais 22e, à 6 minutes, et plus en assez bonne posture pour conduire l'équipe. Lance a survolé le contre-la-montre. J'ai fini 3e, à 1 minute 25. J'étais déçu. Pour Lance, en revanche, c'était un résultat formidable – le plan mitonné avec Ferrari avait fonctionné à merveille.

Jusqu'au moment où Lance a été contrôlé positif.

Oui, Lance Armstrong a été contrôlé positif à l'EPO lors du Tour de Suisse. Je le sais parce qu'il me l'a dit. On attendait près de l'autocar, le lendemain de la neuvième étape. Il arborait un sourire étrange. Il gloussait, comme s'il venait d'en apprendre une bien bonne.

« *Fuck*, tu ne vas pas le croire, a-t-il dit. Je me suis fait choper à l'EPO. »

J'ai mis une seconde à réagir. Mon estomac s'est noué. Si c'était vrai, Lance était cuit. L'équipe était cuite. Moi aussi, j'étais cuit. Il a de nouveau poussé ce petit rire sec.

« T'inquiète pas. On va discuter avec eux. On s'occupe de tout. »

C'était bizarre. Lance avait l'air de s'en moquer ; il n'était pas horrifié ni même inquiet. On aurait dit qu'il cherchait à me montrer que ça ne lui faisait ni chaud ni froid, qu'il maîtrisait parfaitement la situation. Les questions se bousculaient dans mon esprit – que s'était-il passé ? Y avait-il un nouveau test de dépistage ? Avec qui allait-il discuter ? L'expression que je lisais sur son visage disait qu'il valait mieux que je m'abstienne de lui demander. Après ce bref échange, Lance n'a plus jamais abordé le sujet[5].

Peu après, Lance a appelé Hein Verbruggen depuis l'autocar de l'équipe. Je ne sais plus trop de quoi ils ont parlé, mais j'ai été frappé par le ton très décontracté de la conversation. Lance parlait avec le président de l'UCI, le grand manitou de notre sport, mais on aurait dit qu'il papotait avec un ami.

* * *

5. Selon une enquête de l'émission *60 Minutes* diffusée en mai 2011, le laboratoire lausannois avait qualifié l'échantillon originel d'Armstrong de « suspect » et de « compatible avec un usage d'EPO ». C'est alors que, selon des sources du FBI, un dirigeant de l'UCI serait intervenu pour réclamer que l'affaire « n'aille pas plus loin », et aurait arrangé une rencontre privée d'Armstrong et Bruyneel avec le Dr Martial Saugy, directeur du laboratoire. Armstrong ferait par la suite deux dons au fonds antidopage de l'UCI pour une valeur totale de 125 000 dollars, étant entendu que l'argent reviendrait au laboratoire lausannois de Saugy pour faire l'acquisition d'un nouvel appareil d'analyse sanguine. Après la diffusion du reportage de *60 Minutes*, l'UCI a émis un communiqué « rejetant catégoriquement » ce récit et affirmant qu'elle n'a jamais altéré ni dissimulé le moindre contrôle positif. « Il n'y a jamais, jamais eu de dissimulation, a déclaré l'ancien président de l'UCI Hein Verbruggen. Pas dans le Tour de Suisse. Pas dans le Tour de France. »

Dès la fin du Tour de Suisse 2001, j'ai compris que je ne faisais plus partie du premier cercle de Lance. Je m'étais douté qu'un nouveau processus s'était enclenché depuis sa colère consécutive à mon test de Monzuno. Mais à présent, c'était devenu une réalité. Lance était encore plus distant qu'à l'accoutumée ; on roulait moins souvent ensemble. On ne m'a pas demandé de me soumettre à une transfusion de préparation au Tour de France, comme en 2000. Chechu et Roberto se chargeraient désormais d'accompagner Lance dans les montées. Et s'il restait l'ombre d'un doute, Lance et Johan ont pris soin de le dissiper juste avant le départ du Tour, quand ils m'ont tapé sur les doigts pour des propos que j'avais tenus dans *VeloNews*.

Ça s'est passé le matin où nous devions prendre le jet privé de Lance pour rejoindre le départ du Tour. J'étais chez moi en train de faire mes valises, quand j'ai reçu un appel de Johan. Sa voix était grave, soucieuse. Il m'a dit que Lance et lui venaient de lire mon interview dans le numéro spécial de *VeloNews* sur le Tour de France. Il y avait un problème. Un gros problème.

« Tes déclarations, Tyler, a dit Johan. Tu dois faire attention à ce que tu dis.

— Quoi ?

— Il faut que tu t'excuses auprès de Lance. Il est très contrarié. »

Je n'ai pas compris. Je n'avais rien dit de particulièrement polémique dans l'article – en fait, voici la citation :

« Au lieu de me contenter de lever le pied dès l'Alpe-d'Huez et de perdre beaucoup de temps, ce que j'aurais fait en temps normal, je vais faire mon boulot [marquer la cadence pour Armstrong], et ne lever le pied qu'après – il sera peut-être important d'essayer de ne pas perdre trop de temps. Ensuite, dans les Pyrénées, si je poursuis une échappée formée après une attaque, ça soulagera notre équipe. Et ça obligera peut-être Telekom à se mettre en chasse, et à placer quatre ou cinq coureurs devant pour ramener les échappés, parce que je serai avec eux. »

C'était de la stratégie élémentaire : il valait mieux que Lance dispose de deux menaces – comme le précisait l'article, cette stratégie avait déjà servi lors du Tour 1986. J'ai dit ça avec la certitude absolue que

Lance comprendrait que j'étais un équipier, son lieutenant, un ami loyal, et que jamais je n'aurais envisagé de lui disputer la place de leader au sein de l'US Postal.

Malheureusement, le son de la voix de Johan m'a fait comprendre que je m'étais trompé. « Appelle Lance tout de suite, a-t-il dit. Excuse-toi. Arrange le coup. »

J'ai appelé Lance et me suis abondamment excusé. J'ai dit qu'on avait déformé mes propos, qu'il était absolument exclu que je caresse quelque ambition personnelle que ce soit, que je lui consacrais cent pour cent de mes efforts, sans l'ombre d'une interrogation. Lance m'a écouté, et il a semblé satisfait, même si une pointe de ressentiment persistait.

L'image qui est restée du Tour 2001 est celle du Regard que Lance a jeté à Jan Ullrich au pied de l'Alpe-d'Huez, avant de s'envoler vers la victoire d'étape et d'assurer son troisième Tour. Pour ma part, j'ai eu droit au Regard pendant toute la course, directement braqué sur ma personne. Il me surveillait. Il guettait la moindre velléité de trahison.

C'était dément. Je ne pouvais pas être une menace. Je roulais paniagua. Je n'avais pas de poche de sang qui m'attendait dans un lieu secret, pas de Motoman pour me livrer de l'Edgar, pas de plan B pour maintenir mon hématocrite, bref, je n'avais pas la moindre chance. Mais Lance pensait le contraire. C'est pour cela que l'interview dans *VeloNews* l'avait fait grimper aux rideaux. C'était la vieille rengaine : « Quoi que tu fasses, ces salopards sont en train d'en faire plus. » Et maintenant je faisais officiellement partie des « salopards ».

Les amitiés de Lance suivent toutes le même schéma bizarre, la même évolution. Il devient proche de quelqu'un, et puis – *clic* – quelque chose dérape, un conflit éclate et l'amitié prend fin. C'était arrivé à Kevin et à Frankie, à Vaughters, à Vande Velde et à tous les autres. Mon tour était venu – il n'y avait rien de surprenant, c'était inévitable.

Je me souviens d'avoir entendu Lance donner ses conseils à propos du Tour à un nouvel arrivant chez US Postal : « N'oublie jamais une chose, tous ces types sont des tueurs impitoyables. »

« Des tueurs impitoyables. » Voilà comment Lance voyait le monde. Il était entouré d'individus dépourvus de scrupules. Et cette vision des choses avait son efficacité. Elle donnait des résultats. Au moment de chasser Kevin et Frankie de l'US Postal, Lance ne s'était pas torturé l'esprit, il n'avait pas hésité ; il l'avait fait, tout simplement. Il ne s'est pas torturé non plus pour me couper de l'équipe, pas un instant. Tout pour la gagne.

Je n'étais pas son seul problème. Le premier jour du Tour, David Walsh, du *Sunday Times* de Londres, a publié un article où le nom d'Armstrong apparaissait à côté de celui de Ferrari. Walsh avait bien fait son boulot : il avait les notes d'hôtel, les dates de visite, des témoignages anonymes d'anciens de l'équipe Motorola racontant le rôle de Lance dans la décision prise par l'équipe de se doper dès 1995. Et puis, Ferrari était sur le point de comparaître devant la justice italienne pour répondre de l'accusation de dopage.

Lance a bien géré l'affaire : d'abord, dans un entretien accordé à un journal italien, il a minimisé l'impact de la bombe de Walsh en expliquant qu'il avait travaillé avec Ferrari pour battre le record de l'heure – la distance parcourue en 60 minutes sur piste couverte. (En lisant l'article avec le reste de l'équipe, on a bien rigolé. Lance ne nous avait jamais parlé du record de l'heure. À ma connaissance, il n'avait jamais mis les pieds dans un vélodrome.) Chris Carmichael a assuré à la Terre entière qu'il était le seul et unique entraîneur de Lance, et les autres coureurs ont fait des déclarations dans le même sens – il n'y a pas eu la moindre fausse note[6].

6. À l'exception du triple vainqueur du Tour de France Greg LeMond, qui a déclaré : « Quand Lance a remporté le prologue du Tour 1999, ça m'a mis au bord des larmes, mais j'ai ensuite appris qu'il travaillait avec Michele Ferrari et ça m'a refroidi. Considérant la relation de Lance avec Ferrari, je préfère ne pas faire de commentaire sur le Tour cette année. Ce n'est pas de la jalousie. Lance m'a déçu, tout simplement. » Peu après, LeMond reçut un appel de Lance ; il racontera qu'Armstrong s'était montré menaçant et agressif, qu'il avait dit avec insistance que LeMond pourrait bien perdre son affaire avec Trek, commanditaire de l'US Postal avec lequel il commercialisait une ligne de vélos. Quelques semaines plus tard, LeMond émettait une rétractation maladroite. « Ils m'ont mis le pistolet sur la tempe, racontera LeMond au journaliste britannique Jeremy Whittle. J'ai subi des pressions incroyables de la part du camp d'Armstrong, et c'est mon affaire tout entière qui était menacée. »

La suite du Tour s'est déroulée sans encombre. La controverse s'est graduellement estompée et Lance a dominé Ullrich, le seul qui pouvait le menacer. Il a remporté l'étape de l'Alpe-d'Huez, réalisant la montée en 38 minutes 01, soit 10 bonnes minutes de moins que Greg LeMond et Bernard Hinault en 1986. Il a gagné le contre-la-montre de la montée jusqu'à Chamrousse avec la même aisance. Heras et Rubiera ont fait un boulot magnifique, et le reste de l'équipe a roulé avec puissance, à une grosse exception près : moi. Réduit au paniagua, je suis passé du statut de prétendant à la victoire finale à celui de coureur insignifiant. Après le prologue, j'étais 54e. Dès la première étape de montagne, je me suis retrouvé à 40 minutes de Lance ; j'ai fini à la 94e place, à 2 heures et demie de Lance, de très loin mon plus mauvais classement dans le Tour. L'étoile montante que j'avais été parvenait tout juste à finir. La presse a dit que j'étais « souffrant », que j'avais une grippe intestinale. J'ai joué le jeu ; je ne pouvais rien faire d'autre.

Tout le monde avait parfaitement compris que je n'étais pas en position de tenter le coup, mais cela n'a pas pesé lourd aux yeux de Lance et de Johan. À un moment, au début de la course, j'étais censé couvrir les échappées – c'est-à-dire rester en tête et rattraper les premiers échappés, afin que Lance ait un coéquipier aux avant-postes. Atteindre la tête de la course dans le Tour n'est pas une partie de plaisir, parce que tout le monde roule très vite et qu'il faut se frayer un chemin parmi les 188 autres coureurs qui veulent aussi en être. Alors qu'on roulait comme des dingues au début de l'étape, Johan m'a crié dans l'oreillette que je devais passer devant, devant, devant, alors j'ai donné tout ce que j'avais, mais dans mon état d'épuisement, je ne pouvais pas progresser. C'est alors que j'ai senti une main m'attraper par le col et me tirer très fort en arrière. Lance m'a hurlé à pleins poumons dans l'oreille :

« *Fuck*, qu'est-ce que tu fous, Tyler ? »

Sous le regard des autres coureurs, il m'a propulsé en avant.

« Va couvrir les foutues échappés ! »

Après l'étape, Johan m'a demandé de présenter mes excuses à toute l'équipe pour ma médiocre performance. Je me suis exécuté. Sous le regard approbateur de Lance, j'ai ravalé le peu de fierté qui me restait et dit que j'étais désolé de ne pas avoir été à la hauteur.

Ce soir-là, j'ai annoncé à Haven que je ne renouvellerais pas mon contrat avec l'US Postal, quoi qu'il arrive. Ils pouvaient m'offrir 10 millions de dollars, je dirais non merci. J'ai demandé à mes agents de se mettre en quête de propositions. J'avais l'embarras du choix : plus d'un directeur d'équipe était intéressé, percevant mon potentiel de leader d'équipe, voire de vainqueur du Tour.

Plus j'y réfléchissais, plus je me disais qu'il n'y avait qu'une seule solution. Un seul homme pouvait monter une équipe capable de battre l'US Postal. Un seul saurait faire de moi un leader capable de s'attaquer à Lance et de l'emporter. L'aigle. L'homme fort par excellence en personne : Bjarne Riis.

CHAPITRE 9

Nouveau départ

J'étais comme dans un décor de cinéma, une carte postale devenue réalité. Installé dans une chaise longue, je contemplais la Toscane et ses collines, ses oliviers, sa lumière dorée. On était le 31 août 2001, un mois après la fin du Tour. À quelques mètres de moi se dressait la grande silhouette chauve et toujours athlétique de Bjarne Riis, le directeur de ma nouvelle équipe, CSC-Tiscali. La veille, on avait passé la journée à parler de mes coéquipiers, de mon calendrier de courses pour 2002, du matériel, de l'entraînement. Il s'est penché vers moi.

« Quelles méthodes utilisiez-vous chez US Postal ? »

La question m'a pris de court, alors j'ai cherché à gagner du temps. Je m'attendais à ce que Bjarne me le demande tôt ou tard, mais pas de façon aussi directe. Je l'avais pris pour un Danois froid, une sorte de robot qui la joue sobre. Je m'étais trompé.

Le secret de Bjarne, c'est que derrière cette froideur danoise se cachait un cerveau d'Italien bouillonnant et créatif. Ce n'était pas seulement cette belle villa qu'il possédait près de Florence ou son amour de l'opéra. C'était sa façon d'aborder la constitution d'une équipe capable de remporter le Tour. Il était ouvert aux idées neuves, il voulait mon avis en matière de nutrition, d'entraînement, d'équipement, à peu près sur tout. Je l'appréciais tellement que j'avais revu mes prétentions salariales à la baisse, notamment parce qu'à la différence de Johan et Lance, il ne jouait pas les Monsieur Je-sais-tout. Si la vie au sein de l'équipe US Postal avait quelque chose de militaire

– boucle-la et fais ton boulot – un job avec Bjarne, c'était comme travailler pour Apple : penser autrement.

Notre stage d'entraînement en était l'illustration parfaite. À la routine habituelle (on choisit un climat chaud, on roule tous les jours), Bjarne a préféré l'option diamétralement opposée. Il nous a emmenés dans une forêt glaciale en Suède, pour un stage de survie encadré par un ancien des forces spéciales. Dit comme ça, ça fait un peu comité d'entreprise, mais ça nous a vraiment soudés en tant qu'équipe. Rien de tel pour faire connaissance qu'essayer d'allumer un feu de camp dans la neige.

L'esprit « Renaissance » de Riis s'appliquait à tous les aspects de la course. Comme le reste du peloton, il avait été très impressionné par la puissance de Lance et de l'US Postal, et au moment où il s'est penché vers moi, il avait faim de détails. Des noms, des chiffres, des techniques – quelles étaient nos méthodes ? Sur le moment, j'ai eu l'impression qu'il aurait gobé n'importe quoi. Si je lui avais dit que la méthode de l'US Postal consistait à avaler de l'eau de Javel avec des œufs d'autruche, il m'aurait écouté. Et envisagé de faire pareil.

Mais voilà le plus bizarre : quand Bjarne m'a demandé quelles étaient nos méthodes chez US Postal, j'ai menti. J'ai fait le nigaud. Je lui ai dit que nous n'avions pas de méthode particulière ; rien d'autre que l'EPO, la testostérone, la cortisone, l'Actovegin. Certains préféraient l'hormone de croissance ; à part ça, rien de spécial.

Bjarne s'est enfoncé dans son transat. Il a avalé une petite gorgée de vin.

« As-tu jamais essayé la transfusion, Tyler ? »

J'ai secoué la tête. Les yeux bleus de Bjarne se sont illuminés.

« Oh, il faut que tu essaies. Ça va te plaire.

— OK, ai-je dit. Ça a l'air d'être pas mal. »

Je ne sais pas vraiment pourquoi j'ai menti. Peut-être parce qu'on se connaissait à peine ? Certes, je n'avais pas quitté l'US Postal en très bons termes, mais peut-être ne voulais-je pas les trahir ? Quand j'y repense, et quand je me dis que sur le moment j'y ai vu une espèce de posture morale, ça me fait bien rigoler. L'honneur des voleurs, je suppose.

L'ironie, c'est que j'ai bien fait de ne pas lui dire la vérité, parce que son enthousiasme m'a conduit à revoir mon opinion au sujet des transfusions. Lors de mon unique expérience du procédé, pendant le Tour 2000, je n'avais pas vraiment bien roulé. À en croire Bjarne, j'étais passé à côté de quelque chose d'énorme.

Pour appuyer son propos, il m'a raconté qu'il avait lui-même subi trois transfusions lors du Tour qu'il avait remporté en 1996 : une juste avant le départ, et les autres lors des deux journées de repos. Il m'a expliqué l'efficacité de la méthode : autant l'EPO suscite une montée lente de l'hématocrite, autant la transfusion provoque une poussée instantanée d'environ 3 points, ce qui équivaut à un accroissement de puissance de 3 %. Une vraie fontaine de jouvence. Mieux encore, dans cette nouvelle ère des tests pour l'EPO, la transfusion était indécelable, parfaitement sûre – à condition de bien s'y prendre.

Après m'avoir dit tout cela, il s'est tu. Il attendait que je dise quelque chose. Oui ou non ?

Là, face aux collines toscanes, je me suis à nouveau trouvé à la croisée des chemins. C'était le moment idéal pour dire : « Non merci, je préfère ne pas. » J'aurais pu m'excuser, expliquer à Bjarne que la transfusion n'était pas pour moi et m'en aller. J'aurais pu refuser la place de leader d'équipe ; j'aurais pu dire non à son programme.

Pourquoi ne l'ai-je pas fait ?

À cette question, je ne peux apporter que la plus évidente des réponses : j'étais déjà mouillé ; je connaissais les règles du jeu, et tous ceux qui m'entouraient aussi. Et puis la tournure qu'avait prise mon départ de l'US Postal me donnait le sentiment d'avoir quelque chose à prouver.

J'ai dit oui.

Bjarne et moi sommes immédiatement passés à l'élaboration de mon calendrier de courses : plutôt que de viser le Tour de France, je m'attaquerais en mai au Tour d'Italie, qui dure trois semaines. Notre raisonnement mêlait la stratégie au sens pratique : le Giro, sans manquer de prestige, était une compétition plus ouverte que le Tour de France. Et l'un de nos commanditaires majeurs, Tiscali, était une compagnie de télécommunications italienne.

Bjarne m'a donné le numéro de téléphone de l'homme autour duquel mon existence tournerait pendant les années à venir : le Dr Eufemiano Fuentes. Il m'a dit que c'était un médecin espagnol reconnu, très expérimenté, qui travaillait depuis des années avec les plus grands coureurs. Un personnage un peu particulier, a précisé Bjarne, mais que cela ne devait pas m'inquiéter. Fuentes était fiable, pas de souci. (Schéma récurrent : chaque fois que quelqu'un m'a dit que telle ou telle chose était sûre, c'était souvent le contraire.)

J'ai fait la connaissance de Fuentes à Madrid, dans son cabinet, au printemps suivant. Il ressemblait davantage à une vedette de cinéma qu'à un médecin. Il était grand, dans la quarantaine, yeux foncés, cheveux plaqués en arrière, lunettes d'aviateur, costume de lin, mocassins italiens. Fuentes parlait vite, en agitant beaucoup les mains. Il avait un abord chaleureux, amical, par moments exubérant. Il prenait du plaisir à son petit jeu, avait une demi-douzaine de téléphones secrets, des contacts et des collaborateurs dans toute l'Europe. J'ai entendu dire qu'il se déguisait pour assister à des conférences médicales, et qu'il testait sur lui-même les échantillons de produits qu'il entendait donner aux coureurs. Dans certains enregistrements réalisés par la police, on entend Fuentes se nommer lui-même *El Importante* : l'Important. Moi, je l'appelais Ufe (prononcer *oufé*).

Ufe était le rejeton d'une riche famille de cultivateurs de tabac, son cabinet se trouvait dans un quartier chic de Madrid, et il avait deux appartements. C'était un sportif (sa spécialité était les courses de haies) qui avait fait des études de gynécologie. Il s'était tourné vers la médecine sportive dans les années 1980, au moment où l'Espagne sortait du franquisme et se donnait toutes les peines du monde pour se hisser au niveau des autres nations. Il avait étudié en Allemagne de l'Est et en Pologne, et avait aidé son pays à faire bonne figure aux jeux Olympiques de Barcelone, en 1992. Quand je l'ai rencontré, il était au sommet de sa carrière, puisqu'il avait déjà collaboré avec toutes les grandes équipes espagnoles, Once, Amaya Seguros et Kelme. Contrairement à Ferrari, qui vivait sous la menace permanente de la police, Ufe avait l'avantage d'évoluer dans un système qui tolérait le dopage ; les coureurs racontaient qu'en Espagne on pouvait transporter ses seringues d'EPO collées sur le front sans se faire inquiéter.

Une histoire circule à propos d'Ufe, qui remonte au Tour d'Espagne 1991. Il avait pris l'avion pour gagner les îles Canaries, où devaient se dérouler les étapes finales. Plusieurs journalistes ont remarqué qu'il portait une petite glacière sur les genoux. Ils lui ont demandé ce qu'elle contenait. « La clé de la victoire », a répondu Ufe. Cette année-là, c'est l'un de ses coureurs, Melcior Mauri, qui a remporté la course. Lors des cinq grands Tours précédents, Mauri n'avait jamais fini mieux que 78e.

Jörg Jaksche, un excellent coureur (vainqueur du Paris-Nice, 16e au Tour), a connu Ufe à l'époque où je commençais à travailler avec lui. Le récit qu'il fait de leur rencontre est assez typique. On ne rencontre pas le Dr Fuentes, on le subit.

> JÖRG JAKSCHE : Fuentes m'a demandé de le rejoindre aux Canaries. Il est venu me chercher à l'aéroport dans le genre de 4 × 4 généralement réservé aux gens très riches. Il aime entretenir un voile de mystère autour de sa personne, garder ses distances, dans la brume. Mais pour ce qui est de parler, il était très clair, très persuasif. Dès les premières minutes, il m'a décrit l'étendue de son expertise ; il m'a expliqué qu'il s'était formé en Allemagne de l'Est ; il m'a dit qu'il travaillait avec les plus grandes équipes européennes de foot, etc. On aurait dit un représentant des ventes. Puis, alors que nous roulions, il s'est mis à me détailler le menu des produits possibles – testostérone, EPO, transfusions, insuline, hormone de croissance, etc. Je lui ai dit que je voulais m'en tenir au minimum, ne pas prendre de risques. Alors Fuentes a plongé la main dans un carton et en a tiré une plaquette de cachets. Du pouce, il en a fait jaillir un de sa coque d'aluminium et me l'a tendu. Ça ressemblait à un bonbon. « Ce sont des anabolisants russes, a-t-il dit. Indécelables. T'en veux un ? » J'ai refusé poliment. « Pas de problème ! », s'est-il écrié avant de le lancer en l'air et de le gober au vol, comme ça. J'étais sidéré !
>
> Fuentes est un peu timbré, mais il est génial. Il savait ce qu'il fallait faire, sans se faire prendre. Et il m'a répété à de nombreuses reprises que nos actes étaient parfaitement légaux – ce qui s'est révélé exact, du moins en Espagne. De toute façon, quand on traite avec lui, on est bien forcé de lui faire confiance. On est pris dans son système, et il n'y a personne

auprès de qui vérifier. Dans ce milieu, Fuentes est le père, l'autorité, alors on n'a pas vraiment le choix.

Dès ma première visite, j'ai été clair : toute sa panoplie ne m'intéressait pas. Je voulais juste qu'il me procure de la testostérone et de l'Edgar, et qu'il s'occupe des transfusions. Jamais contrariant, il a accepté. Ce serait sûr, facile, il n'y aurait pas l'ombre d'un problème. Il percevrait des honoraires à chaque transfusion, ainsi que pour la *medicación* (l'EPO et la testostérone), plus une série de *primas* – que je lui verserais si je remportais une étape d'un grand Tour ou une course importante. Les *primas* n'étaient pas insignifiantes : 50 000 euros si je gagnais le Tour de France, 30 000 pour une place sur le podium ; 30 000 pour le Tour d'Italie, 20 000 pour une place sur le podium ; et 30 000 pour une victoire dans une course de la Coupe du monde.

Ufe m'a présenté son compère, José Luis Merino Batres, un gentleman septuagénaire aux cheveux argentés, patron du service d'hématologie de l'hôpital madrilène La Princesa. Une fois ma première poche de sang remplie, Batres m'a demandé quel nom de code je souhaitais utiliser. Il m'a suggéré de choisir le nom de mon chien. Je n'ai pas voulu – Tugboat avait acquis une certaine notoriété dans le monde du vélo – alors j'ai choisi 4142, les derniers chiffres du numéro de téléphone de Jeff Buell, mon ami d'enfance à Marblehead. Comprenant qu'il fallait aussi un nom de code pour désigner Ufe, j'ai choisi Sam. Et pour Batres, j'ai choisi Nick. Sam et Nick : mes nouveaux assistants.

On a lancé le programme sans attendre. L'objectif était de disposer de deux poches de sang pour le Tour d'Italie, et peut-être aussi pour le Tour de France. (L'expression « poche de sang » étant assez peu ragoûtante, nous dirons désormais PS.)

La logistique que requièrent les PS est assez complexe, parce que les cellules sont vivantes et qu'elles ne survivent qu'environ vingt-huit jours hors de l'organisme. Ma première transfusion, en 2000, avait été du type le plus simple : on prélève une PS, on la laisse quatre semaines au frigo, et on la réinjecte pendant la course. Préparer un plus grand nombre de poches est plus complexe. On ne peut pas en prélever deux ou trois un mois avant la course, parce que la perte de sang nuirait à l'entraînement. On contournait le problème par un système de rotation : on prélevait des PS fraîches tout en réinjectant celles qu'on avait conservées. Cela permettait d'avoir un stock frais de PS au frigo tout en maintenant le corps à son meilleur niveau, prêt à s'entraîner dur. Une rotation complète prenait environ vingt-cinq jours.

Si on voulait disposer de trois PS pour le Tour de France, par exemple, il fallait s'y prendre dix semaines avant la course, et le planning ressemblait à ça :

10 semaines avant	*6 semaines avant*	*2 semaines avant*	*Pendant la course*
1 PS prélevée	2 PS prélevées puis 1 PS injectée	3 PS prélevées puis 2 injectées	3 PS injectées (1 par semaine)

Ufe m'a appris que chaque transfusion devait suivre un ordre rigoureux : 1) on prélève les nouvelles PS ; 2) on réinjecte les PS stockées. Ça évite de remplir les nouvelles PS d'anciennes cellules sanguines qui ont déjà vieilli au frigo. Tout est une question de fraîcheur. C'est d'ailleurs l'expression qu'on employait – « rafraîchir les PS ». Ufe m'a aussi informé du risque de se retrouver positif par rebond : on pouvait être testé positif à la suite de la réinjection d'une PS contenant une substance prohibée. Il fallait donc veiller à ne pas être incandescent au moment du prélèvement, parce que le risque est le même que lors d'un test antidopage. Il m'a proposé ce qu'il appelait du *polvo* – une poudre grise qu'on met sous l'ongle en cas de contrôle alors qu'on est incandescent. Il suffit de placer l'ongle sous le jet d'urine pour que le test vire négatif, garanti à cent pour cent. Je n'en ai pas voulu. Je pense que j'ai préféré penser que je ne me retrouverais jamais dans une situation où ce serait nécessaire.

Ufe et moi avons rapidement mis au point une routine. Je prenais l'avion de Barcelone à Madrid, un taxi m'emmenait jusqu'à son cabinet, on procédait aux prélèvements et aux réinjections, et je reprenais l'avion le jour même. Pour ne pas être reconnu, je portais une casquette de baseball et des lunettes de soleil. Je payais en espèces. Ufe me fournissait l'Edgar et les patchs de testostérone. J'ai refusé la plupart des autres produits qu'il me proposait (et il y en avait beaucoup), mais pas un vaporisateur nasal nommé Minirin, un médicament pour enfants qui font pipi au lit (la rétention d'eau fait baisser l'hématocrite). J'ai aussi essayé l'insuline, dont il m'avait dit qu'elle favoriserait la récupération musculaire, mais j'ai arrêté parce que je me sentais fiévreux et bizarre.

Notre langage codé prêtait parfois à confusion. Dans les messages qu'on échangeait, on parlait de « souper ensemble », de « petit cadeau » ou de « se retrouver pour le café ». Je veillais à ce que ça reste toujours assez vague. Un jour, pourtant, j'ai commis l'erreur de lui écrire que je voulais venir à Madrid pour lui « offrir le vélo dont on a parlé ». Évidemment, je n'avais pas l'intention de lui offrir un vélo – je pensais qu'il comprendrait qu'il s'agissait d'une PS. Quand je suis arrivé à son cabinet, Ufe, tout excité, m'a dit qu'il était impatient de voir son nouveau vélo. Je n'ai pas eu le cœur de lui dire que c'était du langage codé. Si bien qu'à la visite suivante, je lui ai apporté un de mes vélos d'entraînement, un Cervélo Soloist. (Heureusement que je ne lui avais pas annoncé que je lui « offrais la voiture dont on a parlé ».)

Ufe était souvent en retard, et je devais poireauter une heure ou plus dans un café en attendant qu'il réponde à mon message. Quand nous étions ensemble, il m'accordait toute son attention, mais semblait toujours tendu et pressé. Il s'est mis à me confier de plus en plus souvent aux bons soins de Nick. J'aimais bien avoir affaire à Nick, même si ses trous de mémoire occasionnels me laissaient songeur. Il me redemandait constamment mon nom de code pour les PS. C'était bien 4142 ?

« *Cuatro-uno, cuatro-dos. Sí.* »

Ces incessants allers-retours entre Gérone et Madrid étaient éprouvants pour les nerfs. Malgré l'ordonnance fournie par Ufe pour justifier que je transporte de l'Edgar (les supposés troubles menstruels de Haven), et le fait que je possédais un petit sac isotherme parfaitement adapté au fond de mon bagage à main, je détestais ça. Depuis le 11 septembre, les mesures de sécurité s'étaient intensifiées ; par ailleurs, je commençais à être connu du public, alors chaque fois que je faisais la queue pour passer le contrôle de sécurité, je transpirais de tout mon corps. En faisant la navette pour les PS, dans les files d'attente à l'aéroport, dans les embouteillages, je perdais un temps précieux que j'aurais pu passer à m'entraîner, et j'en suis parfois venu à regretter la mécanique bien huilée de l'US Postal.

Et puis, sur le plan pratique, il fallait bien expliquer tous ces déplacements à mes amis. Gérone n'est pas une grande ville, et les coureurs finissent par avoir une bonne connaissance de leurs emplois du temps respectifs; ce n'était pas normal de se rendre à Madrid toutes les trois semaines, c'était le genre de chose qui faisait jaser, et qui n'échapperait pas au radar de Lance. Quand on me posait la question, je disais que j'y étais suivi par un allergologue (j'avais de réels problèmes d'allergie). Mais le plus souvent, je ne disais rien du tout; je me contentais de disparaître. Encore des cachotteries. Encore du stress.

Pour compliquer le tout, Lance et moi étions devenus voisins. Au printemps précédant mon départ de l'équipe US Postal, quand nos rapports étaient encore amicaux, Lance et moi avions acheté des appartements dans le même immeuble de Gérone, un palais du vieux quartier de la ville, remis à neuf et transformé en habitations de luxe. Lance avait acheté le deuxième étage; Haven et moi, un logement plus modeste au troisième.

L'appartement de Lance et Kristin était fantastique. Somptueux, immense, des plafonds de quinze pieds, décoré avec goût, comme ceux que l'on retrouve dans la chic revue *Architectural Digest*. Il y avait une chapelle pour Kristin (qui est une catholique pratiquante), et un vaste entrepôt dans la cour principale où Lance conservait des dizaines de vélos, de selles, de roues et tout type de matériel; il s'y retrouvait avec sa bande – pas seulement des coureurs, mais de plus en plus souvent des représentants de chez Trek ou Nike, des avocats et des huiles, des mécanos et des soigneurs. Lance était déjà connu, mais son troisième Tour l'avait hissé au niveau supérieur: celui d'icône planétaire. C'était moins une célébrité qu'un super-héros. Il multipliait les allées et venues en jet privé; à Tenerife, en Suisse, à Ferrare, que sais-je encore?

L'US Postal avait recruté de nouveaux coureurs, dont un jeune archi-costaud d'origine mennonite nommé Floyd Landis. Lance et sa machine se reconstituaient, plus puissants que jamais.

Tout cela ne faisait que me pousser dans la direction opposée. Haven et moi n'avions ni assistant, ni armée de soigneurs, ni kinés. Après chaque entraînement, je portais mon vélo jusqu'à mon palier, où je le déposais contre le mur. En cas de problème technique, je faisais la réparation moi-même, ou je me rendais au magasin le plus proche. J'aimais bien ce côté simple, concentré, sans courtisans pour me distraire. Nos journées étaient bien remplies, un peu agitées, mais satisfaisantes. Je retrouvais cette sensation de mon enfance, quand j'avais fait la course avec le télésiège sur le mont Wildcat : mes petits bras contre la mécanique moderne et bien huilée de Lance. Il disposait de beaucoup d'avantages, aucun doute là-dessus. Mais il n'était pas le seul à posséder une arme secrète.

Mon arme secrète à moi, ce n'était pas un jet privé, ni même Ufe. C'était un petit Italien maigre et sec nommé Luigi Cecchini, que j'appelais Cecco. Cecco était un entraîneur qui vivait à Lucques, près de chez Bjarne. C'est lui qui me l'avait présenté peu après que j'ai signé, en me disant qu'il pouvait m'aider à franchir un nouveau palier. La liste des clients de Cecco était prestigieuse : Ullrich, Pantani, Bugno, Bartoli, Petacchi, Cipollini, Cancellara, Casagrande. D'ailleurs, c'est Cecco qui avait permis à Bjarne Riis de relancer sa carrière au début des années 1990 ; c'est à cause de lui que Riis avait acheté une maison près de Lucques.

Cecco avait des cheveux gris en brosse, et de grands yeux intelligents ; il ressemblait un peu à Picasso. Il avait aussi une attitude rafraîchissante et originale à l'égard du dopage – il m'encourageait à me doper aussi peu que possible. Cecco ne m'a jamais donné d'Edgar, ni la moindre aspirine, parce qu'il trouvait que la plupart des coureurs se dopaient beaucoup trop. L'insuline, les patchs de testostérone, les anabolisants… bah ! Pour remporter le Tour, seules trois qualités étaient indispensables.

1. Être très, très en forme.
2. Être très, très maigre.
3. Avoir un hématocrite élevé.

La règle n° 3 était à son sens regrettable, mais incontournable, ça faisait partie de la vie. Cecco s'est montré très clair : jamais il ne passerait du côté obscur. Il m'a toujours dit que rien ne m'obligeait à m'engager dans cette course aux armements dangereuse, stressante et médicalement discutable qui consistait à courir après la substance X, la substance Y ou un quelconque bonbon anabolisant russe. Il n'a jamais cessé de me mettre en garde contre Fuentes, affirmant que je n'avais pas besoin de tous les trucs qu'il fournissait. Je pouvais me simplifier la vie en me focalisant sur la seule chose qui comptait vraiment : mon entraînement.

Autant la collaboration avec Ufe était stressante, autant celle avec Cecco était un plaisir. À chacune de mes visites, il insistait pour me recevoir chez lui, dans sa villa débordante de vie et d'animation : on prenait nos repas en famille autour d'une grande table, dans la cuisine, avec sa femme, Anna, et leurs grands garçons, Stefano et Anzano, qui habitaient dans les environs. Cecco menait une existence d'aristocrate européen. Anna tenait une boutique de vêtements chics à Lucques ; Cecco pilotait un petit avion privé ; Stefano conduisait des voitures de sport. L'argent lui procurait une liberté d'esprit dont les autres étaient privés ; nous avons travaillé ensemble très régulièrement pendant deux ans, mais il ne m'a jamais réclamé un sou[1].

Chacune de mes visites commençait par un déjeuner léger, puis nous partions rouler ensemble tout en discutant (pour son âge, c'était un cycliste d'une force exceptionnelle). Nous nous rendions ensuite

---

1. Cecchini s'est formé avec Ferrari auprès de Francesco Conconi, le père de la science des activités physiques et sportives. Cecchini et Ferrari ont ensuite travaillé ensemble dans une équipe italienne, avant de s'en aller chacun de son côté. Comme Ferrari, Cecchini a fait l'objet de plusieurs enquêtes de la police italienne, qui a placé ses téléphones sur écoute, perquisitionné son domicile et, à un moment donné, engagé contre lui des poursuites (les charges ont ensuite été abandonnées) – tout cela a peut-être contribué à la détermination de Cecchini de prodiguer ses conseils de façon bénévole.

dans le bâtiment de pierre qui abritait son cabinet. Cecco me pesait, mesurait ma masse graisseuse, et ensuite commençait le vrai travail, un assortiment préétabli de tests et de fractionnés, soit sur la route, soit sur un vélo d'intérieur, selon la météo.

Il a rapidement identifié ma principale faiblesse : ma vitesse de pointe. Chez US Postal, on s'était employé au fil des ans à faire de moi un diesel, susceptible de produire de longs efforts continus. Or ce ne sont pas les diesels qui gagnent les grandes courses, mais les turbos, les coureurs capables de donner 5 minutes de puissance maximale dans les plus rudes montées, le temps de creuser l'écart, puis de rouler avec constance jusqu'à l'arrivée. C'est là que je péchais.

Cecco a analysé mes watts et mes cadences, et il m'a prescrit un programme de fractionnés : je poussais mon moteur dans le rouge sur de courtes distances répétées, encore et encore. J'ai accompli mille fois ce qu'il appelait les 40-20, c'est-à-dire 40 secondes à fond suivies de 20 secondes de repos. Ce sont peut-être les séances les plus dures et les plus productives qu'il m'ait été donné de faire. Cecco m'a recommandé d'utiliser un simulateur d'altitude. Je n'ai pas tardé à constater les résultats : mes watts en vitesse de pointe ont rapidement augmenté.

Entre Cecco et moi, ça se passait bien. J'appréciais son savoir-faire, sa sagesse, son humour pince-sans-rire. Il aimait ma sincérité, et le fait que j'accomplissais ses exercices à la lettre, en toutes circonstances. D'autres coureurs n'en réalisaient que 90 ou 95 %. Moi, je faisais toujours exactement ce qu'il demandait, parfois plus. Chaque jour, je lui envoyais par Internet mon rapport d'exercice, avec les données précises concernant mes watts, ma cadence, chaque coup de pédale. Chaque jour, il en faisait la lecture et l'analyse pour préparer la séance du lendemain. Au fil de ces échanges, j'ai vu mes chiffres grimper. Et grimper encore.

* * *

À l'approche du Tour d'Italie, prévu au mois de mai, avec Bjarne on a peaufiné notre plan. Il était convenu avec Ufe que j'utiliserais deux PS, l'une avant la course et l'autre pendant. La réinjection de la première ne poserait pas de problème – elle se déroulerait dans la sécurité du cabinet madrilène d'Ufe, juste avant de m'envoler vers le départ.

La seconde, en revanche, était plus délicate. Les lois italiennes antidopage étaient strictes ; la police avait la fâcheuse habitude de faire des descentes dans les chambres d'hôtel et les autocars des équipes. Ufe nous a clairement signalé qu'il ne prendrait pas le risque de se rendre en Italie. C'est Bjarne qui a trouvé la solution. La cinquième étape s'arrêterait à Limone Piemonte, une ville située à une heure et demie de route de Monaco.

Le plan s'est précisé : Haven et moi louerions un appartement à Monaco en avril. À la mi-avril, quatre semaines avant le Tour d'Italie, Ufe nous y rejoindrait, nous remplirions une PS que nous laisserions dans le réfrigérateur. Puis, le 17 mai, après la cinquième étape, Haven viendrait me chercher à l'arrivée et on se rendrait en voiture à Monaco. Ufe serait là et on procéderait en toute sécurité à la réinjection. Le plan n'était pas parfait – d'un point de vue stratégique il aurait été préférable de faire la transfusion plus tard, pendant la deuxième ou la troisième semaine de course, cela aurait eu plus d'incidence sur mes performances. Mais on ne pouvait pas faire mieux.

Ainsi, à la mi-avril 2002, pendant que Lance passait au-dessus de nos têtes à bord de son jet privé, Haven, Tugboat et moi avons fait la route de Gérone à Monaco dans notre Hyundai familiale. On a loué un studio dans un grand immeuble anonyme doté d'un auvent bleu et nommé La Grande-Bretagne ; on était à cinq minutes à pied du casino. Quelques jours plus tard, Ufe est arrivé d'Espagne en voiture avec le matériel de transfusion. Le prélèvement s'est passé sans problème ; je me suis étendu sur le canapé et j'ai regardé la poche se remplir. On l'a dissimulée dans leur carton de lait de soja. On a décollé le fond du carton, glissé la poche à l'intérieur, recollé le fond et déposé le carton dans le réfrigérateur. La taille correspondait parfaitement. Quand on pressait le carton, on avait l'impression qu'il contenait vraiment du lait.

On a passé les quatre semaines suivantes dans ce studio. Je m'absentais pour les entraînements et les courses. Haven a fait la preuve de ses excellentes qualités d'équipière, parce que, malgré toutes nos précautions, un élément échappait à notre contrôle : l'électricité. Une panne de courant aurait été dramatique : en se réchauffant, le sang aurait tourné. Nous avons décidé de ne rien laisser au hasard : pendant mes absences, Haven et Tugs resteraient au chevet de notre PS[2].

Le jour du prologue du Tour d'Italie, j'étais surexcité. Pour la première fois depuis l'université, j'étais le leader incontesté de l'équipe ; c'était l'occasion de prouver que je le méritais. C'est peut-être ce qui m'a conduit dans ce prologue à rouler avec trop d'agressivité. Au bout de cinq cents mètres, j'ai négocié trop vite un virage à droite et percuté les barrières de sécurité. J'ai cassé mon casque, mais j'ai pu remonter en selle et repartir, avec quelques écorchures aux coudes et aux genoux.

La course a été acharnée. Si le Tour de France est l'équivalent des 500 Miles d'Indianapolis, le Giro est une course de Nascar, avec la ferveur des fans, les accidents, et une grande intensité dramatique. Cela est dû au fait que les routes italiennes sont plus étroites et escarpées que les françaises, mais aussi au goût du risque des coureurs italiens, sur la route et ailleurs. Cette édition-là du Giro n'a pas fait exception. Deux leaders d'équipe, Stefano Garzelli et Gilberto Simoni, ont été renvoyés chez eux après avoir été contrôlés positifs.

Désormais leader d'équipe, donc plus exposé, c'était très éprouvant de voir les autres coureurs de premier plan se faire dégommer. Un jour ils étaient dans la course, à quelques centimètres de vous, à papoter tranquillement, et le lendemain ils avaient disparu, comme s'ils avaient été happés par une main géante. Au début, on a peur, on se sent vulnérable – les contrôleurs seraient-ils soudain devenus

---

2. Évidemment, Hamilton n'est pas le seul coureur à s'être inquiété de ce risque. Floyd Landis raconte qu'Armstrong conservait des poches de sang dans un petit réfrigérateur médical dans un placard de son appartement de Gérone et qu'en 2003 il lui a demandé d'occuper les lieux en son absence, pour parer à toute coupure de courant inopinée.

malins ? Et si c'était moi, le prochain ? Puis, dans le peloton, le téléphone arabe se met à fonctionner à plein régime et on finit par trouver une explication. Dans le cas de Garzelli et Simoni, on disait qu'il s'agissait de tests positifs par rebond. Leurs PS avaient été contaminées par un produit qu'ils avaient pris quelques semaines auparavant. C'était rassurant – ce qui leur arrivait était ballot, mais au fond, ils n'avaient qu'à faire attention.

J'ai donc remercié ma bonne étoile, et ce n'était pas la première fois. Vous ne serez pas surpris d'apprendre que les coureurs cyclistes sont superstitieux, et je ne fais pas exception. Tant de choses sont indépendantes de notre volonté qu'on se fabrique sa chance comme on peut. Certains se signent sans cesse, certains marmonnent des prières dans les montées, d'autres scotchent des médailles saintes à leur guidon. Moi, je suis un grand toucheur de bois ; ou à défaut de bois, de ma tête. Il y a aussi la superstition sur le sel. Un jour, au beau milieu du Tour d'Italie, Michael Sandstød, mon équipier chez CSC, s'est risqué à enfreindre la règle. Il a délibérément renversé la salière, puis a pris du sel dans la main et l'a répandu tout autour de lui, hilare, tout en répétant : « Ce n'est que du sel ! » Tout le monde a ri avec lui, mais d'un rire nerveux. Le lendemain, Michael a fait une chute dans une descente, il s'est fracturé l'épaule et huit côtes, dont une lui a perforé un poumon ; il a failli mourir. Après cet incident, je me suis mis à transporter un petit flacon de sel dans la poche de mon maillot. On ne sait jamais.

Cela ne m'a pas empêché de jouer de malchance : lors d'une chute dans la cinquième étape due à un pépin mécanique, je me suis fracturé l'épaule. Sur le moment, on n'a pas vu qu'elle était cassée, mais ça me faisait terriblement mal. À la fin de l'étape, je suis descendu de vélo en boitant et j'ai rejoint Haven dans la Hyundai. On aurait pu aller à l'hôpital, mais il y avait plus urgent – Ufe nous attendait à Monaco pour me réinjecter ma PS.

Ufe patientait dans un café près de l'appartement ; en arrivant, on lui a envoyé un texto et il a tout de suite débarqué. On était nerveux, mais lui était survolté. Il prononçait mille mots à la minute, répétant sans cesse que c'était vraiment formidable que je sois si près des premières places, et qu'après ça je serais en position de gagner la course. Tout était *fabuloso*.

Ufe a pris le carton de lait de soja dans le frigo, il l'a ouvert et a scotché la poche au mur. Il m'a branché, et j'ai ressenti le frisson familier. Haven est restée dans la pièce, s'efforçant de parler de la pluie et du beau temps sans regarder la PS. Ufe m'a expliqué le mode d'emploi après la transfusion.

« Quand tu seras en train de souffrir, rappelle-toi : tu peux y aller encore plus fort. Pousse plus loin. »

Je l'ai écouté et, au cours des jours suivants, j'ai pu constater qu'il avait raison à cent pour cent. Cette prise de conscience a changé ma carrière. Je ne m'en étais pas rendu compte au mont Ventoux en 2000. L'astuce, quand on roule après une transfusion, c'est d'ignorer les signaux d'alerte, de dépasser les murailles habituelles. On atteint un palier au-delà de sa limite habituelle contre laquelle on s'est écrasé mille fois, et voilà qu'on peut se maintenir dans cette position. On n'est plus en train de chercher à survivre ; on est dans la compétition, on prend des initiatives, on dicte le déroulement de la course.

À présent que j'étais à l'écoute de mes chiffres, je percevais la différence. La transfusion m'avait donné 3 ou 4 % de puissance en plus, soit 12 ou 16 watts supplémentaires ; je pouvais soutenir un rythme cardiaque de 180 battements par minute au lieu de 175. Cinq battements par minute, ça changeait tout.

L'excitation de la compétition a quelque peu atténué la douleur à mon épaule gauche, qui me faisait quand même salement souffrir. C'était une douleur profonde, intense, comme si on m'avait planté un tournevis dans l'articulation et qu'on le remuait. L'adrénaline de la course l'a masquée quelque temps, mais cet effet a fini par s'estomper et il n'y a plus eu que la douleur. Alors je me suis mis à grincer des dents. Ce n'était pas volontaire, juste un réflexe au départ. Mais je me suis aperçu que, quand je le faisais vraiment fort – quand je ressentais cet agréable frottement de la dent sur la dent –, ça me soulageait. Je sais que ça paraît bizarre, mais grincer des dents m'a procuré une distraction, le sentiment d'une maîtrise. Le montant des honoraires de mon dentiste en atteste, j'y ai peut-être été un peu fort (il a fallu me poser onze couronnes). Mais ça a marché.

En fin de compte, j'ai failli gagner le Tour d'Italie. Mais dans la dernière étape de montagne, à trois kilomètres de la fin de la dernière ascension, je suis tombé en panne – totalement vidé, à court d'énergie, sur la jante. J'ai terminé 2e, derrière le « Faucon » italien Paolo Savoldelli. J'avais commis une erreur classique : je m'étais senti si bien, si fort, que j'en avais oublié de me nourrir. Cecco m'informerait plus tard que la victoire m'a probablement échappé pour une centaine de calories, soit une dose de gel énergétique. C'était une bonne leçon, qui témoigne de la nature de notre sport. Tu planifies pendant des mois, tu risques la prison et le scandale, tu travailles plus dur que tu ne l'as jamais fait, et à l'arrivée tu perds parce que tu as oublié d'avaler une dose de gel.

Malgré tout, cette 2e place dans un grand Tour avait un goût de revanche, elle prouvait que j'étais bien le leader d'équipe que Bjarne avait vu en moi. J'ai aussitôt été catapulté parmi les candidats sérieux au Tour de France.

À mon retour à Gérone, j'ai vu ma photo en couverture du magazine *ProCycling* – le titre était « Tyler affiche ses intentions » et au-dessous figurait une citation de moi : « Courir contre Lance ne me pose aucun problème. »

Ben voyons.

CHAPITRE 10

La vie au sommet

L'une des choses que j'ai apprises en 2002, c'est que ça n'était pas simple d'habiter au même endroit que Lance. Si les murs étaient épais comme ceux d'une prison, on s'entendait quand même mutuellement – assiettes, portes, voix. La cour intérieure, où se trouvait le garage à vélos de Lance, était une caisse de résonance. Lance a l'habitude de parler fort; quand il était dans son atelier, aucune de ses paroles ne nous échappait. Quand on se croisait, le ton restait amical: « Hé, ça va ? Quoi de neuf ? » Il lâchait de temps en temps un petit commentaire pour montrer qu'il savait ce que je bricolais dans mon coin – « Alors, c'était bien, Madrid ? » –, mais je faisais comme si je n'avais pas entendu et je passais mon chemin.

Dès mon arrivée chez CSC, ma vie à Gérone a changé. Je ne me suis plus entraîné avec mes anciens copains de l'US Postal (ce qui, dans des circonstances normales, c'est-à-dire sans la pression de Lance, aurait été envisageable) ; je le faisais seul, ou avec Levi Leipheimer, un homme paisible et sérieux originaire du Montana, qui courait dans l'équipe hollandaise Rabobank. Je ne fréquentais plus le petit café en face de chez nous. Je ne traînais plus dans la cour. J'ai renoncé aux commérages des sorties en bande pour me concentrer sur mes propres chiffres, mes propres objectifs. Je me comportais vis-à-vis de Lance comme je l'aurais fait face à un pitbull: bouger lentement et calmement. Pas de gestes brusques. Mais mes liens avec l'US Postal n'étaient pas tout à fait tranchés pour autant.

Un jour, on a frappé à la porte et j'ai eu la surprise de découvrir Michele Ferrari. Il venait pour un prélèvement inattendu. Il sortait de chez Lance et en avait profité pour me signaler en passant que je lui devais 15 000 dollars. Je n'étais pas tout à fait certain de son chiffre – depuis le milieu de l'année 2001, date de mon éjection du cercle des intimes, Ferrari n'avait plus rien fait pour moi. Mais je ne voulais pas d'histoires, alors j'ai marchandé un rabais de 5 000 dollars, je lui ai fait un chèque, et je m'en suis débarrassé à jamais.

J'avais une arme importante pour préserver la paix dans l'immeuble : Haven. Lance avait toujours eu pour elle une certaine admiration. Il respectait son sens des affaires et prenait son avis sur beaucoup de choses. À ses yeux, elle sortait du lot des autres épouses et compagnes, et il la respectait vraiment. Haven en a profité pour jouer les forces de maintien de la paix, en garantissant la fluidité des relations, en faisant en sorte qu'aucun problème mineur ne dégénère. Haven excellait dans ce rôle parce qu'elle comprenait Lance. Un jour, elle a donné de lui l'une des meilleures descriptions que j'aie jamais entendues. « Lance, c'est Donald Trump. Il aura beau posséder tout Manhattan, tant qu'il restera dans un coin une petite épicerie qui ne portera pas son nom, ça le rendra dingue. »

La petite épicerie, c'était nous deux, bien évidemment. Je gagnais moins d'argent que chez US Postal, mais mes succès avaient changé la donne : j'avais été approché par les commanditaires, les médias, et on avait monté notre propre fondation caritative. Des années plus tôt, j'avais vu la belle-mère d'un ami se battre contre la sclérose en plaques et je m'étais intéressé à cette cause, au point de participer à plusieurs collectes de fonds. Pour pérenniser cet effort et lui donner un cadre plus formel, j'ai lancé avec Haven ce qui deviendrait la Fondation Tyler Hamilton. On était heureux de pouvoir rendre un peu de ce que nous avions reçu.

S'il s'était agi d'une jeune entreprise, Haven aurait été le PDG. C'est elle qui répondait aux courriels, examinait les contrats et c'est même elle qui écrivait mes chroniques pour *VeloNews*. Elle organisait les déplacements à Lucques pour voir Cecco et mes allers-retours à

Madrid; elle s'occupait des retraits d'espèces à la banque pour payer Ufe. Elle avait du pain sur la planche, et le travail était stressant, mais ça ne durerait que quelques années, ensuite nous reprendrions le fil de notre vie.

Haven et moi avions choisi de ne pas faire d'enfant dans l'immédiat. On en parlait beaucoup; j'étais pour, mais ce n'était pas sur moi que retomberait l'essentiel de la charge. Haven préférait attendre que j'aie raccroché mon vélo. Sinon, elle savait qu'elle se retrouverait à élever un enfant quasiment toute seule. Alors, quand les vieilles dames espagnoles du quartier lui demandaient si elle comptait devenir bientôt maman, on souriait poliment et on disait: « Pas tout de suite. » Tugboat est devenu le seul petit fragment de normalité de notre univers. Toujours heureux de nous voir, toujours joueur, toujours partant pour courir derrière sa balle de tennis dans les ruelles pavées. On l'emmenait à l'entraînement, on lui achetait des sandwichs, on était gagas comme s'il avait été notre bébé. D'une certaine façon, il l'était.

Au printemps 2002 nous avons aussi vu arriver Floyd Landis. Il venait de signer chez US Postal, mais détonnait par rapport aux autres membres de l'équipe, qui étaient plutôt dans le genre d'Hincapie, silencieux, obéissants et neutres. Landis était différent. Originaire de Pennsylvanie, cet ex-mennonite possédait un sens de l'humour profondément irrévérencieux, une éthique de travail extraordinaire et la sale manie de toujours douter de tout. Il trouvait cela absurde de dépenser beaucoup d'argent pour se loger, alors il occupait un petit studio d'étudiant dans un quartier moderne de Gérone; il se rendait au centre-ville en skateboard. Il percevait le monde à travers le prisme de la logique, tout était blanc ou noir, bien ou mal. Ses parents lui avaient dit que s'il devenait cycliste il irait en enfer, mais il avait choisi de ne pas les écouter. Je suppose qu'une fois qu'on a bravé le risque de l'enfer, plus grand-chose ne vous fait peur.

Tout le monde voyait bien que Floyd était appelé à devenir une grande vedette. Je pense que Lance se reconnaissait un peu en lui – intrépide, dur, toujours prêt à bousculer les idées reçues – parce qu'ils roulaient souvent ensemble. D'une certaine façon, Floyd était mon remplaçant. Je les croisais sur les routes ; j'entendais dire qu'ils étaient partis en stage ensemble. Mais Floyd n'était pas le béni-oui-oui que j'avais été. Floyd était abrasif. Floyd ne la fermait jamais.

Par exemple il disait tout haut quelque chose que je pensais tout bas depuis longtemps : Lance disposait d'excellents vélos, alors que le reste de l'équipe devait se contenter de vélos reclassés. C'était un fait : le chef mécanicien Julien DeVriese conservait nos vélos de course en Belgique ; il ne nous laissait les utiliser que pendant le Tour et les grandes courses, puis il les reprenait à la fin de la saison et on ne les revoyait plus. On n'avait jamais de casques neufs, alors qu'on savait que le fabricant Giro en envoyait des dizaines à l'équipe. On se disait que quelqu'un revendait probablement le matériel, pratique courante dans le cyclisme, et c'était agaçant. Alors que Lance se voyait offrir en grande quantité le matériel le plus sophistiqué de la planète, on s'entraînait avec de vieux vélos rafistolés et des casques fendus. J'ai raconté à Floyd que l'un de mes anciens coéquipiers chez Postal, Dylan Casey, avait trouvé une parade ingénieuse : il roulait avec sa voiture sur son vieux vélo, obligeant ainsi l'US Postal à lui en fournir un tout neuf. Floyd a adoré cette anecdote, car c'était le genre de chose dont il aurait été capable.

Floyd et moi traînions ensemble, de temps à autre. On se retrouvait pour aller faire un peu de route. Floyd en profitait pour pester gentiment à propos des dernières manigances de l'US Postal. On ne parlait jamais de dopage. En revanche, on ne se privait pas de commenter les voyages en jet de Lance à Tenerife ou en Suisse, ou le fait qu'il s'était énervé parce que Floyd avait voulu compter combien de cappuccinos il pouvait boire à la suite (quatorze), ou encore l'obligation qu'avait l'équipe tout entière de rouler avec le Champion's Club, un groupe composé de Thom Weisel et de ses amis millionnaires qui aimaient faire du vélo avec l'US Postal lors des stages d'entraînement. On appelait ça « balader les hommes friqués ». Ce genre de show-biz d'entreprise heurtait l'intégrité mennonite de Floyd, d'une part parce qu'il trouvait injuste que l'équipe soit contrainte de valoriser les relations d'affaires de Lance sans contrepartie, et d'autre part parce que rouler aux côtés d'une bande d'amateurs millionnaires était carrément ridicule. Il disait: « Si j'étais fan de la NBA, j'adorerais voir les Lakers à l'entraînement, mais je ne me pointerais pas avec mon ballon. »

J'aimais bien Floyd. Il me faisait rire. Et j'aimais bien ma nouvelle vie loin de l'US Postal. J'avais cessé d'être un rouage du système de Lance; je pouvais envisager les choses à ma façon. Étrangement, tout cela m'a amené à me sentir plus proche de Lance, en ce sens que je me mettais à présent à sa place. Il avait été le général et moi le soldat. Nous occupions désormais la même position, qui nous obligeait à planifier, à motiver une équipe, à gérer les rapports avec les commanditaires et les propriétaires. J'éprouvais le plaisir et la pression qu'il y a à porter les espoirs des autres.

J'éprouvais aussi la peur. Cet été-là notamment, quand j'ai eu droit à ma toute première rencontre avec les trolls – les journalistes qui vous traînent dans la boue des scandales de dopage. Jusqu'alors, j'avais toujours entretenu l'image d'un coureur propre, jamais associé à la moindre rumeur de dopage. Cela a pris fin quand Prentice Steffen, notre médecin des premières heures de l'US Postal, a livré à un journaliste sa version du Tour de Suisse 1996, selon laquelle Marty Jemison et moi l'avions approché en lui posant des questions à propos des produits dopants.

L'article a été publié dans un journal hollandais, et il a fait du bruit dans notre petit monde soigneusement édifié. Une simple déclaration d'un type que je ne voyais plus depuis des années avait entaché mon image. Je n'avais pas le même souvenir de l'incident, et Marty non plus, mais ce n'était pas la question: les commanditaires se sont inquiétés, l'équipe aussi. Toutes les mesures de prudence que nous avions prises pour préserver le secret – les déplacements furtifs, le langage codé, les étiquettes arrachées et les paquets emballés dans de l'alu au fond du frigo –, tout ça semblait soudain n'avoir servi à rien. Un petit article de rien du tout, et nos existences étaient devenues un château de cartes branlant. C'était terrifiant.

J'ai fait la seule chose que je pouvais faire: je m'en suis pris au messager. J'ai parlé aux journalistes, j'ai affirmé être victime d'accusations aussi creuses que vicieuses. J'ai jeté le doute sur les motifs véritables de Steffen. J'ai souligné que lui-même avait eu des problèmes avec la drogue (c'était vrai ; il en avait eu et les avait surmontés). J'ai dit que c'était un cas flagrant de dépit.

J'apprenais sur le tas : quand on vous accusait, il fallait rendre les coups deux fois plus fort.

* * *

En juillet 2002, j'ai participé au Tour de France et vu Lance s'envoler vers sa quatrième victoire, la plus facile. Il avait bénéficié de l'absence d'Ullrich, resté à la maison pour cause de blessure et de suspension (on l'avait épinglé pour consommation d'ecstasy). De leur côté, Pantani et les Italiens étaient empêtrés dans une série de scandales de dopage, et les Français restaient à la traîne, en partie à cause de la rigueur des tests pratiqués par leur pays. Mais la domination de l'US Postal demeurait impressionnante. J'ai vu George Hincapie – le grand George, le costaud, pas grimpeur pour un sou – emmener le peloton dans le col particulièrement raide d'Aubisque. Floyd, le petit nouveau, a fait étalage d'une force infernale. Je me suis dit que l'équipe au complet devait multiplier les PS.

Pour ce qui est de mes propres PS, le système était à la fois simple et complexe. Simple parce qu'il impliquait peu de monde – essentiellement Ufe et moi. Complexe parce qu'il fallait se cacher. Avant le Tour, Ufe déterminait les dates et les lieux de nos rendez-vous. On procédait généralement aux transfusions lors des pauses de deux jours prévues pendant le Tour, toujours dans un hôtel. Ufe savait choisir les établissements de moyenne gamme : jamais trop chics, jamais trop miteux. Il me donnait la liste de ces hôtels avant le Tour, à Madrid, et je la conservais sur un bout de papier dans mon portefeuille, avec le dernier numéro de téléphone secret d'Ufe (il en changeait tout le temps). Le matin du rendez-vous, Ufe m'envoyait un texto sur mon portable secret, le prépayé que je n'utilisais qu'avec lui. Le message ne comportait qu'une phrase, du genre « C'est un trajet de 167 kilomètres », ou « Le restaurant est au nº 167 des Champs-Élysées ». Ça ne voulait absolument rien dire ; seul le nombre importait. Ça signifiait qu'il m'attendrait dans la chambre 167 de l'hôtel convenu, avec ma PS bien au frais dans une glacière de pique-nique.

Je ne prenais jamais une voiture de l'équipe ; en général, c'est Haven qui m'y conduisait. Je portais des habits passe-partout : tenue de ville, lunettes de soleil, casquette de baseball enfoncée sur les yeux. On se garait derrière l'hôtel et on entrait par la porte de service, pour éviter la réception. (C'était l'un des inconvénients de ma petite notoriété européenne : si jamais un journaliste m'apercevait, on risquait la catastrophe.) En général, je détestais marcher vite, mais là j'y allais de bon cœur : on trace tout droit, tête basse, on prend l'escalier, le couloir, on gratte à la porte, le cœur battant à tout rompre. Quand Ufe ouvrait, j'avais envie de le serrer dans mes bras.

Je suis sûr que je n'étais pas le seul à effectuer des missions PS secrètes, mais ce n'est pas par la presse qu'on l'aurait appris. Selon la version qui semblait avoir la faveur des journalistes, le Tour s'était débarrassé du dopage : aucun coureur n'était contrôlé positif. Le seul incident avait concerné Edita Rumsiene, l'épouse de celui qui allait finir 3e, Raimondas Rumšas, quand on avait découvert dans le coffre de sa voiture une cache contenant de l'EPO, de la cortisone, de la testostérone, des anabolisants et de l'hormone de croissance. Elle a déclaré sans se démonter que tout cela était destiné à sa mère (de toute évidence une sacrée cycliste). Rumšas a conservé sa place sur le podium, démontrant au passage : 1) que l'UCI n'avait toujours pas l'intention de sanctionner sérieusement qui que ce soit et 2) qu'il était possible de prendre un tas de produits sous forme de microdoses pendant le Tour sans se faire pincer.

Sur le plan personnel, mon Tour de France s'est plutôt bien passé. J'avais été leader d'équipe sur le Tour d'Italie, et mon travail consistait donc à soutenir les leaders de mon équipe sur le Tour de France, le Français Laurent Jalabert et l'Espagnol Carlos Sastre. J'ai pris deux PS et fait la course parmi les premiers de la classe, pour finir 15e, un classement plus qu'honorable. Surtout, j'ai observé et appris.

En observant Lance pendant le Tour, je n'avais pu m'empêcher de me demander quelles méthodes il employait à présent. J'en savais déjà pas mal – il devait s'agir d'une combinaison de transfusions et de microdoses d'EPO. Mais cela n'expliquait pas tout. Ça n'expliquait pas les progrès considérables de Lance chaque année au mois de juillet. Un mois avant le Tour, Lance se situait à un niveau relativement normal pour lui. Puis, en deux ou trois semaines, il accédait à une autre dimension, gagnant 3 ou 4 %. Pendant le Tour 2002, sa supériorité était devenue presque embarrassante.

La quinzième étape, dont l'arrivée se situait en altitude, aux Deux-Alpes, en avait apporté la preuve. Sur la fin, le grand grimpeur espagnol Joseba Beloki avait voulu s'approprier la victoire d'étape. Il avait attaqué et creusé l'écart. À moins d'un kilomètre du but, Beloki était devant, et on voyait bien que ça lui coûtait. Il était à l'agonie, les yeux révulsés, les épaules qui dansaient, l'angoisse pure – on l'aurait été à moins.

Lance avait surgi soudain derrière lui, comme un motard de la police. Bouche close. Les yeux au ras des lunettes de soleil, tournant la tête à gauche à droite, cherchant les autres, on aurait dit qu'il allait demander à Beloki de se ranger pour lui coller une contravention. C'était le même spectacle que celui de Sestrières en 1999 – Lance était sur une autre planète. Tout le Tour s'est déroulé comme ça : Lance a remporté quatre étapes, n'a jamais été menacé, et a fini avec 7 minutes 17 d'avance sur Beloki au général. Aucun autre concurrent n'était à la hauteur.

Comment s'y prenait-il donc ? Lance avait toujours gardé le secret sur ses méthodes ; même lorsque je faisais partie du premier cercle avec Kevin, on avait toujours le sentiment qu'il y avait encore quelque chose qui nous échappait.

Je savais qu'avant le Tour, Lance avait l'habitude de filer en Suisse pour s'entraîner avec Ferrari pendant une quinzaine de jours. Quelles qu'aient été les méthodes élaborées par les deux hommes, elles tournaient forcément autour des PS. Le Tour d'Italie me l'avait démontré. Je savais aussi comment fonctionnait l'esprit de Lance : faire tout ce qui pouvait être fait, parce que, comme toujours, ces salopards étaient en train d'en faire plus. Si ça marche avec deux PS, pourquoi pas quatre ? Si l'hémoglobine artificielle est disponible, pourquoi s'en priver ? Dans le peloton, on disait que Lance avait deux ans d'avance sur tout le monde.

Je ne savais peut-être pas tout des méthodes de Lance, mais ce qui est sûr, c'est qu'en 2002 et 2003 le peloton s'est mis à le rattraper. Les bons tuyaux ne restent pas confidentiels très longtemps. Les innovations ont pour vocation de se diffuser, surtout dans le cyclisme professionnel. C'est drôle, on parle beaucoup de l'omerta du vélo, qui existe bien, mais au sein du peloton on est volontiers bavards. Les coureurs ne cessent de raconter des choses, de se parler tout bas, de comparer leurs impressions. Les récompenses sont trop belles et les punitions trop légères, alors la chasse au prochain produit magique est toujours très tentante. Le peloton est un genre de Facebook sur roues – et à l'époque, les informations fusaient dans tous les sens. Tout le monde parlait d'hémoglobine artificielle, et d'un nouveau type d'Edgar venu d'Espagne, la CERA, ainsi que d'un nouveau truc appelé Aranesp. Les PS se banalisaient. Une histoire folle circulait, celle d'un coureur espagnol de second plan qui, n'ayant pas les moyens de se payer des transfusions, avait utilisé du sang de chien (il avait remporté la course, disait l'histoire, mais était ensuite tombé malade et n'était jamais redevenu le même). Par la suite, j'aurais l'occasion de rencontrer un coureur italien d'une petite équipe – l'équivalent d'une équipe de football européen de deuxième division – qui pratiquait des transfusions sanguines. C'est dire à quelle vitesse ça se propageait ; en l'espace de quelques années, une technique de pointe réservée à l'élite s'était répandue à tous les niveaux de la discipline.

Mais la rumeur qui échauffait les esprits était celle du retour de Jan Ullrich. Après l'année gâchée par son affaire d'ecstasy, Ullrich s'efforçait de tourner la page des excès et de bâtir un tout nouveau Jan 2.0. Il passait du temps à Lucques, auprès de mon entraîneur, Cecco. Comme d'autres, j'en ai déduit qu'Ullrich devait travailler aussi avec Ufe – et ce dernier n'a pas mis longtemps à me le confirmer (pour un médecin de l'ombre, Ufe n'était quand même pas très doué pour garder les secrets). Cela voulait dire qu'Ullrich allait revenir plus fort que jamais. En outre, on voyait émerger une nouvelle génération de coureurs espagnols et italiens, de jeunes loups comme Iban Mayo, Ivan Basso ou Alejandro Valverde. La tête de course allait sensiblement se peupler.

* * *

Je devais avoir environ treize ans quand j'ai intégré un club nommé « Crazykids of America », constitué de jeunes garçons de mon âge qui faisaient du ski sur le mont Wildcat. Il n'y avait pas d'adultes, pas de réunions officielles, pas de cotisations. L'activité du club consistait essentiellement à se lancer des défis à la limite de l'imbécillité : escalader une falaise, ramper dans un long conduit d'évacuation des eaux, dévaler une pente gelée en pleine nuit sur un plateau de cafétéria. L'objectif principal du club était d'aller le plus loin possible, de voir jusqu'où on pouvait pousser.

Aucun membre de notre petite association n'allait aussi loin que moi. Je n'étais ni le plus grand, ni le plus fort, ni le plus rapide, mais j'étais prêt à y aller à fond. J'ai toujours aimé ça, comme si j'avais soif d'adrénaline. C'est peut-être lié à ma dépression, au besoin de stimulation. Quand j'ai l'occasion de me pousser à bout, j'y vais.

D'une certaine façon, 2003 aura été mon année Crazykids dans le cyclisme, celle où j'ai atteint la limite. C'est, de loin, la plus riche de ma carrière. J'ai obtenu tout ce que je voulais – les victoires, les accolades, les grands moments –, mais elle a aussi failli me détruire.

Cette attitude nouvelle s'est manifestée dès le mois de mars, lors du premier événement marquant de la saison, le Paris-Nice. Jusqu'alors, je m'étais toujours présenté à cette compétition d'une semaine surnommée « la course au soleil » avec une interrogation en tête : serais-je à la hauteur ? Cette fois, grâce au soutien de Cecco, d'Ufe et de Riis, je connaissais la réponse. Et j'ai répondu présent. Au prologue, je suis arrivé 2e. Dans la sixième étape, j'ai fait un grand coup d'homme fort : une échappée en solitaire de 106 kilomètres. J'ai fini 2e au Tour du Pays basque, et 6e au Critérium international de la route. À chaque course, j'étais parmi les premiers de la classe.

De toutes les courses du printemps, la principale et peut-être la plus difficile était Liège-Bastogne-Liège – 257 kilomètres à travers la Belgique. C'était l'une de mes préférées; je n'avais pas manqué une édition depuis 1997. Mais c'était la première fois que j'y prendrais part en bénéficiant de l'apport d'une PS. Bjarne et moi avons subdivisé le parcours en sections précises et désigné certains coéquipiers pour des ascensions spécifiques. Ils ne prendraient pas part à toute la course, et seraient donc libres de me consacrer tous leurs efforts pour m'emmener jusqu'à un point donné avant de se retirer.

Je n'étais pas le seul à viser la victoire. Lance n'avait pas remporté de classique depuis 1996, et sa focalisation exclusive sur le Tour de France lui avait valu les critiques de la presse spécialisée. C'était une journée typiquement belge – pluvieuse, humide, cafardeuse. Lance a donné le sentiment d'une grande force pendant toute la course, mais pas le reste des US Postal. À une trentaine de kilomètres de l'arrivée, il a lancé une échappée tardive et s'est trouvé en position de l'emporter – s'il maintenait l'écart ou si ses coéquipiers étaient là pour le soutenir. Il avait beau être fort, nous l'étions plus que lui. On l'a rattrapé, toute l'équipe CSC, et notamment Nicki Sørensen dans le rôle du porteur d'eau. À environ trois kilomètres de l'arrivée, seuls huit coureurs étaient encore en lice, dont Lance et moi. On retrouvait nos bonnes vieilles habitudes de l'arrière-pays niçois: côte à côte, l'œil rivé l'un sur l'autre, nos roues séparées d'un petit centimètre, on va voir qui est le plus fort.

Il y a eu un long moment de flottement dans le groupe. C'est là que j'ai choisi d'attaquer. J'ai décollé à fond, tout mis dans les pédales, et ils m'ont regardé m'éloigner, estimant que j'étais parti trop tôt. Tout le monde sait que le tronçon final de LBL est une lente montée sur une route épouvantable et glissante, l'une de ces dernières lignes droites qui semblent ne jamais finir. Ils ont cru que je ne tiendrais pas jusqu'au bout.

Mais j'ai tenu. J'ai atteint un niveau d'adrénaline que je ne connaissais pas, une sorte de panique, comme si j'avais une meute de loups à mes trousses. J'ai senti l'acide lactique ruisseler jusqu'au bout de mes doigts, de mes lèvres, de mes paupières. La pluie m'aveuglait ; je poussais quand même. En atteignant la ligne, je me suis retourné et j'ai eu la plus belle vision de ma vie : une route vide.

J'ai franchi l'arrivée et je suis devenu le premier Américain à remporter Liège-Bastogne-Liège ; les médias spéculaient déjà sur mes chances au Tour de France ; le Tour d'Italie m'avait valu les titres des journaux, mais LBL m'a propulsé dans la stratosphère. Une semaine plus tard, je remportais le Tour de Romandie, ce qui faisait de moi le coureur de l'UCI ayant obtenu le plus de points dans l'année, le premier au classement mondial. Et une partie de moi, tout au fond, disait : Méfie-toi.

Vous est-il arrivé durant ces années-là d'observer le visage d'un coureur qui venait de remporter une course importante ? Si vous étiez attentif, vous avez peut-être aperçu derrière le sourire un voile plus sombre – l'inquiétude. Cette inquiétude était due au fait que le coureur savait que toute victoire entraîne son lot de tracas, notamment la certitude absolue d'être bon pour un contrôle. On avait beau avoir scrupuleusement observé les règles du temps d'incandescence, il restait toujours le petit doute qu'on avait mal fait ses comptes, qu'on avait loupé la veine, ou que les contrôleurs disposaient d'un nouveau test dont on n'avait pas encore entendu parler. Debout sur le podium, les choses devenaient d'une limpidité terrifiante. Vous réalisiez que toute votre carrière dépendait de ce que vous avait raconté un médecin en Espagne, un médecin dépourvu de la moindre qualification légitime, qui maîtrisait peut-être son affaire, mais peut-être pas. Le visage était souriant, mais derrière, on était pétrifié d'angoisse.

J'avais pour ma part des motifs d'inquiétude supplémentaires. Je savais que Lance serait furieux. J'ai dit du bien de lui dans la presse (« Cette victoire revient en partie à Lance »), mais ça n'a servi à rien. Il a quitté les lieux sans un mot pour moi ni pour qui que ce soit. On m'a raconté plus tard qu'il avait envoyé valdinguer son casque à l'intérieur de l'autocar. En rentrant à la maison, son appartement était particulièrement silencieux.

* * *

Après ma victoire sur le Liège-Bastogne-Liège, une foule de nouvelles possibilités se sont ouvertes à moi : commanditaires, parrainages, médias et tout ce qui va avec. Au printemps, Haven et moi avons été sollicités par une boîte de production qui voulait réaliser un documentaire en IMAX sur mon prochain Tour de France. Ils avaient d'abord contacté Lance, évidemment, mais il avait refusé parce qu'il préparait déjà un film avec Mark Wahlberg et/ou Jake Gyllenhaal, selon les versions. Donc, comme souvent, j'étais le second choix. C'est la loi du marché : si tu ne peux pas avoir Batman, prends Robin.

Le film avait pour titre *Brain Power*, la puissance du cerveau ; l'idée générale était de se servir de mon Tour de France 2003 pour montrer comment l'esprit opère quand le corps est poussé à la limite. Les producteurs disposaient d'un budget de 6,8 millions de dollars et prévoyaient d'utiliser des images virtuelles à couper le souffle pour emmener le spectateur dans mon cerveau pendant que je participais au Tour.

Mon véritable cerveau, lui, était préoccupé par des décisions dont je ne pouvais pas vraiment parler aux cinéastes. J'ai passé le printemps à faire des allers-retours à Madrid pour voir Ufe, à Lucques pour voir Cecco, à préparer consciencieusement le Tour de France 2003. On a prévu trois PS, une avant le Tour et deux pendant, un programme calqué sur celui de Riis en 1996. J'ai mis la compétition entre parenthèses pour me consacrer entièrement à l'entraînement. J'ai retenu ce que m'avait dit Cecco avec insistance : tous les produits du monde ne servent à rien si on n'est pas 1) très, très en forme et 2) très, très maigre.

L'amaigrissement est l'élément de la préparation au Tour qu'il est le plus facile de négliger. Ça a l'air facile : il n'y a qu'à perdre du poids. Manger moins. En fait, c'est une véritable guerre, et plus encore quand on s'entraîne comme un malade et que chaque cellule du corps hurle de faim. J'ai passé plus de temps à réfléchir au moyen de maigrir que je ne l'ai jamais fait pour le dopage : la question hantait chacun de mes repas, chacune de mes bouchées.

Bjarne m'a recommandé sa technique personnelle : en rentrant de l'entraînement, tu avales une grande bouteille d'eau gazeuse et deux ou trois somnifères. À ton réveil, c'est déjà l'heure du souper ou, si tu as de la chance, du petit déjeuner. J'ai tout essayé. J'ai bu des litres et des litres de Coke Diet. J'ai mangé des tonnes de fruits et de légumes crus – j'ai fait des régimes à base de pommes et de céleri. J'ai sucé des caramels au beurre salé pour calmer mon estomac gargouillant. Chaque bouchée que j'avalais devait ensuite être brûlée. (Bjarne m'a même rappelé que je devais tenir compte du supplément de poids qu'entraînerait la réinjection des PS pendant la course.)

C'est devenu une obsession. Quand je mangeais avec des amis, il m'arrivait de prendre une énorme bouchée de nourriture puis de faire semblant d'éternuer pour la recracher dans ma serviette et d'aller la jeter aux toilettes. Ou, si Tugboat était dans les parages, je lui passais des morceaux en douce pour que mon assiette se vide. C'était embarrassant ; j'avais l'impression d'être un petit garçon de troisième année ou un ado anorexique. Ainsi, au milieu de ma carrière, j'ai flirté avec les troubles de l'alimentation (ce qui n'est pas si rare parmi les meilleurs coureurs). Mais il faut reconnaître que perdre du poids est une stratégie qui marche. Si j'avais eu à choisir entre perdre un kilo et demi ou gagner 3 points d'hématocrite, j'aurais choisi la première option, sans hésiter.

Quand j'étais en mode amaigrissement, je n'étais pas d'agréable compagnie. Haven en avait vraiment marre. Le jeune couple marié que nous formions, avec un ravissant appartement dans l'une des plus belles régions du monde, n'avait presque aucune activité qui n'était pas liée à ma préparation. Des vacances ? Désolé, pas possible. Un petit souper au resto ? J'aimerais bien, mais pas possible. Un week-end à Paris ? À la fin de la saison, peut-être. Et on a beau assaisonner l'eau gazeuse et le céleri, ce n'est pas vraiment romantique.

Les plaisirs les plus simples devenaient compliqués. Gérone est une ville faite pour la marche à pied, et Haven aimait vraiment faire sa tournée quotidienne à la boulangerie, au marché, au café. Elle aimait bien que je l'accompagne, mais je me déplaçais à la vitesse d'un escargot. Je sais, ça paraît fou : j'étais probablement l'un des types les plus rapides de la planète, mais je marchais comme un petit vieux : lentement, à petits pas. Évidemment, ça agaçait Haven, et on finissait par s'engueuler. « Tu ne peux pas marcher plus vite ? », demandait-elle. Je répondais : « Tu ne peux pas marcher moins vite ? »

Entre Bjarne et moi, ça ne se passait pas trop bien non plus. Il voulait que CSC participe au Tour de France avec deux leaders – Carlos Sastre et moi. Pour ma part, je pensais qu'il valait mieux mettre tous les moyens de l'équipe au service d'un seul coureur – moi. On a eu des débats sans fin à ce sujet ; je donnais les US Postal en exemple sur la bonne façon de s'y prendre pour remporter le Tour ; Bjarne insistait sur le fait que l'équipe serait mieux servie si elle avait plusieurs atouts à jouer. La querelle, qui durerait jusqu'au bout du Tour, semblait sans issue. C'était la dernière année de mon contrat. Le doute concernant mon avenir avec Bjarne et CSC a commencé à germer dans mon esprit.

Ma vie connaissait des turbulences, mais dès que je montais sur mon vélo, tout allait bien. Le Tour approchant, ma puissance en watts ne cessait de monter et mon poids de baisser. À la mi-juin, les signes devenaient palpables. D'abord, mes bras étaient si maigres que les manches de mon maillot flottaient dans le vent ; je les sentais battre contre mes triceps. Ensuite, j'avais mal quand je m'asseyais sur les chaises en bois de notre salle à manger. Je n'avais plus un gramme de gras dans les fesses ; mes os étaient au contact du bois et c'était douloureux ; j'étais obligé de mettre une serviette-éponge. Enfin, ma peau devenait plus fine, transparente ; Haven disait qu'elle commençait à deviner les contours de mes organes internes. Et pour couronner le tout, mes amis me disaient que j'avais une tête épouvantable – je n'avais que la peau sur les os. Pour moi, c'était un compliment. J'y étais presque.

CHAPITRE 11

L'attaque

Le tour de France 2003 a commencé trois semaines avant le départ, lors du Critérium du Dauphiné libéré. Lance a remporté la course, mais il avait été malmené par Iban Mayo et d'autres grimpeurs qui avaient adopté une tactique inédite : ils avaient fait du Lance, mais mieux que Lance. D'habitude, c'était lui qui mettait la pression sur ses adversaires par ses accélérations, mais Mayo a inversé les rôles et n'a pas arrêté de placer des petits coups de bourre, encore et encore. Ça n'a pas suffi à battre Lance, mais il a bien souffert, et ça n'a échappé à personne.

Au lieu de prévoir une transfusion à Madrid quatre jours avant la course, Bjarne, Ufe et moi avons trouvé un meilleur plan, mais plus risqué : je recevrais la première PS à Paris, la veille du départ. On s'est dit que plus on serait proches du départ, plus les effets dureraient pendant la course. J'ai donc maintenu mon hématocrite à 45. J'ai passé ma visite médicale avec le reste de l'équipe, puis j'ai pris un taxi jusqu'à l'hôtel choisi par Ufe : un petit établissement délabré à quinze minutes du siège de l'organisation du Tour. Tout s'est bien passé ; mon hématocrite est rapidement monté à 48, j'étais prêt. C'était encore mieux le lendemain, quand pour la première fois j'ai battu Lance lors du prologue. Les choses se présentaient bien : j'avais la bonne puissance, je pesais le bon poids, Ufe se tenait prêt avec deux nouvelles PS, l'équipe était forte. Le lendemain, alors qu'on accélérait avant l'arrivée de la première étape, j'ai senti que quelque chose était possible. Cette année serait peut-être enfin la bonne.

Puis il y a eu l'accident.

En général, on entend l'accident avant de le voir. C'est un son métallique, il y a un raclement et un broiement, comme une cannette de Coke écrasée qui râpe sur du béton, en mille fois plus fort. Puis il y a le grincement des freins et ce choc plus mou – celui des corps contre l'asphalte. Ça crie et ça hurle dans toutes les langues – « Attention ! Oh merde ! » – mais c'est trop tard. C'est l'un des sons les plus atroces qui soient.

Les accidents pendant le Tour sont comme les autres, mais ils impliquent plus de monde et font plus de dégâts. Celui-là a été particulièrement spectaculaire : vers la fin de l'étape, à la sortie d'un virage à droite, alors que tout le monde roulait au taquet pour finir en bonne place. La moindre fausse manœuvre – en l'occurrence celle d'un coureur français qui a fait une queue de poisson à un coureur espagnol – suffit à déclencher la réaction en chaîne. De loin, on a l'impression qu'une bombe a explosé au cœur du peloton. J'ai été pris en plein dedans, sans pouvoir m'arrêter, virer ou faire autre chose que me crisper et me préparer au choc. J'ai pris la mêlée de plein fouet, pilé sec et j'ai été projeté au sol. En heurtant la chaussée, j'ai vu mille étoiles ; il y a eu un craquement. C'était mon épaule.

Et merde !

J'ai franchi la ligne d'arrivée avec le bras gauche qui pendait, comme mort. Les rayons X ont révélé une double fracture de la clavicule, une belle cassure en V. Plus par réflexe qu'autre chose, j'ai demandé si je pouvais continuer la course, et le médecin n'a pas hésité un instant : « Ce n'est pas possible[1]. »

La dépêche a fait le tour du monde : « C'est fini pour Hamilton. » La fracture de la clavicule est une blessure assez courante chez les cyclistes, et l'indication est claire : une ou deux semaines sans vélo, ça ne se discute pas. C'était catastrophique. Tant de travail, tant de préparation, tant de risques. Le film en IMAX, les commanditaires, l'équipe – fini tout ça, envolé. Bjarne et moi avions les larmes aux yeux.

1. En français dans le texte. NdT.

J'ai consulté un deuxième médecin.

Impossible.

J'ai interrogé un troisième médecin – et celui-là m'a donné une lueur d'espoir. Il a dit que la fracture était nette, mais que les os étaient en place. Il y avait donc une chance. J'ai décidé de la tenter.

Le lendemain, en soufflant comme un bœuf et au prix de contorsions cuisantes, je suis parvenu à enfiler mon maillot. Le soigneur m'a posé quelques bandes pour immobiliser la clavicule. Le mécanicien a réduit la pression de mes pneus et ajouté trois couches de guidoline à mon guidon pour amortir les secousses. Pensant que je ne tiendrais que quelques minutes avant de renoncer, l'équipe a apporté ma valise au premier point de ravitaillement, comme ça je pourrais directement filer à l'aéroport.

J'ai grimpé sur mon vélo.

Il existe différents types de douleur. Celle-là était nouvelle pour moi – plus vive, aveuglante; si j'avais dû la décrire par une couleur, j'aurais dit vert électrique. Le moindre petit caillou faisait courir un éclair fulgurant de la pointe de mon doigt jusqu'au sommet de mon crâne; j'étais partagé entre l'envie de hurler et celle de vomir. Seulement voilà: si tu peux supporter les dix premières minutes, tu peux en supporter davantage. Le temps ne compte plus. Curieusement, le chaos et l'intensité de la course avaient un effet apaisant. J'ai poussé plus fort, profitant de la douleur de mes muscles pour me distraire de celle de ma clavicule.

Par bonheur, c'était une étape de plat relativement facile pour le Tour de France. J'ai roulé toute la journée à l'arrière du peloton, et j'ai fini sans décrocher. J'étais pâle comme un linge, je pouvais à peine parler. J'ai vu le regard des autres coureurs, et j'ai compris qu'ils pensaient que je ne serais pas là le lendemain.

Mais le lendemain matin, j'étais toujours là. Une fois de plus, j'ai subi les décharges vert électrique. Une fois de plus, j'ai eu le sentiment que j'allais vomir, m'évanouir, mourir. Une fois de plus, je suis arrivé au bout.

J'ai tenu comme ça la première semaine. La douleur n'était pas moins vive, mais j'ai senti que mon corps et mon esprit s'adaptaient.

Tout le monde s'intéressait à mon cas; c'est devenu un petit événement. Les producteurs du film en IMAX étaient aux anges – ils n'arrêtaient pas de dire: « Tu parles de puissance du cerveau! » J'étais obligé de dire aux gens d'arrêter de me donner des tapes dans le dos; ça faisait vraiment trop mal.

La véritable épreuve de vérité serait la huitième étape, une impitoyable triple ascension. Il y avait le Télégraphe, puis le Galibier, et enfin l'arrivée au sommet de la plus célèbre des bosses, avec ses vingt et un virages en épingle, l'Alpe-d'Huez. Tout le monde savait que Lance et l'US Postal passeraient à l'action à l'Alpe-d'Huez: l'équipe s'était employée à cramer le peloton en imprimant un rythme d'enfer en préparation de l'habituelle attaque de Lance dans la première montée du Tour.

Trois jours avant la huitième étape, j'ai joué un coup d'échecs. Ufe et moi avions prévu ma deuxième transfusion dès le premier jour de repos, c'est-à-dire deux jours après l'Alpe-d'Huez. Mais avec ma clavicule cassée, je me sentais faible. J'avais consommé beaucoup d'énergie pendant la première semaine. Il me fallait ma PS tout de suite. J'ai envoyé un texto à Ufe depuis mon téléphone secret:

« Il faut qu'on dîne ensemble le 11 à Lyon. »

Il m'a immédiatement répondu – ne devions-nous pas nous voir plus tard? Il n'était pas sûr de pouvoir arranger le coup. J'ai insisté. C'était un rôle auquel je n'étais pas habitué – celui du patron intraitable. En gros, j'étais en train de dire à Ufe de la boucler et de faire ce que je lui demandais.

« C'est très important. Il faut absolument que ce soit le 11. »

Le soir du 11, j'étais dans ma chambre d'hôtel à Lyon. Il était 23 heures passées quand on a frappé à ma porte. Ufe est entré avec un sac isotherme. Il était ébouriffé et légèrement contrarié – l'organisation de cette séance l'avait obligé à se mettre en quatre. Mais il était excité aussi. Comme d'habitude, il crachait mille mots à la minute.

« Tyler, tu es cinglé! Tu roules avec une fracture de la clavicule? Ça t'amuse? »

Malgré son agitation, Ufe s'est montré efficace. En quelques minutes, la poche était en place et j'étais branché. Élastique, aiguille, robinet, pif paf. Un quart d'heure plus tard, il repartait dans la nuit et j'étais d'attaque pour l'Alpe-d'Huez.

Tout le monde n'avait pas eu cette chance. Pendant la septième étape, un coureur de l'équipe Kelme nommé Jesús Manzano avait failli mourir après s'être effondré sur le bord de la route. Dans les jours qui ont suivi, on a su par le téléphone arabe ce qui s'était passé. La rumeur disait qu'il avait eu un pépin avec sa PS – peut-être une erreur de manipulation, une conservation mal assurée, une infection. Une mauvaise PS pouvait être mortelle, c'était comme s'injecter du poison. J'ai remercié le ciel de travailler avec des professionnels[2].

Évidemment, il fallait encore affronter les contrôleurs, qu'on appelait les vampires parce qu'ils avaient l'habitude de débarquer très tôt le matin pour prélever du sang et de l'urine. Après cette transfusion anticipée, j'ai redouté d'avoir à y passer – et évidemment, le lendemain matin, notre équipe a été choisie. Par chance, la procédure jouait en ma faveur : les coureurs disposaient après la notification d'un bref laps de temps pour se présenter au contrôle. Ce n'était pas très long, mais suffisamment pour prendre une poche de sérum physiologique en intraveineuse, ce qu'on appelait un *speed bag*, qui fait redescendre l'hématocrite d'environ 3 points. C'est là que les soigneurs et les médecins d'équipe méritent vraiment leur salaire : ils doivent se tenir prêts à tout moment, au cas où on aurait besoin d'eux. L'équipe de CSC était aussi efficace que celle de l'US Postal. Un *speed bag* plus tard, j'étais à l'abri. Quand je vous dis que c'est un sport d'équipe.

* * *

2. Manzano a déclaré que les médecins de l'équipe lui avaient injecté 650 millilitres d'oxyglobine, un substitut sanguin. (La direction de Kelme a nié et prétendu que Manzano avait eu un coup de chaleur.) Plus tard dans la saison, Manzano serait de nouveau gravement malade après une transfusion lors du Tour du Portugal, ce qui l'inciterait à faire des aveux au journal espagnol *AS*. Cette confession a fini par déclencher l'enquête espagnole connue sous le nom d'« opération Puerto », qui a abouti à l'arrestation d'Eufemiano Fuentes puis au scandale qui a mis un terme à la carrière de Jan Ullrich et de quelques autres coureurs de premier plan.

Le dimanche 13 juillet 2003, la courbe de l'innovation a rattrapé Lance et l'équipe US Postal à l'Alpe-d'Huez. Il faisait une chaleur infernale ; sur la route le goudron fondait. Dans la deuxième ascension du jour, au Galibier, Postal avait envoyé cinq coureurs en première ligne et mis un coup de massue. Les années précédentes, le peloton se serait décomposé et Lance n'aurait plus eu qu'une poignée de rivaux. Mais cette fois, ça n'a pas marché ; nous étions encore une trentaine à franchir le sommet avec lui. Et nous n'avions pas l'air mal en point.

Il y avait Ullrich, plus affûté que je ne l'avais jamais vu. Dans la décontraction de sa gestuelle, dans l'aisance avec laquelle il répondait aux accélérations, on percevait presque la patte de Cecco.

Mayo et Beloki, qui portaient les couleurs d'équipes différentes (le premier courait pour Euskaltel-Euskadi et le second pour Once), avaient des personnalités diamétralement opposées : Beloki avait des yeux tristes et des manières mélancoliques, alors que Mayo était charismatique et bel homme. Mais ils avaient en commun la passion de l'offensive et la témérité : ils ne couraient pas pour obtenir une place, ils couraient pour gagner.

Puis il y avait Alexandre Vinokourov, le Kazakh fou. Malgré ses épaules de déménageur, Vino était un tueur sur roues : attaquant infatigable, aussi bon dans les contre-la-montre que dans les montées, l'un des meilleurs visages de marbre du peloton. Impossible de deviner quand il s'apprêtait à lancer une attaque kamikaze. Par ailleurs, je le soupçonnais d'être lui aussi correctement préparé. Un jour, alors que j'attendais à Madrid près du cabinet d'Ufe, je l'avais aperçu dans un café.

Au pied de l'Alpe-d'Huez, cinq coureurs de l'US Postal se sont positionnés en tête de course. Heras et Chechu ont sprinté – à fond les manettes, avec tout le vice dont ils étaient capables. C'était le genre de coup qui leur avait permis de gagner les quatre Tours précédents, quelques minutes de démultiplication de puissance en watts. L'espace d'une seconde, j'ai été largué. Puis j'ai comblé l'écart.

C'est là que ça s'est produit. Si vous voulez voir comment le dopage peut influencer une course, regardez ces 10 secondes au pied de l'Alpe-d'Huez en 2003. Quand Lance et sa bande ont accéléré, je me suis instantanément retrouvé à cinq ou dix mètres derrière. Sans la PS, l'écart se serait creusé et je ne serais jamais revenu ; c'en aurait été fini de ma journée. Mais la PS m'a procuré ces 5 battements de cœur, ces 20 watts supplémentaires. C'est grâce à la PS que j'ai pu m'accrocher et revenir. Sur les images, on me voit surgir du bas de l'écran ; je rattrape le groupe de tête. Et quand Lance se retourne, je suis là.

Lance poursuit son attaque, il mouline, il atteint ses chiffres. Mais il n'arrive pas à nous semer : il y a Mayo et son coéquipier Haimar Zubeldia, Beloki et Vino. Et pas le moindre membre de Postal : Lance est désormais seul, il a largué ses soutiens.

Après quelques minutes, Lance se redresse, il se met en danseuse pour donner son maximum. Moi j'en suis incapable – ma clavicule me fait trop souffrir – alors je grince des dents, toujours assis, et je puise aussi profond que je le peux. Une fois encore, c'est comme nos entraînements d'autrefois, quand il n'y avait que lui et moi dans les hauteurs niçoises. Il donne tout, et je réponds :

« *Et ça, t'en dis quoi ?*

— Je suis là.

— *Et ça ?*

— Toujours là. »

Faisons un peu de maths : dans une montée le meneur dépense 15 à 20 watts de plus que le coureur dans sa roue. C'est la raison pour laquelle on a intérêt à suivre aussi longtemps que possible, à conserver son énergie pour les moments décisifs, les attaques et les poursuites. « Brûler ses cartouches » signifie bien que chaque coureur ne peut produire qu'un nombre déterminé d'efforts. Là, à l'Alpe-d'Huez, Lance brûlait une cartouche après l'autre.

Nous l'avons compris, alors nous attaquons Lance. D'abord Beloki, ensuite Mayo, puis moi. Et ça marche. Lance se retrouve derrière. Pendant quelques secondes, je m'extrais du paquet. Les téléspectateurs entendent les commentateurs Phil Liggett et Paul Sherwen dans tous leurs états.

« On n'a jamais vu une telle ascension, s'écrie Liggett. Ils pensent que [Lance] est vulnérable ! Ils croient vraiment qu'Armstrong peut être battu ! »

Lance fait une sale tête : le front barré de rides profondes, la lèvre inférieure pendante, la tête penchée en avant. Il se traîne à ma hauteur. C'est alors que Mayo sonne la charge, il s'échappe sur la route, son maillot orange ouvert battant au vent comme la cape d'un super-héros. Vinokourov lui emboîte le pas ; Lance les laisse filer l'un et l'autre. Je tente une nouvelle échappée, mais Lance tient bon. Les rôles sont inversés ; c'est lui qui me dit : « Je suis toujours là, mon pote. »

Dans les derniers lacets, nous sommes l'un et l'autre à court de cartouches ; c'est côte à côte que nous avalons les derniers kilomètres de montée. Mayo décroche la victoire, Vino est 2e ; Lance et moi finissons parmi cinq autres coureurs, Ullrich est à 1 minute 24. Les médias ne parleront que de la défaillance de Lance. Mais nous, les coureurs, nous savons qu'ils n'ont rien compris. La vérité c'est que, pour la première fois depuis que je participe au Tour de France, tout le monde est à égalité.

Au cours des jours suivants, à force de compenser ma clavicule, je me suis comprimé un nerf au bas du dos. La douleur était plus forte encore que celle à l'épaule, mon dos, secoué de spasmes, s'est bloqué. Au soir de la dixième étape, c'est devenu insoutenable. J'avais du mal à marcher. Je respirais avec difficulté. On a essayé toutes les méthodes habituelles : massage, glace, chaleur, paracétamol – rien n'y a fait. C'était comme si un poing d'acier avait saisi ma colonne vertébrale et la serrait.

Le kiné de CSC, un homme dégingandé aux airs *New Age* nommé Ole Kare Foli, a décidé de tenter une manipulation de chiropraxie d'un type extrême – ça consiste en gros à me redresser comme on redresserait un bout de tuyau de cuivre. Je lui ai demandé de faire vite. Pendant que je hurlais, Ole et Haven pleuraient et Tugboat aboyait. Mais après, j'étais soulagé. J'ai perdu un peu de temps dans les deux étapes qui ont suivi, sans pour autant abandonner toute chance d'accéder au podium.

Au départ de la quinzième étape, la course était plus serrée que jamais : cinq coureurs se tenaient dans un intervalle de 4 minutes 37. L'US Postal, qui n'avait manifestement plus qu'une carte à jouer, a de nouveau tenté de nous battre par la force brute ; et ça n'a pas marché. Dans la dernière montée du jour, vers Luz Ardiden, nous sommes tous restés groupés. Mayo a porté la première attaque ; Lance l'a pris en chasse et nous avons suivi. Lance a rattrapé Mayo, puis il est lui-même passé à l'attaque.

Quand Lance est en tête, il cherche parfois à mettre ses poursuivants en difficulté en roulant aussi près que possible des spectateurs sur le bord de la route ; ses rivaux ont plus de mal à profiter de son appel d'air que s'il était au milieu. On appelle ça « laisser un demi-courant d'air » ; la méthode est utile, mais aussi risquée. Si on roule trop près du public, tout peut arriver.

Un garçon d'une dizaine d'années jouait avec une musette de plastique jaune – un sac de ravitaillement qu'il gardait comme souvenir – et quand Armstrong est passé, son guidon a accroché la sangle de la musette ; le garçon n'a pas lâché prise, et Lance est tombé, suivi de Mayo ; Ullrich les a évités en faisant une embardée.

On a continué à rouler. Dans ce genre de situation, la tradition veut qu'on suspende toute attaque et qu'on attende que le maillot jaune ait rejoint le groupe – c'est le vieux code de chevalerie du vélo. Alors on a continué à pédaler plus tranquillement, en attendant Lance.

Ullrich aussi pédalait toujours. Il était deux cents mètres devant nous, mais je n'avais pas l'impression qu'il attendait. Il n'attaquait pas vraiment, mais il n'avait pas ralenti non plus. J'ai décidé de griller une cartouche pour le rattraper et lui demander de baisser d'un cran. Cela m'a pris environ une minute et, quand je suis arrivé à sa hauteur, j'ai fait un geste pour lui demander ainsi qu'aux autres de ralentir. Ullrich s'est exécuté, et Lance nous a rejoints. Puis Lance a décollé et remporté l'étape de façon impressionnante, mettant 40 secondes dans la vue à Ullrich et 1 minute 10 à moi, ce qui lui donnait une petite marge alors que la fin du Tour approchait.

Ce soir-là, Haven a reçu un texto de Lance. « Tyler a montré beaucoup de classe aujourd'hui. Ton mari est vraiment un homme bien. Merci mille fois. » Ça m'a fait plaisir. Mais pas autant que le sentiment d'avoir fait mon devoir. Il ne s'agissait pas de Lance. C'était une question d'équité. Même dans notre monde – surtout dans notre monde – il est parfois bon de respecter les règles.

Le soir, j'ai retrouvé Ufe dans un hôtel des environs pour recevoir ma troisième PS. Tout s'est bien passé, mais j'avais comme un regret lancinant, celui de ne pas l'avoir fait plus tôt ; ça m'aurait évité de perdre du temps à la treizième et à la quatorzième étape. À présent que ma clavicule était plus stable, je savais qu'il fallait que je fasse bon usage de cette PS. Le lendemain serait ma dernière chance de réussir quelque chose dans ce Tour : la seizième étape, de Pau à Bayonne, avec les dernières grandes ascensions.

La journée a mal commencé : très vite, je me suis retrouvé coincé derrière un groupe qui s'est fait lâcher, et j'ai perdu du terrain. Je me sentais lourd et ankylosé, comme cela m'arrivait parfois après une transfusion. J'ai dû faire appel à des coéquipiers pour me remettre dans le rythme ; assez vite, j'ai retrouvé les avant-postes et je me suis senti mieux.

Dans la première grande bosse du jour, j'ai porté une attaque qui m'a permis de constituer un petit groupe d'échappés. On a creusé l'écart, et alors que nous approchions de la grande épreuve du jour, le col Bagargui, j'ai décidé d'attaquer à nouveau. J'ai baissé la tête, roulé à mort et, quand je l'ai relevée, j'étais tout seul dans la brume, avec encore 96 kilomètres à parcourir.

Une échappée solitaire est une drôle d'expérience ; j'imagine que ça doit ressembler à une traversée de l'Atlantique à la rame. On commence avec un sentiment de libération, on se dit « Advienne que pourra ! » ; on dépense son énergie sans compter, on n'a rien à perdre. Puis, au fil du temps, l'esprit se met à vous jouer des tours. L'humeur bascule d'un extrême à l'autre. On se sent seul et désespéré, puis, l'instant d'après, invincible.

Je me suis donné comme jamais. Je suis généralement assez fier de ma capacité à garder un visage de marbre, mais comme en témoignent les photos, ce jour-là, les apparences n'étaient plus de mise : j'ai les yeux exorbités, bouffis, la langue pendante, la tête en arrière ; je suis au bord du malaise. Mes jambes, elles, avaient du jus. Elles moulinaient sans faiblir.

J'ai amélioré mon avance : 2 minutes, puis 3 minutes, puis 4, puis, incroyable, 5 minutes. À mesure que l'écart se creusait, je me sentais de plus en plus fort : j'avais entamé la journée avec 9 minutes de retard sur Lance ; j'étais à présent en train de me faire une place sur le podium. Derrière, le peloton, inquiet, s'est mis en chasse, notamment les équipes dont les coureurs voyaient le podium leur échapper. J'avais l'impression d'entendre Lance grogner : « Pas normal ! » Ils ont roulé à fond de train, mis le paquet pour me rattraper, les équipes qui avaient le plus à perdre se relayant en tête. Mais ils ne pouvaient pas m'atteindre. Pas aujourd'hui. Tout le reste est passé au second plan – l'accident, ma clavicule, le nerf comprimé. Ce jour ne serait pas comme les autres. La longue course jusqu'à Bayonne était un parcours de montagnes russes, une succession de bosses et de descentes aussi brèves que raides. Une pensée m'a fait sourire intérieurement. C'était exactement comme l'entraînement avec Cecco dans les collines toscanes, quand on faisait nos 40-20. J'ai mis à profit la puissance améliorée de mon moteur. Dans mon oreillette, j'entendais la voix de Bjarne qui m'encourageait calmement :

« Tu es en train d'exploser le Tour de France. »

« Tyler, Tyler, Tyler, tu es si fort. »

« Ils ne te rattraperont pas. »

On dira ce qu'on voudra des PS et de l'Edgar ; on pourra me traiter de tricheur et d'alambic ambulant jusqu'à plus soif. Le fait demeure que, dans une course où chacun avait les mêmes chances, j'ai joué le jeu et je l'ai bien joué. J'ai saisi une occasion et je me suis botté l'arrière-train aussi fort que je le pouvais, et à l'arrivée, j'ai fini 1er. En approchant de la ligne, j'ai ralenti pour laisser Bjarne venir à ma hauteur, et nous avons levé les bras en nous tenant la main pour célébrer la victoire. La presse a parlé d'échappée la plus longue et la plus courageuse de l'histoire du Tour. Certains coureurs ont bien marmonné sur ma performance d'« extraterrestre », mais ça m'était égal. Quelques jours plus tard, Lance remportait le Tour de justesse devant Ullrich et Vino ; grâce à mon échappée, je me suis classé 4e au général, mon meilleur résultat. Je n'étais pas tout à fait sur le podium. Mais, de ma position, il était dans ma ligne de mire.

Malheureusement, quelques jours plus tard, le chemin de Bjarne Riss et le mien se sont séparés. Malgré notre estime mutuelle, malgré les succès remportés, un point essentiel nous opposait encore. Je sentais que j'avais besoin du soutien de toute l'équipe, et Bjarne tenait à son idée de deux leaders. J'ai compris que c'était fini pendant la treizième étape, quand Bjarne, dans la voiture d'équipe, m'a dépassé en trombe pour aller soutenir Carlos Sastre qui visait la victoire d'étape. Ça a été dur de quitter CSC. Quand j'ai fait part à Bjarne de ma décision, nous avons pleuré ensemble. Il m'a dit qu'il n'avait jamais connu de coureur aussi bosseur que moi ; j'appréciais le compliment, et j'appréciais l'homme. Mais je n'étais plus une jeune pousse ; à trente-trois ans, je ne pouvais pas me permettre d'attendre.

J'ai signé pour les saisons 2004 et 2005 chez Phonak, une jeune équipe suisse prometteuse. Le propriétaire de l'équipe, un joyeux magnat suisse aux allures d'ours nommé Andy Rihs, était le patron rêvé : attitude positive, grandes ambitions, soutien sans faille. L'accord portait sur un salaire de 900 000 dollars par an plus les primes. Ces sommes, et le soutien d'Andy, me garantissaient que je serais leader d'équipe pour le Tour et que 2004 serait l'année du quitte ou double.

* * *

Début août, de retour aux États-Unis, j'ai eu droit à une grosse surprise : je m'étais fait une petite notoriété – qui durerait quelques semaines. Je savais que ma performance lors du Tour avait attiré l'attention sur moi au pays, mais pas à ce point. Sans avoir eu le temps de comprendre ce qui m'arrivait, je me suis retrouvé à bavarder à la télé avec Matt Lauer au *Today Show*, à donner le coup d'envoi d'un match des Red Sox, à sonner la cloche d'ouverture de la séance à Wall Street. Les traders m'ont fait un accueil particulièrement enthousiaste (apparemment, beaucoup d'entre eux suivaient le Tour). Ils se sont mis à m'appeler « Tyler *Fucking* Hamilton » – « Eh, regarde, c'est Tyler *Fucking* Hamilton » – un surnom qui a fini par me coller à la peau.

Ma ville natale a organisé une parade qui a rassemblé 3 000 personnes au Seaside Park de Marblehead ; il y avait des drapeaux, des t-shirts et des pancartes jaunes où l'on pouvait lire : « Tyler est notre héros ». Un panneau a été posé à l'entrée de l'agglomération : « Ville natale de Tyler Hamilton, cycliste de catégorie mondiale ». Une flotte de vélos nous ouvrait la voie ; assis à l'arrière d'une décapotable flambant neuve, Haven et moi saluions la foule. Je suis monté sur une estrade, j'ai prononcé quelques mots et on m'a remis les clés de la ville. Parcourant les lieux du regard, j'ai vu l'expression des visages – des visages heureux, admiratifs, souriants.

C'était trop pour moi.

Comprenez-moi bien – j'appréciais la chose plus que je ne saurais le dire. J'étais honoré et reconnaissant de tous ces vœux de bonheur ; la présence des amis et des parents qui m'avaient vu grandir était une chose merveilleuse. Mais tout au fond de moi-même, j'avais honte. Et les louanges ne faisaient qu'aggraver ce sentiment.

Le pire, c'est que ça n'arrêtait plus. Des inconnus ont déposé des cadeaux devant ma porte ; j'ai reçu de longues lettres chargées d'émotion pour me dire à quel point j'étais une source d'inspiration ; on m'a demandé en mariage par courriel, on a donné mon nom à des nouveau-nés. Pour évacuer, j'essayais de faire diversion. Dès qu'un fan m'interrogeait à propos de ma clavicule, ou de ma victoire d'étape, je changeais de sujet. Je lui posais des questions sur son village, son équipe de baseball préférée, ses animaux domestiques – tout, sauf moi. Ou alors, quand on me félicitait, je répondais quelque chose du genre « N'exagérons rien, ce n'est jamais qu'une course à vélo ». J'étais sincère – nous ne réglons pas le problème de la faim dans le monde, nous ne sommes qu'une bande de types maigrichons qui nous battons avec nos tripes pour franchir la ligne d'arrivée avant les autres. Mais ces manœuvres ne produisaient généralement que l'effet inverse, parce qu'on me prenait alors pour le comble de la modestie et de l'altruisme.

J'étais piégé: quoi que je fasse, ça engendrait encore plus de gloire, encore plus d'attention.

Je me rappelle avoir pensé: *Voilà ce que vit Lance chaque jour, sauf que pour lui c'est cent fois pire.* Nous étions pris dans le même piège, et il n'y avait pas d'issue. Qu'allais-je faire? Prendre ma retraite? Dire la vérité? Me mettre à rouler paniagua? Le monde ne se serait pas contenté de ça, il en voulait toujours plus. Il faudrait donc que j'en fasse encore plus – que je continue à gagner, à être le héros dont tout le monde rêvait.

Avec Haven, on s'est acheté une maison dans la banlieue de Boulder, sur Sunshine Canyon Road, avec une vue imprenable sur les Rocheuses, un piano à queue dans le salon et une déco élaborée (il y avait même une tête d'élan sculptée dans les boiseries murales). On avait apparemment tout ce qu'on voulait. Mais la vérité me rongeait de l'intérieur.

À l'automne 2003, j'ai fait la pire dépression de ma vie. J'ai sombré au fond d'un océan de noirceur. Je passais des jours entiers au lit. Je n'éprouvais plus le moindre intérêt pour le vélo, pour la nourriture, pour tout ce qui peut procurer du plaisir. Selon tous les indicateurs, j'étais au sommet de ma carrière; j'avais à peu près rempli tous les objectifs que je m'étais fixés, et au-delà. J'avais réussi, j'étais riche, toutes les portes s'ouvraient à moi. Mais j'étais profondément malheureux.

Ce que les gens ont du mal à comprendre concernant la dépression, c'est à quel point ça fait mal. C'est comme si le cerveau, persuadé qu'il est en train de mourir, sécrétait un acide qui vous ronge de l'intérieur, jusqu'à ne laisser qu'un vide effrayant. L'esprit se remplit d'idées noires; on se persuade que nos amis nous détestent secrètement, qu'on ne vaut rien, qu'il n'y a pas d'espoir. Je n'en suis jamais arrivé au point d'envisager de mettre fin à mes jours, mais je comprends parfaitement que certains en viennent là. La dépression est tout simplement trop douloureuse.

On s'en est sortis. Haven a trouvé des excuses pour les amis et m'a pris un rendez-vous chez un médecin formidable, qui m'a prescrit de l'Effexor, 150 milligrammes par jour, de quoi aider mon cerveau à remonter la pente. Lentement, centimètre après centimètre, j'ai refait surface. Après quelques semaines, la noirceur a reculé ; j'ai commencé à retrouver l'appétit de vivre. Haven a été merveilleuse ; elle a fait montre d'une compréhension infinie et s'est occupée de moi jusqu'au moment où je me suis senti assez fort pour revenir dans le monde, assez fort pour remonter sur mon vélo.

Parmi les choses qui me faisaient du bien, il y avait notre travail au sein de la Fondation Tyler Hamilton, qui se développait rapidement grâce au surcroît d'intérêt que j'avais suscité. L'une de nos activités principales consistait à organiser des parcours collectifs à vélo pour récolter des fonds et faire connaître notre cause ; j'ai été surpris par le nombre de personnes atteintes de sclérose en plaques qui se sont jointes à nos randonnées. Il me suffisait de voir le sourire qui éclairait le visage de l'une d'elles, ou le mal qu'elles se donnaient dans une montée un peu abrupte, pour que s'estompent les scrupules que m'inspirait ma propre réussite. Leur combat, leur résistance m'ont aidé à redonner un sens à ma vie.

Au début de la saison 2004, nous étions meurtris, mais nous avions gagné en sagesse. Arrivés au sommet du cyclisme professionnel, nous n'y avions trouvé que vide et désolation. Je crois que c'est à ce moment-là que nous avons commencé à évoquer ma retraite avec Haven. On voulait arrêter cette vie de dingues, se poser et mener une existence normale ; avoir des enfants, des amis, passer du temps ensemble, prendre de vrais repas, aller se promener. Au lieu de réfléchir à la meilleure manière de prolonger ma carrière, on s'est mis à rêver d'autre chose : je passerais deux ans chez Phonak, après quoi je ramasserais mon dû et on rentrerait à la maison.

CHAPITRE 12

Tout ou rien

Début 2004, j'étais de retour en Europe et d'attaque, et l'équipe Phonak aussi. D'Andy Rihs, le propriétaire, jusqu'aux mécaniciens, tout le monde était sur le pont, et le Tour de France dans notre ligne de mire. S'il avait fallu une devise pour illustrer cette année, ç'aurait été « Tous pour un, et un pour tous ».

Il y avait d'abord les individus. Notre directeur était un homme plaisant et calme nommé Álvaro Pino, qui avait tenu les rênes de la puissante équipe Kelme. Nous avons embauché un trio de coureurs espagnols, Óscar Sevilla, Santos González et José Gutiérrez, pour compléter le tableau de service où figuraient déjà Santiago Pérez, les Suisses Alex Zülle, Oscar Camenzind et Alexandre Moos, ainsi que le dur à cuire slovène Tadej Valjavec. Je suis venu de CSC avec dans mes valises Nicolas Jalabert, coureur intelligent et excellent compagnon. L'ambiance de camaraderie était d'autant plus forte que certains des Espagnols travaillaient déjà avec Ufe, qui avait été le médecin de Kelme.

Lors du stage d'entraînement, j'ai donné le ton : nous ne ménagerions pas nos efforts, mais nous ferions aussi preuve de solidarité entre nous. J'ai pris soin de montrer que je n'étais pas une diva. Je travaillais plus dur que les autres ; je m'intéressais à chacun, j'ai appris à connaître tous mes coéquipiers et leurs familles. J'ai fait de mon mieux pour que notre culture d'équipe soit différente de celle de l'US Postal.

Nous avons mis l'accent sur l'innovation et la technologie. En collaboration avec le fabricant de vélos BMC (qui présentait l'avantage pratique d'appartenir aussi à Rihs), l'équipe a pris part à la conception d'une nouvelle ligne de vélos que j'utiliserais pendant le Tour – des engins légers, rapides, inspirés des voitures de course. Nous disposions des meilleures combinaisons pour les contre-la-montre, des meilleurs cuisiniers, des meilleurs soigneurs. Notre autocar était une petite merveille : un engin de vedette rock flambant neuf et bien mieux équipé que celui de l'US Postal, avec deux toilettes, des couchettes en cuir, une chaîne stéréo, la télé, des simulateurs d'altitude, un atelier.

Quand j'ai vu Ufe, au mois de février, il m'a annoncé une grande nouvelle : il venait d'acheter un congélateur. Pas un modèle ordinaire, mais un congélateur médical qui, agrémenté de quelques accessoires, serait au cœur d'une innovation majeure qu'il était en train de préparer. Ufe l'appelait la « Sibérie ».

Avec un débit encore plus accéléré que d'habitude, Ufe m'a exposé son idée : au lieu de réfrigérer le sang de la façon habituelle – ce qui supposait de faire des allers-retours à intervalles réguliers à Madrid – il mettrait les PS au congélateur. Une fois congelée, une PS se conservait indéfiniment. C'était pour mes oreilles une mélodie très agréable. Je ne connaîtrais plus les embêtements et le stress de la navette PS ; je pourrais effectuer les dépôts quand ça me conviendrait. Et au lieu de me limiter à deux ou trois PS pendant le Tour, je pourrais en prendre davantage.

Ufe m'a expliqué qu'il fallait tenir compte de deux facteurs. D'abord, la Sibérie me coûterait plus cher. Maintenir les globules rouges en vie lui demanderait beaucoup de travail et de temps, puisqu'il fallait les mélanger lentement à une solution de glycol (en gros, de l'antigel) qui remplacerait l'eau et éviterait l'éclatement des cellules lors de la congélation. Ensuite, les PS sibériennes seraient légèrement moins puissantes que les PS gardées au frais : le traumatisme du processus de congélation ne permettrait de préserver que 90 % des globules rouges – la différence n'était pas énorme, mais devait être signalée. Ufe m'a expliqué que les 10 % de globules morts s'évacueraient dans l'urine, qui prendrait pendant quelque temps une teinte de rouille, un effet déconcertant, mais sans gravité.

Le meilleur restait à venir (Ufe était un excellent vendeur). Il m'a dit qu'il ne proposerait pas la Sibérie à tous ses clients, seulement à quelques heureux élus : moi, Ullrich, Vino et Ivan Basso. Ça me coûterait 50 000 dollars pour la saison, plus les primes habituelles en cas de victoire.

Je n'ai pas hésité, parce que je n'avais pas vraiment le choix. Soit je laissais mes rivaux profiter du congélateur sans moi et je restais derrière eux, soit je me joignais au club. D'une certaine façon, je trouvais assez équitable que nous suivions tous les quatre les recommandations du même médecin, que notre sang soit conservé dans le même congélateur – ça nivelait le terrain de jeu. J'ai donc dit à Ufe que j'étais d'accord, et je l'ai remercié. Je ne découvrirais que plus tard combien cette gratitude était prématurée.

* * *

Je n'ai jamais été aussi occupé que ce printemps-là, avec ma préparation individuelle et celle de l'équipe pour le Tour 2004. Il y avait mille détails à considérer, mille choix à faire. Par moments j'étais relativement serein, mais à d'autres, j'étais à la limite de l'implosion.

Je me souviens en particulier d'une visite rendue à Ufe. Je venais de terminer une course ; j'étais épuisé, je traînais un sac à roulettes. Ufe m'a fait attendre plus longtemps que d'habitude. J'avais déjà réservé mes billets pour Gérone et je n'avais qu'une envie, rentrer chez moi. J'ai bu café sur café. Quand le SMS a fini par arriver – *la voie est libre* – j'ai rejoint Ufe à toute vitesse, je me suis allongé et il s'est mis au travail. Une fois branché, j'ai serré le poing pour faire sortir le sang plus vite.

La poche a fini de se remplir et je me suis relevé d'un bond. D'habitude, je gardais le bras levé pendant quelques minutes en pressant une boule d'ouate à l'emplacement de la piqûre – mais cette fois j'étais trop pressé et je n'ai pas respecté le protocole. J'ai mis un pansement pour maintenir l'ouate, rabaissé mes manches, pris congé et je suis parti. Une fois dehors, j'ai couru dans les rues de Madrid pour attraper un taxi, traînant mon sac sur les pavés, inquiet d'être en retard. Soudain, j'ai ressenti une étrange sensation d'humidité à la main. J'ai regardé, elle était trempée de sang. Ma manche était imbibée. J'ai regardé mon bras, et on aurait dit que je l'avais trempé dans de la peinture rouge. J'avais l'air d'un individu qui vient de commettre un meurtre.

J'ai vite plongé ma main sanguinolente dans ma veste et pressé sur l'orifice laissé par l'aiguille dans mon bras. Dans le taxi, j'ai fait mon possible pour essuyer le sang sur le bras et la main avec des mouchoirs en papier en essayant de ne pas attirer l'attention du chauffeur. À l'aéroport, je me suis rué aux toilettes. J'ai jeté la chemise à la poubelle et l'ai recouverte de papier essuie-mains. J'ai lavé le sang sur ma main, sur mes ongles, sur mon poignet au-dessus de l'évier. J'ai frotté et frotté, parce que je ne voulais pas me faire repérer, mais aussi pour que Haven ne voie pas ça ; je ne voulais surtout pas l'inquiéter.

Quand je suis arrivé à la maison, Tugboat m'a flairé la main et s'est agité ; il sentait qu'il y avait quelque chose d'anormal. Haven m'a demandé comment s'était passé mon voyage. J'ai répondu : « Sans problème. »

* * *

De retour à Gérone, notre existence a pris un tour nouveau quand Lance s'est présenté sans Kristin, mais avec sa nouvelle petite amie, Sheryl Crow. On avait eu vent du divorce soudain de Lance et Kristin, mais on ne s'attendait pas à voir les choses évoluer si vite. Sheryl avait l'air sympathique, très terre à terre, et Lance avait l'air heureux, du moins en apparence.

On ne se voyait pas beaucoup, sauf quand on se croisait dans l'entrée de notre immeuble ou au café d'en face. Mais on s'observait mutuellement, à plusieurs niveaux. Les médias n'en avaient que pour la rivalité

Lance-Tyler ; sur Internet ou à la une des magazines, pas moyen d'échapper à l'annonce du grand duel du Tour de France. En public, j'affichais ma modestie habituelle, me contentant d'évoquer mon espoir d'accrocher une place sur le podium du Tour. Mais en privé, avec mes nouveaux coéquipiers, je visais plus haut. Je visais la victoire.

La saison a mal démarré. Mais les choses se sont arrangées peu à peu. J'ai fini 12e du Critérium international, 14e du Tour du Pays basque, et 9e en défendant mon titre dans le Liège-Bastogne-Liège, course avant laquelle j'ai pris une PS. Je donnais de la voix, je faisais preuve de plus de fermeté. Lors de la préparation du contre-la-montre par équipes, par exemple, quand les gars ne roulaient pas en formation serrée, je ne me privais pas de gueuler. Autrefois, je me serais contenté de remarques sur le ton de la plaisanterie, j'aurais essayé d'être gentil. Mais là, j'y allais sans détour : « Merde, les gars, remuez-vous le cul ! »

Ça a commencé à venir lors du Tour de Romandie, fin avril, que j'ai remporté, et où nous avons placé trois coureurs parmi les six premiers au classement général. À l'arrivée, on s'est embrassés en riant et en chahutant. C'était formidable : on l'avait emporté dans le plus pur style des US Postal, mais avec notre touche à nous, le sourire plutôt que la grimace.

Le principal objectif du printemps, c'était le Critérium du Dauphiné, la répétition générale du Tour. La plupart des têtes d'affiche prendraient le départ : Lance, Mayo, Sastre, Leipheimer. Nous allions faire passer le message : il faudrait compter avec Phonak.

Avant le départ du Dauphiné, je me suis rendu à Madrid avec une poignée de coéquipiers pour une transfusion. On a fait au plus simple : on est descendus dans un hôtel près de l'aéroport ; Ufe et Nick nous y ont rejoints et chacun a eu droit à sa PS dans sa chambre. Il y avait quelque chose d'étrange à faire ça tous ensemble, on se serait cru revenus juste avant l'affaire Festina, quand le dopage était organisé par les équipes. J'appréciais moyennement que mes coéquipiers connaissent le détail de ma préparation, et je ne tenais pas à savoir ce qu'ils faisaient de leur côté ; je me sentais tout nu, exposé. Mais je tenais aussi à faire une bonne course, alors je n'ai pas protesté. Une fois les PS transfusées et Ufe reparti, tous les voyants étaient au vert. Nous nous sommes mis en route avec une excitation muette, totalement persuadés que nous allions réussir.

On devinait généralement quelles équipes s'étaient spécifiquement préparées pour une épreuve en repérant les coureurs qui se distinguaient dans le prologue. De la même façon, on pouvait dire quelles équipes avaient donné du sang avant une course parce que leur prestation s'en ressentait (je l'avais vécu moi-même lors de la Route du Sud après ma première transfusion en 2000). Nous avons fait un prologue époustouflant : cinq coureurs Phonak étaient dans les huit premiers, alors que ceux de l'US Postal occupaient la 12e, la 25e, la 35e et la 60e place. Pendant les premiers jours de la course, j'ai senti que quelque chose tracassait Lance. D'habitude, il me parlait pendant les étapes, cherchait à m'intimider, envoyait quelques messages bien sentis. Là, pas le moindre mot.

Le gros morceau de la course était la quatrième étape, le contre-la-montre individuel sur le bon vieux mont Ventoux. C'est là que chacun abattrait ses cartes. Ce matin-là, à Bédoin, la ville du départ, on aurait pu se croire en plein Tour de France. Il y avait des drapeaux, des chapiteaux, des fanions, des centaines de personnes dans tous les coins. Beaucoup de rumeurs circulaient à propos de Lance, la plupart concernant la parution prochaine d'un livre de David Walsh qui relançait les accusations de dopage en apportant de nouveaux éléments. Autour de l'autocar de l'US Postal, l'ambiance était tendue. Tête basse, personne ne pipait mot, l'entourage de Lance marchait sur des œufs. À voir les mines fermées, les regards soucieux, j'ai éprouvé l'immense soulagement de ne plus faire partie de ça.

Autour de notre autocar, en revanche, tout était calme et maîtrisé ; chacun faisait son travail. J'avais un nouveau vélo de grimpeur – léger comme une plume, noir comme le jais, sans le moindre logo, on aurait dit un prototype d'engin volant ultrasecret. Je me suis échauffé sur les rouleaux. On sent quand on va faire une bonne course, et là je le sentais bien : mes jambes étaient à la fois souples et réactives. Le départ se déroulerait selon l'ordre inverse du classement, avec 2 minutes d'intervalle entre deux coureurs, chacun roulant seul dans la montagne. Lance partirait juste avant moi. Mayo juste après.

Les premières pentes du Ventoux sont interminables. C'est une montée assez raide dans une forêt de pins. J'entendais devant moi les acclamations que soulevait le passage de Lance. J'ai poussé pour entendre cette clameur de plus près. En émergeant dans le célèbre paysage lunaire de roche blanche, j'ai eu l'impression de me réveiller, de venir au monde. J'avais de bonnes sensations : après avoir poussé jusqu'à la limite, je m'y maintenais et poussais même un peu plus. La clameur de la foule se rapprochait vraiment ; j'ai aperçu Lance devant moi. Il était en danseuse, comme il le fait quand il a atteint sa limite. Je voyais à son attitude qu'il était au taquet. Et je le rattrapais. Dans mon oreillette, j'ai entendu mes temps intermédiaires. Aux deux tiers de l'ascension, je lui avais pris 40 secondes. J'ai essayé de me détendre – pas de quoi s'emballer pour l'instant – et poussé plus fort encore.

Monter le Ventoux est une drôle d'expérience, surtout à l'approche du sommet. L'absence de repères – il n'y a pas d'arbres, pas de bâtiments – rend les distances trompeuses. On a parfois l'impression de rouler vite, parfois de faire du surplace. Là, j'avais l'impression de voler. Je voyais Lance devant moi, dans le miroitement flou de la chaleur. J'ai cru un moment que j'allais le rattraper et le dépasser. Et j'y suis presque arrivé. Au moment de franchir la ligne, j'avais accompli l'ascension du Ventoux la plus rapide de l'histoire. J'avais aussi pris 1 minute 22 à Lance en moins d'une heure – ce qui n'est pas rien. Mieux encore, cinq de mes coéquipiers étaient parmi les treize premiers ; à part Lance, tous les US Postal étaient dans le ventre du peloton[1].

J'ai furtivement croisé Lance au sommet. Il avait le visage fermé. Sa serviette autour du cou, il n'a pas prononcé un mot, ni à moi ni à

---

1. Jonathan Vaughters, qui en était, témoigne qu' « après la course, Floyd [Landis] était tout blanc ; il avait une mine de déterré. Je lui ai demandé ce qui lui arrivait et il m'a répondu qu'il avait donné une poche de sang juste avant la course. » Selon Landis, l'équipe de l'US Postal au Tour de France a subi une transfusion quelques jours avant le Dauphiné.

qui que ce soit. Il semblait inquiet. Il avait bouclé le Ventoux plus vite que jamais, et on l'avait avalé tout cru. Dans trois semaines, le Tour commencerait et, pour lui, tout était en jeu : une sixième victoire consécutive, un record, le statut de plus grand vainqueur de l'histoire du Tour, pour ne rien dire des millions que lui verseraient Nike, Oakley, Trek et ses autres commanditaires. Je savais qu'il attaquerait ; mais j'ignorais comment il s'y prendrait.

* * *

Ce soir-là, trois heures après l'arrivée au Ventoux, la direction de Phonak a reçu une demande très inhabituelle de l'UCI : dès la fin de la course, je devais me présenter au siège de l'Union, à Aigle, en Suisse, pour un entretien individuel. J'étais perplexe et un peu inquiet. Aucun coureur à ma connaissance n'avait jamais été convoqué au siège de l'UCI. J'ai eu l'impression d'être appelé chez le proviseur – « Hein Verbruggen veut vous voir ». Oui, mais pourquoi ?

J'étais un peu nerveux, mais je ne pensais pas que je m'étais fait démasquer. Je savais qu'il existait de nouveaux tests de dépistage du dopage par transfusion. Ces tests, dits « off-score », consistaient à mesurer le rapport de l'hémoglobine totale avec le nombre de réticulocytes, les jeunes globules rouges. Plus ce rapport était élevé, plus grande était la probabilité qu'une transfusion ait eu lieu (puisque la transfusion apporte un surnombre de globules rouges matures). La valeur normale de l'off-score était 90 ; le règlement de l'UCI prévoyait la suspension de tout coureur dépassant 133. Je savais qu'au mois d'avril le mien avait été testé à 132,9. C'était tout près, certes, mais j'étais à l'abri.

J'étais surtout confiant parce que j'étais certain de ne pas en avoir fait plus que mes rivaux. Je ne prenais pas cinq PS d'un coup, ni des cargaisons entières d'Edgar, je n'expérimentais pas avec le perfluorocarbone ou une autre potion magique. J'avais agi en professionnel. Mon hématocrite était inférieur à 50. Je respectais les règles.

La ville d'Aigle, où siège l'UCI, gît au fond d'une vallée pittoresque tout droit sortie de *La Mélodie du bonheur*, avec des chalets ravissants, des fermettes et des prairies. Le bâtiment de l'UCI est en fait le seul élément de modernité de la ville, un gros camembert d'acier et de verre à l'ombre duquel les vaches broutent dans les prés. Le contraste est frappant. J'avais toujours pensé que l'UCI était une grande organisation ultramoderne. Là, j'avais l'impression de me trouver dans une zone de bureaux assez agréable.

Le Dr Mario Zorzoli, médecin-chef de l'UCI, m'a accueilli à la porte. C'était un homme avenant : visage ouvert, souriant, avec cette prévenance singulière qu'ont les médecins. Il m'a fait visiter les lieux, avec un arrêt dans le bureau de Hein Verbruggen. Ce dernier a paru heureux de me voir ; on a échangé quelques banalités. Puis Zorzoli m'a conduit jusqu'à son bureau. Il a refermé la porte.

« Vos tests sanguins étaient un peu élevés, a-t-il dit. Y a-t-il quelque chose que nous ne savons pas ? Avez-vous été malade ? »

Je lui ai expliqué que j'avais été souffrant plus tôt ce printemps-là, mais que j'étais rétabli. J'étais sûr que mes valeurs allaient très vite revenir à la normale. Zorzoli m'a montré les résultats de mon test sanguin, et il a dit qu'ils indiquaient que j'avais pu être transfusé avec le sang d'un d'autre. Mon cœur a fait un bond, mais je n'ai rien laissé paraître – j'étais bien placé pour savoir qu'on ne m'avait transfusé que mon sang. J'ai donc dit à Zorzoli que ses données devaient être fausses, que c'était impossible, et il a hoché la tête en disant que d'autres causes médicales pouvaient expliquer ce résultat. Il m'a dit de ne pas m'inquiéter, et de continuer à courir normalement.

Puis, changeant de sujet, Zorzoli m'a interrogé à propos des tests conduits hors compétition par l'USADA. Curieux de leur fonctionnement, il a enchaîné les questions : comment les athlètes avertissaient-ils l'USADA de leurs déplacements ? Comment l'informaient-ils en cas de changement de programme ? Par un site Internet, par fax ou par SMS ? Il m'a expliqué que l'UCI envisageait de mettre en place ses propres contrôles hors compétition, et qu'il était curieux.

La rencontre a duré quarante minutes, et j'en suis sorti assez perplexe. Pour la première et la seule fois de ma carrière – et la première fois dans la carrière de quiconque pour autant que je sache – l'instance suprême de mon sport m'avait expressément convoqué à son siège, comme s'il s'était agi d'une urgence de premier ordre. Puis, une fois sur place, il ne s'était rien passé ou presque. C'était bizarre, surprenant, comme si l'UCI n'avait fait cela que pour pouvoir dire qu'elle avait fait quelque chose.

À mon retour à Gérone, une lettre de l'UCI m'attendait, qui réitérait la mise en garde de Zorzoli : on me surveillerait de près. J'ai remarqué qu'elle était datée du 10 juin, le jour du contre-la-montre sur le mont Ventoux. Il me faudrait quelques semaines avant de comprendre pourquoi.

* * *

Le Tour 2004 approchait, et mes chiffres s'alignaient à la perfection. J'ai perdu les derniers grammes qu'il fallait que je perde : les manches de mon maillot flottaient joyeusement. Je roulais sans trop forcer, soucieux de ne pas brûler trop de cartouches. Les derniers jours dans les environs de Gérone se sont déroulés dans un calme appréciable : Lance était quelque part dans les Pyrénées avec Ferrari et des coéquipiers, pour leur habituelle préparation.

Après notre victoire au Ventoux, le défi physique consistait essentiellement à ne pas trop en faire. Dopage ou pas, on ne peut tabler que sur un nombre limité de jours de forme maximale, et je ne voulais pas les gaspiller. La plupart des grandes ascensions avaient lieu dans la troisième semaine, je comptais entrer en matière de façon progressive : arriver au prologue à 90 %, et atteindre 100 % au moment où le parcours serait le plus exigeant. Ufe et moi avions tout prévu : trois PS, une avant la course, une lors du premier jour de repos après la huitième étape, et une après la treizième étape, entre les Pyrénées et les Alpes. Tout était réglé.

Sur le plan domestique, Haven et moi avons été confrontés à un triste événement : notre Tugboat bien-aimé est tombé malade. C'était sérieux. Il a brusquement perdu toute son énergie, au point de ne pouvoir monter les escaliers ou aller se promener qu'avec difficulté. Le vétérinaire a évoqué une hémorragie interne. L'hypothèse optimiste était un ulcère, mais nous savions tout au fond de nous-mêmes que c'était bien plus grave. C'était comme s'il s'était agi de notre enfant ; on a tout fait pour assurer son confort et commencé un traitement médical. Le contraste était effrayant avec le Tugboat joyeux et plein de vitalité que nous connaissions. Au moment de partir pour le Tour, il était dans un état critique. En le quittant, je lui ai promis qu'on se reverrait à mon retour.

J'ai fait ma transfusion à Madrid, puis je me suis directement rendu au départ du Tour de France, où Lance a continué de ne pas m'adresser la parole, comme pendant le Dauphiné. Mais il n'infligeait pas le même traitement aux autres coureurs. Dans le peloton, on m'a raconté que Lance déblatérait sur Phonak, se plaignant de nos performances « pas normales », affirmant que nous étions dopés jusqu'à la moelle, avec une nouvelle saloperie espagnole. C'était faux – nous faisions exactement ce qu'il faisait –, mais comme on ne pouvait rien prouver, la seule chose à faire était de lui répondre par le silence. Les premiers jours, il nous est arrivé de rouler à quelques centimètres l'un de l'autre, coude à coude, le regard tendu vers l'avant, sans échanger un mot. Nous étions aussi têtus l'un que l'autre. De vrais enfants.

Les organisateurs du Tour aiment mettre un peu de piment dans les étapes de plat ; cette année-là, on a eu droit à une dose généreuse de pavés belges à la troisième étape. Ça faisait comme un *flash-back* du passage du Gois en 1999 – des portions étroites, vicieuses, censées provoquer de la panique et des chutes. Comme toujours, pour se mettre à l'abri, l'idéal était de se placer aux avant-postes avec son équipe et de tout faire pour y rester. Accéder aux premières places dans les premières journées du Tour n'est pas un mince exploit. Tout le monde est frais et déborde d'ambition ; tout le monde est au mieux de sa forme. Deux cents chiens affamés qui se disputent un os ;

personne ne lâche rien. Depuis quelques années, l'US Postal avait tendance à considérer que la tête de course était son domaine réservé. Mais cette fois, ça allait changer. Avant la troisième étape, j'ai rassemblé mes équipiers pour fixer l'objectif. *Todos juntos adelante* – tous ensemble, devant.

À l'approche du premier tronçon pavé, la course est devenue chaotique. La chaussée se rétrécissait, l'allure augmentait et tout le monde voulait être devant, nous, l'US Postal, les Euskaltel de Mayo, les T-Mobile d'Ullrich. Neuf kilomètres avant les pavés, on a décidé d'y aller : *todos juntos adelante.* L'US Postal a voulu répliquer et l'un de ses coureurs, Benjamín Noval, a accroché un guidon, provoquant une chute. On a fait le bilan : nos gars étaient passés, Ullrich et Lance aussi. Mais pas Mayo, qui était tombé et se trouvait distancé ; au terme de la journée, il aurait cédé près de 4 minutes. Une leçon pour nous tous.

Lance était furax. Mais il n'y pouvait absolument rien. Nous étions aussi forts que l'US Postal, et nous l'avons de nouveau prouvé le lendemain dans le contre-la-montre par équipes. L'US Postal a fait un sans-faute. Nous, malgré quatre crevaisons, un guidon cassé et trois coéquipiers distancés, nous avons fini 2es, à 1 minute 07 derrière eux. Le message était clair : même dans les mauvais jours, on vous colle au train.

Le lendemain, tôt dans la course, je me suis retrouvé à côté de Floyd Landis. Je n'avais rien perdu de mon estime pour Floyd, et je pense que c'était réciproque. On en a profité pour bavarder un peu. Puis il a jeté un regard autour de nous, avant de lâcher :

« Il y a quelque chose qu'il faut que tu saches. »

Je me suis rapproché. Floyd le mennonite était tiraillé par sa conscience.

« Lance a mis l'UCI sur ta piste, a-t-il dit. Après le Ventoux, il a appelé Hein. Il a dit que Mayo et vous carburiez à un nouveau truc, il lui a dit de vous choper. Il était au courant de ta convocation. Il n'a pas arrêté de balancer des saloperies. Je trouve ça normal que tu sois au courant. »

L'espace d'un instant, j'ai été troublé – comment Floyd pouvait-il savoir que l'UCI m'avait convoqué ? Je n'avais parlé à personne de cette rencontre ; seuls Haven et deux dirigeants de Phonak étaient au courant. Pourtant, Floyd savait. J'ai compris que c'était forcément Lance qui le lui avait dit.

Il ne m'arrive pas souvent de voir rouge. Mais quand ça m'arrive, je ne fais pas semblant : le temps s'arrête et je me sens sortir de moi, c'est presque comme si je planais au-dessus de moi-même, et que je voyais tout à travers un voile rouge.

Tout devenait clair : la convocation à Aigle, l'entretien avec le Dr Zorzoli. Tout était signé Lance. Il avait appelé l'UCI le 10 juin, le jour où je l'avais battu sur le Ventoux, la date de la convocation, la date de la lettre de mise en garde reçue. Lance avait appelé Hein, et Hein m'avait appelé[2].

La course est passée au second plan. J'ai senti se libérer en moi des années de colère accumulée. La moutarde m'est montée au nez.

Lance a mis l'UCI sur ta piste.

Il a dit à Hein de te choper.

Il n'arrête pas de balancer des saloperies sur ton compte.

Je me suis placé à la hauteur de Lance. On était de nouveau réunis, séparés de quelques centimètres à peine. Il a vu que j'étais furax, alors il a ouvert la bouche pour dire quelque chose. Je ne lui en ai pas laissé le temps.

« Ta gueule, Lance, t'es qu'une merde. *Shut the fuck up !* Je te connais. Je sais ce que tu as fait. Je sais que tu m'as balancé, que tu as dit des saloperies sur notre équipe. Fais bien gaffe à toi, parce qu'on va te massacrer. »

Il a écarquillé les yeux.

« C'est pas vrai ! Je n'ai rien dit ! Qui t'a raconté ça ? Je n'ai jamais rien dit de ce genre. Qui a dit ça ? Qui ?

— Peu importe. Tu sais que c'est vrai. »

---

2. Ce n'est pas la seule fois qu'Armstrong a informé les autorités antidopage sur ses rivaux. En 2003, quelques jours avant le Tour, il a envoyé à l'UCI, à l'Agence mondiale antidopage et aux organisateurs du Tour de France un courriel faisant part de son inquiétude devant l'usage d'hémoglobine de synthèse parmi les coureurs espagnols.

Le cercle s'est élargi autour de nous. Il était dans tous ses états, clamant son innocence, exigeant de savoir qui m'avait dit ça.

« Je n'ai rien dit du tout, putain ! Qui t'a dit que j'ai fait ça ? Qui ? Dis-moi qui ? »

Je n'ai pas pipé mot.

« Qui ? Dis-moi qui. Qui ?

— Va te faire foutre, Lance ! »

C'était une libération, comme si je gardais ces cinq mots en moi depuis six ans. J'ai rejoint mes camarades. Devant.

* * *

Je me demande s'il n'est pas inscrit dans ma destinée qu'aux moments de bonheur doivent toujours immédiatement succéder des malheurs. Un peu plus tard au cours de la même étape, j'ai fait une chute. À vrai dire, tout le monde est tombé, ou presque. Les organisateurs du Tour avaient mitonné un parcours taillé sur mesure pour une catastrophe. Dans le dernier kilomètre la chaussée se resserrait, puis il y avait un virage, et un second rétrécissement. On roulait à un train d'enfer en déboulant dans ce goulet d'étranglement, à 65 kilomètres à l'heure. Puis badaboum – comme si on avait sauté sur une mine, ça a volé de partout, il y a eu les vélos pliés, les raclements, le choc sourd des corps. Le mien compris. J'ai été projeté et, après avoir décrit une vrille, j'ai atterri sur le dos. Très fort.

Je suis resté allongé un instant, le souffle coupé, certain de m'être cassé le dos. J'ai senti des fourmillements dans les membres ; je les ai remués un à un, fait l'inventaire des dégâts. Mon casque était cassé, mais mon vélo encore utilisable. Étourdi, je suis remonté en selle.

Grâce au soutien de mes coéquipiers, j'ai réussi à franchir la ligne. J'ai repéré Ullrich et Lance ; ils avaient été retardés par la mêlée, mais paraissaient indemnes. Je me suis palpé le dos, et j'ai senti qu'il y avait des dégâts. De gros dégâts. J'avais perdu un bon bout de peau dans le bas du dos.

Cette nuit-là, mon corps tout entier s'est tassé. Comme dans un étau de plus en plus serré, au point que je n'arrivais plus à respirer. Je ressentais des éclairs de douleur à des endroits inhabituels. J'ai appelé Haven. Ce n'était pas un accident ordinaire. C'était grave. Kristopher, le kiné, m'a examiné. Il s'est mis à évoquer des dommages aux nerfs, peut-être aux organes. Je l'ai coupé.

« Dis-moi la vérité, je me suis foutu le dos ?

— Tu t'es foutu le dos », a répondu Kristopher.

Je suis parvenu à rouler pendant les deux jours suivants, qui, par bonheur, n'étaient pas des étapes de montagne, jusqu'au jour de repos suivant, à Limoges. Puis les choses se sont gâtées. Haven a appelé pour m'annoncer que Tugboat était mourant, et on a décidé qu'il serait préférable d'abréger ses souffrances. Le cœur lourd, Haven l'a installé dans notre Audi familiale et a pris la route de Limoges pour que je puisse lui faire mes adieux.

J'ai décidé de recevoir ma PS comme prévu, au cas où. Ufe avait programmé la transfusion à 13 heures à l'hôtel Campanile au nord de Limoges – un hôtel correct, quelconque, un genre de Holiday Inn. Ufe n'était pas là, et ce sont les médecins de Phonak qui m'ont transfusé ; tout s'est bien passé. Je suis retourné à ma chambre d'hôtel pour attendre l'arrivée de Haven et Tugs. Après quelques minutes, je me suis senti mal, j'avais la tête comme une enclume. J'ai tâté mon front. J'étais brûlant.

Pris d'un besoin pressant, je me suis rendu aux toilettes. J'ai baissé les yeux, m'attendant à observer la légère décoloration due à la PS. J'ai pissé du sang. Rouge foncé, très foncé, presque noir. Ça n'arrêtait pas de couler, au point de remplir la cuvette, comme dans les films d'horreur.

J'ai commencé à paniquer. Je me suis rassuré, ça allait passer. La poche n'était peut-être mauvaise qu'à 15 %. Il m'en resterait 85 %. Ça allait passer, pas vrai ? J'ai bu de l'eau, je me suis allongé, j'ai essayé de me reposer.

La fièvre a continué de grimper. J'avais de plus en plus mal à la tête. Je me suis relevé pour retourner uriner. Je ne voulais pas regarder. Je l'ai quand même fait.

Rouge.

Là, j'ai compris que ça n'allait vraiment pas. La poche de sang avait dû tourner. Il lui était arrivé quelque chose, soit en Sibérie, soit pendant le transport jusqu'à Limoges ; la PS avait été chauffée, ou mal manipulée ; je m'étais transfusé toute une poche de cellules mortes. J'avais l'impression de m'être empoisonné. J'ai été pris de tremblements et de nausée. J'ai pensé à Manzano, rapatrié en avion l'an dernier quand il était tombé malade ; on l'avait emmené à l'hôpital, il avait failli mourir. Mon mal de tête s'est encore aggravé, c'était comme si on m'avait fendu le crâne et qu'on me retirait le cerveau par petits bouts. J'ai attrapé mon téléphone et je l'ai posé sur le lit à côté de moi, au cas où il faudrait appeler une ambulance.

Haven est arrivée ; elle a tout de suite vu que quelque chose clochait. Je lui ai raconté, mais sans tout dire – je ne voulais pas l'effrayer. J'ai menti ; je lui ai dit que j'avais pissé du sang, mais que ça allait mieux. Elle m'a donné de l'aspirine et tenté de me réconforter. Je lui ai dit de n'en parler à personne, ni aux médecins, ni à mes coéquipiers, ni à mon directeur. Sur le moment, le déni m'est apparu comme une bonne stratégie – *si je ne leur dis rien, rien n'est arrivé.* Aujourd'hui, je sais que j'avais surtout honte. Mon dos était démoli. Mon sang était démoli. Mon Tour de France – le dur labeur de tout le monde, notre grande opportunité – m'échappait.

J'ai passé la nuit allongé à côté de Tugs, grelottant de fièvre, à lui faire mes adieux.

* * *

On continue. Voilà le truc à la fois horrible et merveilleux du vélo. On continue. Le lendemain, j'ai couru en serrant les dents jusqu'au bout d'une étape de plat. Ensuite il y a eu la première épreuve de vérité du Tour, la dixième étape, un vrai petit calvaire à travers le Massif central. J'ai grillé cartouche sur cartouche pour rester dans le groupe de tête. En atteignant l'ascension du jour, le col du Pas-de-Peyrol, les choses se sont compliquées et j'ai décroché. Le problème, c'était surtout mon dos : quand j'y allais un peu fort, je n'arrivais pas à me faire mal. Le malaise, je gérais. La douleur, je gérais aussi, mais je n'arrivais plus à pousser assez fort pour me faire mal – ça c'était vraiment dur.

J'ai perdu 7 secondes sur cette étape. Ce n'était pas grand-chose, mais révélateur : je n'étais pas dans le coup. Un peu plus tard, on s'est retrouvés côte à côte, Lance et moi. Notre engueulade quelques jours plus tôt avait assaini l'atmosphère. À présent, on se regardait dans les yeux, on se parlait.

« Merde, les derniers kilomètres ont été durs, a dit Lance, l'air de rien.

— Ouais, j'étais vraiment mal, ai-je répondu en toute franchise. J'ai vraiment eu du mal sur la fin. »

Lance s'est tourné vers moi et j'ai vu son visage. Il avait l'air en pleine forme, le teint rose, les yeux clairs et brillants, aucune trace de souffrance ; il avait une étincelle dans l'œil. C'est là que j'ai compris. Il avait voulu me tester. Il ne souffrait pas, mais il m'avait fait dire que je souffrais. C'était comme s'il avait voulu m'asticoter, me faire un petit doigt d'honneur.

Je n'étais pas le seul à la peine. Ullrich n'avait pas chuté, mais il avait beaucoup de mal : il haletait dans les montées, luttait pour ne pas décrocher. Pendant tout le Tour, il n'avait été que l'ombre de lui-même ; il avait l'air en forme, mais il se démenait pour ne pas lâcher prise et finirait 4e, la première fois qu'il ferait moins bien que 2e. J'ai entendu dire plus tard que lui aussi avait reçu une poche de mauvais sang. Je ne sais pas si c'est vrai, mais ça expliquerait sa performance.

Mayo n'allait pas mieux. Lui non plus n'avait pas été blessé dans l'accident, mais il semblait avoir perdu de la puissance. Au comble de la frustration, il est descendu de vélo et a failli abandonner. On tombait comme des mouches. Seul Lance restait debout.

Le Tour pour moi a pris fin à la treizième étape, sur le plateau de Beille. C'est justement le jour où notre fondation devait procéder à une collecte de fonds pendant la retransmission en direct de l'étape dans dix-neuf salles aux États-Unis. J'avais prévu que ce serait une bonne journée pour moi, au lieu de quoi les spectateurs m'ont vu perdre du terrain tout en affichant un visage étonnamment calme. Je suis sûr qu'ils espéraient me voir lutter, mais je n'avais plus de jus. Je ne pouvais plus bouger les jambes, je ne sentais plus la douleur, j'avais le dos comme dans un étau.

J'ai continué à rouler.

Álvaro, mon directeur sportif, a compris ce qui arrivait. Le matin même, il m'avait dit d'aller aussi loin que possible, on verrait bien ensuite. Je savais que c'était du langage codé : il m'invitait à abandonner.

J'ai continué à rouler.

Mon coéquipier Nicolas Jalabert s'est faufilé jusqu'à mes côtés. J'avais fait venir Nicolas de chez CSC parce que j'appréciais son côté facile à vivre et son tempérament de bosseur. C'était le frère cadet du champion du monde Laurent Jalabert, et c'est peut-être pour ça qu'il portait un regard très sceptique sur la folie qui régnait dans l'élite de ce sport. Un jour, en 2003, pendant une course en Hollande, il y avait eu un accident et je m'étais salement entaillé la main sur un pignon de roue. Je m'étais relevé et j'étais parti en chasse pour tenter de revenir. Je me démenais contre ce bon vieux mur, le sang coulant sur mes roues, éclaboussant tout autour, quand j'ai senti la main de Nicolas sur mon épaule :

« Tyler, c'est juste une course de vélos. »

Au début, je n'ai pas compris. Puis, je me suis regardé et j'ai compris que Nicolas avait raison. Ce n'était qu'une course de vélos. Finir 6e, 60e, 106e, quelle importance ? Fais de ton mieux et laisse aller. Ce jour-là, on avait ralenti et roulé ensemble jusqu'à l'arrivée.

Alors que je me démenais pour rester dans le peloton sur le plateau de Beille, j'ai de nouveau senti la main de Nicolas sur mon épaule. Il n'a pas ouvert la bouche, mais j'ai compris ce que ça voulait dire : « Tyler, ce n'est qu'une course de vélos. »

Je me suis détendu. J'ai dit à mes jambes de cesser de pédaler. Je me suis rangé sur le bas-côté, le long d'un petit muret de pierre, et, pour la première et la seule fois de ma vie, je suis descendu de vélo alors que j'étais encore en état de rouler.

« Aucune tâche n'est trop petite, aucune tâche n'est trop dure. »

En vérité, aucune tâche n'était trop dure. Mais celle-là, d'un coup, me semblait trop petite.

Ce soir-là, Ufe devait me faire ma deuxième PS. Pour lui épargner un trajet inutile, je l'ai appelé. Au cas où quelqu'un nous aurait espionnés, je lui ai juste dit que je venais d'abandonner, inutile de me rejoindre « pour souper ». Ufe, surexcité, ne m'a pas laissé finir, il s'est mis à parler en rafale.

« Tout est à l'eau. C'est fichu, terminé. Désolé mon gars.

— Quoi ?

— Il s'est fait pincer. La police. Il a dû tout balancer. Je suis désolé, mon gars. Vraiment désolé. Je n'arrive pas à y croire, c'est vraiment dingue… »

Je me suis empressé de raccrocher, irrité qu'Ufe ait parlé si ouvertement. Plus tard, il m'expliquerait : le coursier s'était fait arrêter à un barrage routier, et, pris de panique, il avait jeté toutes les poches de sang dans le bas-côté. Sur le moment, ça ne m'a pas inquiété. J'étais contrarié d'avoir perdu une PS, mais il y en avait d'autres en stock. Je n'ai pas soupçonné de coup tordu – mais plus tard, quand un ami m'a dit que la même chose était arrivée à Ullrich, je me suis quand même posé des questions.

Je suis rentré à la maison. J'ai regardé quelques minutes du Tour à la télévision. J'ai vu l'US Postal, dominatrice, squatter les premières places. Comme un seul homme, George, Chechu, Floyd menaient la danse dans les grandes montées, l'éternel train bleu. Une vraie démonstration de force, comme autrefois, avant Festina : une équipe profite de son avantage pour saisir la course à la gorge. Dans la dernière semaine, Lance a remporté un paquet d'étapes, dont plusieurs qui n'avaient pas d'autre utilité que d'envoyer un message : je suis toujours le patron. Et quand un coureur italien nommé Filippo Simeoni a eu la mauvaise idée de le défier (Simeoni avait témoigné contre Ferrari, et parlé ouvertement du dopage), Lance a personnellement pris soin de le lui faire payer. Simeoni avait fait une échappée pour essayer de remporter une étape, et Lance, vêtu du maillot jaune, l'a pris en chasse tout seul pour le ramener dans le troupeau, en lui faisant le geste de la fermeture éclair sur les lèvres.

Bref, tout était rentré dans l'ordre[3].

---

3. Selon Landis, tous les coureurs de l'US Postal ont bénéficié de deux transfusions pendant le Tour de France 2004. La première a eu lieu lors du premier jour de repos dans un hôtel de Limoges. Les coureurs ont été conduits par petits groupes dans une chambre, où on leur demandait de ne pas dire un mot. Par précaution, des membres du personnel de l'équipe étaient postés à chaque bout du couloir. Pour se prémunir contre une éventuelle caméra de surveillance, le climatiseur, les interrupteurs électriques, les détecteurs de fumée et même les toilettes avaient été recouverts de plastique noir.

Toujours selon Landis, la deuxième transfusion a eu lieu entre la quinzième et la seizième étape, quand l'US Postal a demandé au chauffeur de l'autobus de simuler une panne sur le chemin de l'hôtel. Pendant qu'il avait le nez dans le moteur, les membres de l'équipe ont pris place sur les couchettes et reçu les transfusions. Les vitres fumées et des rideaux empêchaient les passants de voir à l'intérieur. Les poches de sang étaient collées aux cloisons avec du ruban adhésif. Armstrong a reçu la sienne allongé sur le plancher de l'autobus.

Landis a raconté que l'US Postal transportait les poches de sang dans une niche de chien installée dans la roulotte d'un des assistants. « Ils ont disposé les poches sur le plancher de la niche et les ont recouvertes d'un carré de mousse et d'une couverture ; le chien était dessus, a dit Landis. C'était simple. Une fois que les poches de sang sont sorties du réfrigérateur, elles mettent 7 à 8 heures à se réchauffer. On évitait ainsi de s'encombrer de sacs isothermes, de systèmes de réfrigération ou de tout ce qui aurait pu éveiller les soupçons de la police. Il n'y avait qu'à conduire la roulotte jusqu'à l'hôtel, placer les poches de sang dans un carton ou une valise et les introduire dans l'établissement parmi le reste du matériel de l'équipe ; personne ne les remarquerait. » Landis a précisé que le chien s'appelait Poulidor.

CHAPITRE 13

Attrapé

La devise des cyclistes de ma génération devrait être: « Tôt ou tard, tout le monde finit par se faire pincer. »

Il n'y a qu'à voir:

Roberto Heras: 2005
Jan Ullrich: 2006
Ivan Basso: 2006
Joseba Beloki: 2006
Floyd Landis: 2006
Alexandre Vinokourov: 2007
Iban Mayo: 2007
Alberto Contador: 2010

Et la série continue. Ce n'est pas que les contrôleurs soient soudain devenus des petits génies, même s'ils se sont incontestablement perfectionnés. Je crois que c'est davantage une affaire de probabilité à long terme. Plus longue est la partie de cache-cache, plus grandes sont les chances qu'on commette une bourde ou qu'ils aient un coup de pot. C'est inévitable, et ça l'était probablement dès le premier jour. J'aurais peut-être dû m'y attendre. C'est toute l'ironie de la fatalité: à l'arrivée, on est toujours surpris.

Quand je suis rentré à Gérone après que mon Tour 2004 a été abrégé par l'accident, j'ai décidé de me concentrer sur le contre-la-montre des jeux Olympiques d'Athènes, au mois d'août. Ce serait l'occasion de sauver mon année. J'ai pris deux ou trois semaines de repos à Gérone, le temps de me rétablir et de me remettre les idées en place. Cela tient peut-être à mon passé de skieur, mais les jeux Olympiques ont toujours été très importants pour moi (l'hymne olympique me donne encore la chair de poule).

Je me suis immergé dans la préparation habituelle. J'ai fait un entraînement hyper intensif, jour après jour, sur un vélo de contre-la-montre. J'ai pris de l'Edgar, amélioré mes chiffres, encouragé par le fait que, même s'il s'agissait d'une compétition de catégorie mondiale, j'aurais l'avantage d'affronter des coureurs épuisés par le Tour de France.

La course a eu lieu par un jour de canicule : il y avait du vent, et il faisait près de 38 degrés. Comme toujours dans les contre-la-montre, les coureurs partaient un par un ; je serais parmi les derniers, avec Ullrich, Ekimov, Bobby Julich et l'Australien Michael Rogers. Le parcours était formé de deux boucles de 24 kilomètres au bord de la mer près d'une ville nommée Vouliagmeni. C'était un paysage de petites maisons, de ruelles étroites et de voiliers ; en forçant un peu, j'aurais pu me croire chez moi, à Marblehead.

Ça a bien commencé, j'ai dévalé la rampe et aussitôt j'étais à fond. Comme d'habitude, quelque chose a cloché : sous l'effet de la chaleur, l'adhésif qui maintenait mon oreillette s'est décollé, alors j'ai tout arraché. Le fil a pendouillé quelques instants près de mes rayons et j'ai pensé *Mince, ça recommence.* Mais pour une fois, les dieux de la route étaient avec moi ; le dispositif est tombé au sol sans faire de dégâts. Je me suis installé dans la course et j'ai fixé les yeux sur les trois coureurs qui me précédaient : Ekimov, Julich et Rogers (Ullrich, derrière moi, était dans un jour sans ; il finirait 7e). Le fait de rouler sans oreillette et sans connaître les temps intermédiaires me plaisait bien ; je me suis concentré sur le son du vent et le chuintement des pneus sur le goudron chaud. J'ai senti que je menais bon train – bon sang, je *savais* que je menais bon train. Mais j'ignorais si ça suffirait.

Quand j'ai franchi la ligne, je n'ai eu que vaguement conscience de la folie qui avait saisi la foule. Puis j'ai vu Haven. J'ai vu son sourire radieux, qui ne faisait que grandir de seconde en seconde.

L'or.

Notre petit monde a explosé dans une joyeuse pagaille. Nos téléphones ont saturé sous les appels de félicitations et de propositions; j'ai appris qu'à Marblehead, c'était le délire absolu. J'imaginais mes parents; mon père se jetant dans les bras de tous ceux qu'il croisait; ma mère, plus calme, plus digne, mais les yeux pétillants de fierté.

Médaillé d'or olympique: Tyler Hamilton.

Cette nuit-là, je n'ai pas voulu quitter ma médaille; c'était si bon, elle était tellement belle. J'ai fini par l'installer sur la table de chevet, et quand je me suis réveillé au milieu de la nuit, je l'ai prise dans la main, pour m'assurer que ce n'était pas un rêve.

Le téléphone de mon agent s'est mis à sonner: commanditaires, émissions de télé, discours. À Athènes, des entreprises étaient prêtes à me payer pour que je passe une heure ou deux sous une tente de réception. Ça paraît insensé, gagner de l'argent juste pour être là et serrer des pinces pendant une heure ou deux. Mais j'ai pris le chèque. Si je ressentais de la culpabilité, je l'ai facilement refoulée sous les arguments habituels. « La donne était équitable. C'est moi qui ai travaillé le plus dur, et c'est celui qui travaille le plus dur qui l'emporte. Après tout ce que j'ai traversé, je l'ai bien mérité. »

Je n'en finissais pas de tripoter ma médaille, de faire courir mes doigts dessus, de la soupeser; impossible de la poser. Je crois bien que, ce que j'appréciais le plus, c'était son côté définitif. J'avais remporté une médaille d'or, et ça, personne ne pourrait jamais me le retirer.

* * *

J'étais en train de me faire masser quand j'ai entendu grincer la porte. Ouvrant les yeux, j'ai vu le visage grave de mon directeur d'équipe, Álvaro Pino. Je lui ai souri, mais il n'a pas paru le remarquer.

« Tyler, quand tu auras fini, viens me voir », a-t-il dit.

C'était vingt-neuf jours après les jeux Olympiques, je me trouvais avec mon équipe dans une ville espagnole de la province d'Almería. Haven était rentrée aux États-Unis pour assister au mariage d'un ami;

Phonak m'avait demandé de participer au Tour d'Espagne, la Vuelta. J'étais en forme, et l'occasion s'offrait à moi de couronner mon retour à la compétition par une première victoire dans un grand Tour. La course se passait bien : j'avais remporté une étape, mais perdu un peu de temps en montagne. Je me suis dit qu'Álvaro voulait parler stratégie.

Une fois le massage fini, je me suis levé, habillé et j'ai filé jusqu'à la chambre d'Álvaro. Après m'avoir fait asseoir, il m'a dévisagé en faisant de grands yeux ronds préoccupés.

« L'UCI a appelé. Ils disent que tu as été testé positif à un contrôle qui a détecté la transfusion du sang d'un autre. »

J'ai failli rire. C'était n'importe quoi – et Álvaro le savait. C'est lui qui avait organisé nos transfusions d'équipe avant le Dauphiné. Pourquoi quiconque irait-il utiliser un autre sang que le sien ? Il y avait eu une erreur dans le test. Obligé.

« Je sais, Tyler, mais…

— Ce n'est pas possible. Ils sont sûrs que c'est moi ?

— Sûrs.

— Et ils sont sûrs que le contrôle est positif ?

— C'est ce qu'ils m'ont dit. C'est l'échantillon A. Ils doivent encore analyser l'échantillon B.

— *Fuck*, c'est impossible. »

Álvaro a essayé de me calmer, mais les questions se bousculaient dans ma tête – où sont les preuves ? C'est quoi ce test-là ? Qui faut-il que j'appelle ? Où se trouve le labo ? On a annoncé à la presse que j'avais un problème gastrique, et j'ai abandonné la course. On est allés trouver Andy Rihs, le propriétaire de l'équipe, qui suivait la Vuelta. Il m'a demandé droit dans les yeux si c'était vrai. Je n'ai pas bronché. Droit dans les yeux, je lui ai répondu que j'étais innocent.

Je suis revenu dans ma chambre d'hôtel et, après avoir respiré un grand coup, j'ai appelé Haven. J'ai essayé de faire comme s'il ne s'agissait que d'une petite complication, un pépin sans conséquence qui serait vite réparé, mais j'ai bien senti le frémissement dans sa voix, et je suis sûr qu'elle en a senti un dans la mienne. Haven n'était pas idiote.

Elle savait parfaitement que c'était grave, et que chaque minute comptait à présent : il fallait régler la question avant que les médias ne s'en emparent. Une fois que l'histoire aurait atterri sur Internet, elle se répercuterait partout et ma réputation serait entachée. J'ai dit à Haven que tout se passerait bien, j'ai essayé de me montrer rassurant. J'ai raccroché et suis resté dans le silence.

C'était le grand moment, la croisée des chemins. Tous ceux qui se font attraper connaissent ce moment-là : ce drôle de calme avant la tempête, ces quelques heures au cours desquelles on peut encore choisir de dire la vérité ou de ne pas le faire. J'aimerais pouvoir vous dire que j'ai envisagé de tout avouer, mais franchement, ça ne m'a pas effleuré une seconde. L'idée de passer aux aveux paraissait impossible, impensable, comme un acte de démence. Pas seulement parce que j'avais joué le jeu pendant des années en me disant que je n'étais pas un tricheur, que tout le monde faisait pareil. Pas seulement à cause de l'humiliation qu'aurait représenté le fait d'être ainsi exposé aux yeux du grand public, ou de renoncer à mon équipe, mon contrat ou ma réputation, ni même parce qu'il aurait fallu le dire à mes parents. Pas seulement parce que mes aveux auraient impliqué mes amis, mettant peut-être fin à la carrière de mes coéquipiers et de mes dirigeants – après tout, je n'avais pas fait tout ça tout seul. C'est surtout parce que l'accusation ne tenait pas debout à mes yeux. L'UCI affirmait que j'avais dans le corps le sang d'un autre – et j'étais sûr à cent pour cent que ce n'était pas vrai. Fallait-il que je fiche en l'air mon existence et celle de beaucoup d'autres en me reconnaissant coupable de quelque chose que je n'avais pas fait ? Pour moi, la réponse était évidente : « Non[1]. »

Andy, Álvaro et moi nous sommes réunis pour essayer de dessiner une stratégie. Nous connaissions le protocole : les contrôleurs

1. Si Hamilton avait avoué tout de suite, cela aurait été une première. On ne trouve aucun cas dans l'histoire du cyclisme d'un coureur de haut niveau qui, après un contrôle positif, ait fait des aveux immédiats et complets. Même ceux qui ont fini par avouer, comme l'ancien champion du monde David Millar, ont d'abord passé des mois à nier ou à prétendre qu'ils ne s'étaient dopés qu'une ou deux fois. Cela tient en partie à des raisons légales, mais c'est essentiellement psychologique : ils n'ont pas le sentiment d'avoir mal agi, alors il n'y a rien à avouer.

prélèvent deux échantillons, A et B. A s'était révélé positif; B n'avait pas encore été analysé. Si les deux analyses concordaient – ce qui était à peu près toujours le cas –, je serais officiellement et publiquement déclaré positif, soumis à une suspension automatique et il faudrait contester la validité du contrôle auprès de l'USADA, l'organisme auquel sont affiliés tous les cyclistes professionnels américains. On a immédiatement songé à rejeter la validité du test de détection de transfusion sanguine qui, nous le découvrions, était récent – j'étais d'ailleurs le premier à avoir été déclaré positif avec ce test. Rihs m'a soutenu, il a dit qu'il mettrait à ma disposition les meilleurs avocats, les meilleurs médecins, qu'il irait jusqu'à payer de sa poche une enquête scientifique indépendante sur le test.

Puis ça s'est gâté encore plus. Deux jours après l'incident du Tour d'Espagne, le Comité international olympique (CIO) m'a informé que mon échantillon A prélevé lors des jeux Olympiques était positif lui aussi. J'ai eu un coup au cœur. Il ne s'agissait plus d'un simple test défectueux; il y avait là un schéma. Ils disposaient à présent de deux résultats, deux éprouvettes incandescentes, deux batailles que je devrais mener en terrain adverse.

Ma vie a tourné au cauchemar. Je me suis envolé pour Lausanne, où j'ai assisté à l'analyse de mon échantillon B au labo. Quand les médias se sont mis à ébruiter la nouvelle de mon contrôle positif, j'ai donné une conférence de presse en Suisse aux côtés de Rihs, et nous avons dit tout ce qu'il fallait dire – nous prendrions toutes les dispositions pour m'innocenter. Je me suis efforcé de ne pas trop mentir. Je sais que ça peut paraître bizarre – je clamais mon innocence alors que je me dopais depuis huit ans –, mais j'ai instinctivement cherché à coller aussi près que possible à la vérité. J'avais l'impression d'être un acteur piégé dans un mauvais scénario, sans autre échappatoire que d'aller de l'avant.

« J'ai toujours été quelqu'un d'honnête, depuis l'enfance, ai-je dit. Mes parents m'ont appris l'honnêteté depuis tout petit. J'ai toujours revendiqué le respect des règles… On m'a accusé d'avoir reçu le sang d'un autre, ce qui, tous ceux qui me connaissent le savent bien, est parfaitement impossible… Je vous garantis que la médaille d'or ne quittera pas mon salon tant qu'il me restera un sou en poche. »

Derrière cette façade pleine d'aplomb, je me sentais malgré tout impuissant. Je ne savais que trop bien comment ces choses finissaient, pour peu qu'on dispose des bons contacts. En 1999, quand Lance avait été testé positif à la cortisone, les dirigeants du Tour avaient géré l'affaire sans bruit pour la régler au moyen d'une ordonnance. En 2001, quand un contrôle pendant le Tour de Suisse avait fait soupçonner la présence d'EPO chez Lance, la même chose s'était produite : il avait rencontré les gens du labo et le problème s'était volatilisé. Lance manipulait le système – pire, Lance était le système. Mais moi, qui pouvais-je appeler ? Qui me serait venu en aide ?

Personne.

À la fin de la conférence de presse, j'ai écouté mes messages et lu mes SMS. J'espérais avoir des nouvelles de mes amis de l'US Postal ou de Phonak, des types qui comprenaient ce que j'étais en train de subir. J'aurais voulu entendre des « Tiens bon » ou des « Je pense à toi ». Mais ça n'a pas été le cas. Mon téléphone était rempli de messages et de SMS de journalistes. Point. Haven ne rentrerait pas des États-Unis avant une semaine. J'étais bel et bien seul.

Ne sachant pas trop quoi faire, je suis rentré à Gérone. J'avais l'impression d'être un fugitif. Je portais des lunettes de soleil et avais rabattu la visière de ma casquette sur les yeux, j'imaginais les regards accusateurs des passants : « Tiens, voilà le tricheur, le dopé. » J'ai longé la ruelle et ouvert la grille de notre courette. J'étais plus heureux que jamais de l'absence de Lance. Je suis monté chez nous et j'ai fermé à double tour derrière moi. Je me suis assis sur un des tabourets du comptoir de la cuisine et j'ai fixé le sol.

Je ne sais pas combien de temps je suis resté assis là. Un jour ? Deux jours ? Je ne mangeais pas. Je ne dormais pas. Je ne pleurais pas. Je me sentais mort à l'intérieur, un zombie. J'ai passé des heures à contempler le carrelage, à m'efforcer d'accepter ce qui m'arrivait, de me préparer à ce qui m'attendait. Le regard rivé au sol, j'essayais de m'endurcir mentalement.

Je ne vais pas me laisser abattre. Je ne vais pas me laisser gagner par la colère ou l'aigreur. Ça ne changera rien. Ça ne changera *rien.*

Je vais m'en sortir. Ça prendra peut-être un certain temps, mais je vais m'en sortir.

Je suis toujours Tyler. Je suis toujours Tyler. Je suis toujours Tyler.

* * *

Quand on se fait pincer, on perd un peu la boule. On a passé toute sa carrière au sein d'une communauté d'élite, d'une famille, à jouer le jeu comme les autres, et d'un seul coup – *pschitt!* on se retrouve dans un monde merdique, estampillé « dopé » dans les gros titres, privé de revenus. Mais le pire, c'est que les membres de la communauté font comme si on n'avait jamais existé. On comprend qu'on a été sacrifié pour que le petit manège puisse continuer de tourner; on devient celui qui permet aux autres de se prétendre propres. On est seul, et il n'y a pas de retour en arrière, on va passer des années à se défendre et à dépenser des centaines de milliers de dollars en frais d'avocats pour, si on a de la chance, revenir en rampant dans le monde de détraqués dont on s'est fait expulser.

Quand Marco Pantani s'est fait prendre en 1999 et 2001, il a fait une dépression et a fini par mourir d'une overdose de cocaïne en 2004. Jörg Jaksche a lui aussi fait une dépression après avoir été démasqué; pareil pour Floyd Landis. Jan Ullrich a été soigné en clinique pour « syndrome d'épuisement ». Iban Mayo est peut-être celui qui a eu la meilleure réaction : il a quitté le cyclisme et est devenu chauffeur routier international. Dans les jours qui ont suivi mon contrôle positif, j'ai eu un fantasme du même genre – je pourrais peut-être devenir menuisier.

Mais je ne pouvais pas tout plaquer, pas maintenant. Haven non plus. Alors on a entrepris de laver notre nom. Ce serait un peu comme se préparer à une grande course – sauf que cette fois il s'agirait de montagnes de paperasses juridiques et scientifiques; il fallait détruire ce contrôle avant qu'il ne me détruise.

On a jeté toutes nos forces dans l'entreprise. On a embauché Howard Jacobs, le meilleur avocat spécialiste du dopage sportif qu'on a trouvé, et installé un bureau dans notre maison du Colorado. On a fouillé l'historique et la fiabilité du test, notamment les cas de faux positifs. On a découvert que ces derniers pouvaient être induits par un certain nombre de maladies, dont le chimérisme, parfois appelé «syndrome du jumeau disparu», un phénomène rare se produisant pendant la grossesse et qui amène un individu à avoir deux groupes sanguins. Nous n'avons jamais prétendu que j'étais un jumeau chimérique, mais ça n'a pas empêché la presse de prendre un malin plaisir à multiplier les plaisanteries sur ma «défense du jumeau disparu» comme s'il s'était agi de la pièce maîtresse de notre stratégie. Les journalistes n'ont pas compris que notre démarche était de tout tenter pour décrédibiliser le test. (La loi, je le découvrais, fonctionne comme une course cycliste: il faut tout essayer, ça peut marcher.)

Très vite, nous avons reçu une bonne nouvelle: je conserverais ma médaille d'or olympique. Pour quelque raison inexplicable, le laboratoire d'Athènes avait congelé l'échantillon B, ce qui le rendait impropre à l'analyse et l'empêchait donc de confirmer la positivité de l'échantillon A. C'était une bonne nouvelle, pas seulement pour ma médaille, mais parce que ça témoignait d'une certaine négligence du laboratoire.

On a aussi appris une histoire troublante impliquant un Suisse nommé Christian Vinzens. Selon certains journaux helvétiques, Vinzens avait tenté d'extorquer de l'argent aux dirigeants de Phonak avant que les contrôles positifs n'aient été rendus publics, en affirmant savoir quels coureurs de l'équipe, dont moi, seraient déclarés positifs; il avait demandé à être payé pour faire disparaître le problème. Nous n'avons jamais pu établir de lien de causalité entre Vinzens et mon contrôle, mais tout cela renforçait notre sentiment que le dossier réserverait encore pas mal de surprises.

Entre-temps, nous avons reçu le soutien sans faille de nos amis et de nos parents. Par lettre, par courriel, et même en nous envoyant de l'argent, les gens nous ont témoigné une gentillesse incroyable. Un ami de lycée a lancé le site « believetyler.org » (Croyez Tyler), et des bracelets rouges portant l'inscription Believe (Croyez) ont été mis en vente[2].

Ma vie est devenue une superposition de plusieurs couches d'illusion. En surface, j'étais reconnaissant de tout le soutien que je recevais. En dessous, ça me mettait mal à l'aise, notamment le slogan « Croyez Tyler » qui cherchait à me faire passer pour une sorte de saint. Je savais au fond de moi-même que j'étais coupable de la tête aux pieds – peut-être pas de ce dont on m'accusait concrètement, mais au moins de vivre dans le mensonge. Je n'étais pas pour autant en position d'être franc du collier avec mes partisans (« Ben, écoutez les gars, merci pour tout, mais à vrai dire, je ne suis pas *totalement* innocent… »). En outre, je n'avais pas besoin de prendre des cours d'art dramatique pour faire semblant de me sentir persécuté. J'étais sincèrement dans la peau d'une victime – victime du sport, de l'UCI, des contrôleurs, d'une partie du peloton, de certains journalistes et surtout d'un monde qui s'empressait de me cataloguer « tricheur », « dopé » et « menteur » sans prendre le temps d'y regarder de plus près. Alors, quand mes amis voyaient en moi la victime innocente d'un lynchage, ça me correspondait assez bien. Quand les membres de ma fondation ont voulu organiser des événements, j'ai accepté. Quand mes parents, les larmes aux yeux, m'ont dit qu'ils me croyaient et qu'ils allaient faire tout leur possible pour m'aider, je les ai remerciés du fond du cœur, et j'étais sincère.

Pendant ce temps, Haven et moi vivions entourés de cartons de documents juridiques. On dormait à peine, on était sur le pont sept jours sur sept, douze heures par jour, cavalant dans une forêt interminable de problèmes juridiques et de stratégies de défense. On a embauché des spécialistes du MIT, de l'école de médecine de Harvard, de la banque du sang Puget Sound Blood Center, de l'hôpital de

---

2. Au total, ces initiatives ont permis de recueillir environ 25 000 dollars, qui, selon Hamilton, n'ont jamais servi à sa défense. « Ça me mettait mal à l'aise, alors on a fini par les placer dans la Fondation Tyler Hamilton. » Par manque de contributions, la fondation a fermé en 2008 avec un bilan comptable négatif.

l'Université de Georgetown et du Centre de recherche sur le cancer Fred Hutchinson. On a obtenu des informations concernant l'élaboration du test, dont une longue série de courriers électroniques autour de la question des faux positifs. Je me suis rendu à Athènes, où j'ai déniché d'autres éléments apparemment utiles – des courriels de laboratoires s'interrogeant sur la fiabilité du test. On a demandé à l'UCI de nous remettre les documents relatifs aux prélèvements sanguins que j'avais subis en juillet, pendant le Tour, puis, devant son absence de réaction, Howard Jacobs et moi sommes allés fouiner, à la façon de détectives privés, au laboratoire de Lausanne pour déterrer les documents dont nous avions besoin.

J'ai peaufiné ma version des faits pour le public. J'ai appris qu'en restant suffisamment vague, on n'était pas obligé de mentir. J'ai dit des choses comme « J'ai toujours travaillé dur », ou « Je suis resté au sommet pendant dix ans », ou « J'ai subi des dizaines de contrôles qui n'ont rien donné », et ainsi de suite. J'ai appris qu'à force de répéter quelque chose, on finit soi-même par y croire. Je me suis même soumis à un détecteur de mensonges pour prouver mon innocence, et j'ai réussi le test. (Il faut avouer que juste avant j'avais trouvé sur Internet quelques tuyaux pour contourner les pièges. Je me souviens que l'un d'eux consistait à serrer les fesses.)

Pour payer les honoraires des avocats, qui finiraient par atteindre près de 1 million de dollars, nous avons vendu notre maison de Marblehead et notre maisonnette de Nederland, celle que j'avais achetée quand j'étais devenu professionnel. Ça nous a fait mal, mais on était persuadés qu'on allait gagner et que je serais disculpé, et ça en valait la peine. En attendant, j'ai continué de m'entraîner, motivé par une colère nouvelle, sur des parcours déraisonnablement longs dans les hauteurs de Boulder. J'allais leur montrer, à ces enfants de salaud. J'allais les obliger à faire machine arrière. À l'approche de la date de l'arbitrage, j'ai senti l'excitation peu à peu me gagner, je me suis vu participer au Tour à nouveau. Ce contrôle ne valait rien du tout – je le savais et ils le savaient. Nous allions gagner. Obligé.

Et nous avons perdu.

Pas une fois, mais deux. D'abord devant l'USADA en avril 2005, puis, en appel, devant le Tribunal arbitral du sport (TAS) en février 2006. La partie adverse a affirmé que le test était fiable ; les courriels et les autres documents que nous avions déterrés n'étaient que « les indices d'un débat scientifique normal ». Ça nous a assommés. Je ne pouvais qu'exprimer ma déception, aller au bout de mes deux années de suspension et attendre de retrouver le peloton à l'automne 2006[3].

La défaite a le mérite de clarifier les choses. Nous avons compris à quel point nous avions été naïfs, à quel point nous avions tout misé sur une cause désespérée. J'ai compris comment fonctionnait vraiment le système. Ce n'était pas un procès devant un jury où l'on est présumé innocent tant que la culpabilité n'est pas établie. Selon l'expression

---

3. Voilà la grande question : en admettant que le test sanguin ait été fiable, comment le sang d'un autre a-t-il pu finir dans le corps d'Hamilton ? Selon certaines théories, il y aurait eu confusion entre le sang d'Hamilton et celui de son coéquipier chez Phonak Santiago Pérez, qui est tombé pour les mêmes raisons juste après avoir remporté le Tour d'Espagne 2004. (L'hypothèse s'est révélée impossible, à cause de la différence de groupe sanguin des deux hommes.)

Le Dr Michael Ashenden, le scientifique australien qui a pris part à la mise au point du test et témoigné lors de la comparution d'Hamilton devant l'USADA, suggère qu'une erreur a pu se produire quelque part dans la procédure de transfusion du Dr Fuentes. La congélation du sang suppose de multiples étapes dont plusieurs transferts et mélanges avec des concentrations progressivement croissantes de glycol à l'aide d'un appareil nommé ACP-215. Du fait que les cellules sont vivantes, il faut rester au chevet de cet appareil pendant des périodes de quatre heures et disposer d'une organisation parfaite. Fuentes et son assistant, José Luis Merino Batres (*alias* Nick), manipulaient le sang de dizaines de coureurs et on peut imaginer que le sang d'Hamilton et d'un autre coureur aient été mal étiquetés et/ou mélangés. Sans compter que, selon un article paru dans la presse espagnole en 2010, Batres était atteint de démence.

Hamilton n'a jamais faibli dans ses critiques à l'égard du test, qu'il considère comme « clairement pas encore au point ». Il a toutefois progressivement admis la possibilité que son résultat positif soit dû à un simple accident. « C'est vrai que, parfois, Nick [Batres] avait l'air un peu perdu, dit-il. J'étais sans cesse obligé de lui rappeler mon nom de code. »

On notera aussi avec intérêt que, de son côté, le Dr Ashenden, après les aveux d'Hamilton, de Landis et d'autres, en est progressivement venu à comprendre le dopage du point de vue du coureur cycliste. « Avant, je les voyais comme des faibles, de sales types, a-t-il déclaré. Je comprends aujourd'hui qu'ils se trouvaient dans une situation impossible. Dans la même situation, j'aurais moi-même fait ce qu'ils ont fait. »

employée par l'USADA, la mienne avait été établie avec un degré « satisfaisant de certitude ». Ils avaient étudié les éléments du dossier, et tranché. Malgré tout le mal que nous nous étions donné, on avait le sentiment de ne jamais avoir eu la moindre chance.

C'est à partir de ce moment que les choses avec Haven ont commencé à se gâter. Depuis deux ou trois ans notre relation était devenue avant tout une association de travail ; on avait l'air d'un couple d'avocats débordés qui partageaient accessoirement le même lit. Jusqu'au verdict, on s'était dit que tout cela finirait par en valoir la peine, que nous serions innocentés, que nous effacerions cette tache pour revenir encore plus forts.

À présent, pendant les semaines de calme qui ont suivi le jugement, nous avons compris à quel point nous étions épuisés – épuisés de livrer bataille contre le système, épuisés de perdre, épuisés de ces rôles du cycliste qui ne renonce jamais et de l'épouse vaillante et solidaire. Nous avions travaillé très dur, nous avions tout jeté dans la mêlée, pour rien. Nous avons essayé de nous relever, de nous dire que ce n'était qu'un obstacle de plus sur la route, que nous nous en sortirions à l'arraché comme nous l'avions toujours fait. Mais, en vérité, nous avons découvert que notre endurance ainsi que notre relation avaient leurs limites.

* * *

Au moment du rejet de mon dernier appel auprès du TAS, Lance avait pris sa retraite. Il avait remporté son septième Tour de France, celui du record, en 2005, et adressé depuis le podium un message aux sceptiques. Il avait dit : « Je suis navré pour vous. Navré que vous ne soyez pas capables de rêver et navré que vous ne croyiez pas aux miracles. » Là-dessus, il avait tiré sa révérence[4].

---

4. Pas tout à fait, bien sûr, parce qu'Armstrong était lui aussi en train de mener de front plusieurs combats juridiques, notamment :

1) un procès contre Mike Anderson, son ancien assistant qui affirmait avoir été renvoyé pour être tombé par hasard sur des produits dopants dans l'appartement

Puis, avec un sens de la synchronisation que l'on ne saurait qualifier autrement que de poétique, le monde du sport a connu un nouveau grand scandale. Celui-là touchait quelqu'un que je connaissais bien. Ufe.

À la fin du mois de mai 2006, la police espagnole a perquisitionné dans le cabinet madrilène d'Ufe – ce cabinet qui m'était si familier – ainsi que dans un ou deux appartements des environs. Elle y a trouvé un butin qui a stupéfait le monde entier : 220 PS ; 20 poches de plasma. Deux réfrigérateurs. Un congélateur (dont j'ai supposé que c'était notre bonne vieille Sibérie). Plusieurs grands fourre-tout de plastique contenant pas moins de 105 médicaments différents, dont du Prozac, de l'Actovegin, de l'insuline et de l'EPO ; des adresses de facturation, des factures ; des plannings ; des listes d'hôtels sur le parcours du Tour d'Italie et du Tour de France ; et le montant des primes qu'il devait toucher en cas de victoire d'étape ou de course d'un de ses clients.

---

d'Armstrong à Gérone. Armstrong avait porté plainte contre lui et l'affaire s'est réglée hors des tribunaux ;

2) des procès en diffamation contre, entre autres, La Martinière, l'éditeur français de *L.A. Confidentiel*, de David Walsh et Pierre Ballester, et contre le *Sunday Times* de Londres. Armstrong a fini par abandonner les poursuites contre La Martinière et par obtenir les excuses du *Sunday Times* ;

3) un procès contre SCA Promotions, la compagnie d'assurances sollicitée pour couvrir les primes d'Armstrong en cas de victoire au Tour de France. En 2004, quand les dirigeants de SCA ont commencé à soupçonner Armstrong de dopage, l'entreprise a gelé 5 millions de dollars de prime. Armstrong a porté plainte, et un arbitrage a eu lieu à l'automne 2005, au cours duquel Armstrong, Greg LeMond, Frankie et Betsy Andreu et d'autres sont venus témoigner sous serment. La procédure ne s'intéressant qu'aux termes du contrat d'origine – qui stipulait qu'en cas de victoire d'Armstrong, SCA devrait payer sans poser de questions sur les méthodes employées pour l'obtenir –, SCA a fini par accepter un arrangement prévoyant le versement des 5 millions de dollars, plus 2,5 millions de dommages et intérêts et de frais de justice.

Armstrong, toutefois, n'était pas seulement sur la défensive. À l'automne 2006, selon le *Wall Street Journal*, il a entamé, en compagnie de son agent Bill Stapleton, des pourparlers avec des investisseurs potentiels pour racheter le Tour de France à son propriétaire, Amaury Sport Organisation, pour 1 milliard et demi de dollars. Pour diverses raisons, dont le ralentissement économique mondial, l'affaire ne s'est pas conclue. Armstrong est resté séduit par le projet d'acheter le Tour, qu'il qualifiait encore en 2011 de « grande idée », mais difficile à exécuter.

Certes, je savais qu'Ufe était du genre débordé. Je savais qu'il travaillait avec d'autres coureurs – il m'avait lui-même parlé d'Ullrich et de Basso. Mais la vérité apparaissait à présent au grand jour : Ufe n'avait pas tenu une petite boutique de services réservée à quelques coureurs d'élite ; il avait organisé à lui seul un véritable réseau de distribution à la sauce Wal-Mart desservant la moitié du peloton. Officiellement, la police a établi des liens avec 41 coureurs ; officieusement, elle a dit qu'il pouvait y en avoir bien plus, notamment des joueurs de tennis et de football européen. Les juges d'instruction ont calculé qu'au cours du premier trimestre 2006, Ufe avait gagné 470 000 euros.

> JONATHAN VAUGHTERS : Ce qu'il faut comprendre au sujet de Fuentes et de tous ces médecins, c'est qu'ils ne se sont pas reconvertis dans le dopage pour rien. Ils n'avaient pas réussi par les voies conventionnelles, alors ce ne sont pas les individus les plus organisés qui soient. Qu'il leur arrive de laisser une poche de sang au soleil parce qu'ils prennent un dernier verre au café, c'était prévisible. L'erreur fatale qu'ont commise Tyler, Floyd, Roberto [Heras] et les autres quand ils ont quitté l'US Postal, c'est de croire qu'ils allaient trouver d'autres médecins aussi professionnels. Mais une fois rendus là, ils ont découvert – mince alors ! – qu'il n'y en avait pas.

Malgré ma crainte de me trouver impliqué dans la controverse qui s'installait, quelque chose en moi ne pouvait que saluer son génie tactique. Ufe, enfoiré de petit combinard ! Tu as tout compris, tu as utilisé les zones d'ombre de notre monde pour jouer sur tous les tableaux comme un grand maître. Même si l'on s'en tient aux estimations prudentes, tu as empoché des *millions*. Tu n'avais pas qu'un talent de médecin. Tu avais aussi un talent d'arnaqueur. Et par-dessus le marché, tu te savais à l'abri parce que l'Espagne n'était pas dotée de lois contre le dopage sportif[5].

---

5. Manifestement, la confiance de Fuentes était justifiée. L'absence de lois antidopage en Espagne a conduit l'instruction de l'« opération Puerto » à l'enlisement devant la justice espagnole. Fuentes a fini par être accusé d'atteinte à la santé publique ; il s'est défendu en soulignant que toutes les transfusions dont il avait à répondre avaient toujours été réalisées dans des conditions irréprochables d'hygiène et sous la supervision d'un personnel qualifié et sûr.

L'affaire Puerto, comme l'affaire Festina huit ans plus tôt, a eu l'effet d'une bombe atomique lâchée à la veille du Tour de France 2006. Certains des coureurs impliqués, comme Ivan Basso et Frank Schleck (qui a reconnu avoir versé 7 000 euros à Fuentes), se sont bornés à maintenir assez piteusement qu'ils ne s'étaient pas dopés. D'autres, comme Ullrich, ont eu le bon sens de prendre leur retraite (ce qui était bien vu, puisque les tests d'ADN révéleraient que Fuentes détenait pas moins de *neuf* PS d'Ullrich). Le Tour a bien eu lieu, mais les choses ne se sont pas arrangées : le vainqueur, Floyd Landis, que j'avais contribué à attirer chez Phonak, s'est fait pincer pour usage de testostérone quelques jours après l'arrivée.

J'éprouvais de la peine pour tous ceux qui s'étaient fait pincer cette année-là, mais surtout pour Floyd, en raison de la façon dont ça s'était passé. Il avait remporté le Tour à la suite d'une remontée spectaculaire lors de la dix-septième étape, qualifiée par d'anciens coureurs de plus belle échappée solitaire de l'histoire du Tour, où il avait résisté au retour du peloton dans certaines des montagnes les plus raides du parcours. Je n'avais jamais vu de course aussi héroïque, surtout si l'on considère que la testostérone n'a qu'un effet relativement faible sur les performances[6].

J'ai regardé la conférence qu'a donnée Landis après s'être fait pincer, et entendu ses dénégations mollassonnes (quand on lui a demandé s'il s'était dopé, Floyd a hésité, puis a répondu : « On va dire que non »). J'ai bien senti qu'il était piégé. Je l'ai vu s'engager sur la voie que j'avais moi-même suivie. Il contesterait le résultat du contrôle, et finirait selon toute probabilité par perdre. En le regardant sur mon ordinateur, j'ai eu envie de passer à travers l'écran pour le serrer dans mes bras. Je me demandais comment Floyd – l'indépendant, l'intrépide – allait encaisser le coup[7].

6. Landis reconnaîtrait plus tard avoir pris 2 PS et des microdoses d'EPO pendant le Tour, mais maintiendrait qu'il n'avait pas pris de testostérone.

7. Apprenant qu'il avait été contrôlé positif, Landis a d'abord dit qu'il envisageait de tout avouer. Après réflexion, et une conversation avec Armstrong, il a choisi de contester les accusations qu'on lui portait. Il a écrit un livre, *Positively False: The Real Story of How I Won the Tour de France* [Positivement faux : la vraie histoire de

Toutefois, je n'ai pas trop eu le temps de m'inquiéter pour lui, car les retombées de l'enquête Puerto commençaient à me créer des problèmes. Il n'a pas fallu longtemps pour qu'on retrouve sur Internet certains plannings et documents d'Ufe. La plupart étaient en langage codé, mais il y avait dans le lot une facture rédigée de sa main qu'Ufe avait faxée à Haven, où il mentionnait la Sibérie, et établissait que je lui avais versé 31 200 euros et lui en devais encore 11 840. Tout le monde a pu voir le planning de dopage établi pour moi par Ufe en 2003, les dates correspondant à mon calendrier de courses, et ses annotations manuscrites indiquant les transfusions et les injections qu'il préconisait. J'ai nié que j'étais le coureur 4142 et clamé mon innocence, mais n'importe quel individu normalement constitué pouvait faire le lien.

Certains en viendraient plus tard à se demander pourquoi seul mon calendrier de courses avait été rendu public, et pas d'autres pièces du même type concernant des étoiles plus jeunes et en activité, comme Alberto Contador, identifié par la rumeur derrière le nom de code A.C. Je n'ai pas d'autre réponse à cette question que la plus évidente : le cyclisme sait très bien protéger ses actifs. Pour répondre à la menace d'un nouveau vilain scandale, le milieu a appliqué une stratégie éprouvée de longue date : on désigne quelques boucs émissaires, on préserve les autres et la vie continue.

Une fois associé à l'affaire Puerto, j'étais officiellement contaminé. Plus aucune équipe de premier plan n'a répondu à mes appels, et je suis revenu au point de départ de 1994, à mes débuts : j'étais un homme de l'extérieur qui se cherche une équipe.

* * *

En novembre 2006, j'ai signé pour 200 000 dollars un contrat d'un an avec une petite équipe italienne nommée Tinkoff Credit Systems, propriété d'un empereur russe de la restauration nommé Oleg Tinkoff.

---

ma victoire au Tour de France], et récolté plusieurs centaines de milliers de dollars à travers le fonds « Floyd Fairness » pour l'aider à payer ses frais de justice. « Quitte à mentir, autant y aller carrément, écrit Landis. C'est ce que Lance m'a appris. »

Tinkoff avait ce côté un peu canaille qui savait flairer un bon créneau ; il engageait des coureurs qui s'étaient fait prendre et dont les autres équipes ne voulaient plus : moi, Danilo Hondo, Jörg Jaksche (il aurait bien voulu recruter Ullrich, mais celui-ci était encore sous le coup d'une suspension).

Le Tour d'Italie 2007, en mai, serait la première grande épreuve de mon retour. Avant la course, on a pu constater l'effet qu'avait eu sur moi ma suspension : je me suis contenté de me procurer de l'EPO auprès d'un ami coureur italien et de faire monter mes chiffres jusqu'à un niveau acceptable. J'étais peut-être un tricheur, mais je n'étais pas idiot. Sans PS, je n'avais aucune chance de remporter la course ; une victoire d'étape serait largement suffisante.

La veille de la course, dans l'une de ses éternelles manœuvres visant à afficher ostensiblement son intention de nettoyer le sport, l'UCI a exhorté les équipes à n'aligner au départ aucun coureur mêlé à l'enquête en cours sur l'affaire Puerto. Jörg Jaksche et moi avons été exclus du Tour, Tinkoff a cessé de me payer, et je me suis mis en quête d'une autre équipe.

À l'automne, j'ai signé un contrat de 100 000 dollars avec Rock Racing, une nouvelle équipe américaine mise sur pied par Michael Ball, un homme charismatique très influent dans le monde de la mode. Le projet de Ball était de créer une équipe à l'esprit rock and roll, car il savait que l'infamie, quand on la présente comme il faut, est vendeuse. Il a donc embauché d'autres réfugiés de l'opération Puerto, Santiago Botero et Óscar Sevilla. Avec une telle feuille de service, on était assurés de ne pas recevoir d'invitation du Tour de France. Mais on était bons, et on s'est amusés. En fait, on a pris beaucoup de plaisir à jouer les mauvais garçons du cyclisme ; on s'est laissé pousser les cheveux, on portait des uniformes stylés, Ball donnait de grandes fêtes et conduisait des voitures de sport. Ça faisait du bien de se défouler un peu.

Il y avait une certaine ironie à ma situation. J'avais eu pendant toute ma carrière une allure de boy-scout alors que je me dopais ; à présent, pour mon retour, j'avais un look de rocker et j'étais fondamentalement propre, je ne prenais plus d'Edgar. (J'ai quand même pris une ou deux fois de la testostérone.) Rassurez-vous, il n'y avait là aucune posture morale. Je suis sûr que si on m'avait offert de l'Edgar, j'en aurais pris, sans me poser de question. Je savais que le monde n'avait pas changé – l'élite continuait de jouer au petit jeu de toujours, même si les contrôles étaient un peu plus poussés. C'est juste que je ne disposais plus des bons contacts et que de toute façon nous participions à des courses plus courtes, essentiellement aux États-Unis, contre des concurrents moins difficiles. J'ai quand même trouvé gratifiant de constater que j'obtenais encore des résultats en roulant paniagua, comme à mes débuts.

Ce qui était moins agréable, en revanche, c'est l'attitude affichée par certains coureurs quand j'ai retrouvé le peloton lors de courses un peu plus importantes, comme le Tour de Californie. J'avais toujours compté beaucoup d'amis parmi les coureurs et mis un point d'honneur à entretenir de bons rapports avec tout le monde. Je ne m'attendais pas à être reçu en héros, mais au moins à ce qu'on me dise bonjour, qu'on me témoigne un peu de sympathie. Certains ont été formidables – je me souviens que Chechu Rubiera s'est montré chaleureux et accueillant. Mais dans l'ensemble, on ne peut pas dire que le peloton m'ait bien reçu.

Un jour, assez rapidement après mon retour, j'ai participé à une course où se trouvait aussi Jens Voigt, l'un des coureurs les plus appréciés du peloton. C'est un gaillard drôle, ouvert, et on s'était toujours bien entendus. Tout content de le retrouver, je suis venu à sa hauteur, histoire de papoter un peu. Il m'a lancé un regard, puis il a fixé les yeux sur la route. J'étais décontenancé. On a roulé comme ça pendant une bonne minute, à quelques centimètres l'un de l'autre.

Il plaisante peut-être, ai-je pensé. Ça doit être une blague, il ne va pas tarder à me lâcher un sourire.

Rien du tout.

« Salut, Jens, ai-je fini par dire. Comment ça va aujourd'hui ? »

Il ne m'a pas regardé. « J'essaie juste de suivre la roue devant moi », a-t-il dit avec froideur.

J'ai attendu un moment, sans trop savoir comment le prendre. Puis, secouant la tête de dépit, je me suis éloigné. J'ai essayé de ne pas en faire une affaire personnelle. Peut-être que Jens redoutait simplement qu'on l'associe avec moi. Peut-être que je lui rappelais un peu trop ce qui risquait de lui arriver si jamais il se faisait pincer. Peut-être aussi que c'est tout simplement comme ça que fonctionne la fraternité. Tu es dedans ou tu es dehors. Il n'y a pas de moyen terme.

À la maison, le fossé a continué de se creuser avec Haven. J'ai passé une bonne partie de l'année 2007 en Italie, à m'entraîner avec Cecco, tandis qu'elle était à Boulder, occupée à décrocher sa licence d'agent immobilier et à se reconstruire une vie professionnelle. Nous n'avons pas beaucoup parlé pendant mon absence, puis, à mon retour, entre la tension du *come-back* et ma dépression, je n'ai pas été le plus joyeux des compagnons. Ajoutons à cela qu'il n'est pas facile d'expliquer à ses beaux-parents pourquoi leur nom de famille figure sur un fax d'un trop célèbre médecin espagnol. Notre maison de Sunshine Canyon a pris des airs de musée des espoirs déçus. Nous menions une existence de zombies, mécanique et routinière, et il est devenu évident que ça ne marchait plus. À l'automne 2008, nous avons divorcé. On a fait les choses simplement et en toute cordialité : un seul avocat, tout a été équitablement partagé, pas de chichis, pas d'embrouille, meilleurs vœux de bonheur mutuels. C'était comme si, émergeant d'une pile de décombres, on s'était serré la main et que chacun était parti de son côté.

Début 2008, Rock Racing a été invitée à participer au Tour de Californie : c'était une course importante, l'occasion pour moi de montrer ce dont j'étais capable. Puis, comme lors du Tour d'Italie, les organisateurs nous ont coupé l'herbe sous le pied en excluant tous les coureurs mêlés à l'opération Puerto, dont moi. C'était injuste – j'avais purgé ma suspension, j'aurais dû avoir le droit de courir. Et puis il y avait dans nos rangs Botero et Sevilla, qui avaient fait des milliers de kilomètres pour être là. On a décidé de rester dans l'équipe en signe de protestation, espérant que d'autres coureurs prendraient notre défense. Pas un ne l'a fait. Ils avaient peur d'écorner leur image en soutenant des « dopés notoires ».

J'ai canalisé ma colère et remporté deux ou trois courses importantes, le Tour du lac Qinghai, en Chine, puis, en août, le championnat des États-Unis de cyclisme sur route. Trouver une certaine forme de rédemption m'a fait du bien – surtout dans la seconde course, où j'ai battu mon ancien coéquipier George Hincapie et une pelletée de pros américains de premier plan.

Mais cette satisfaction n'a pas duré. Chaque victoire ravivait le souvenir de tout ce que j'avais perdu, chaque interview me renvoyait en écho l'histoire de mon contrôle positif, me rappelant qu'on n'échappe jamais à son passé. C'était un fait, j'étais marqué au fer rouge, un coureur de trente-sept ans à la réputation entachée, errant de course en course, sans femme, sans foyer, sans perspective d'avenir. Je me suis mis à boire ; ma dépression s'est aggravée.

* * *

À l'automne 2008, Lance a surpris tout le monde en annonçant qu'il sortait de sa retraite. Il a attribué ce retour au souhait de faire avancer la lutte contre le cancer, mais la raison était, à mes yeux, claire comme de l'eau de roche : l'accumulation des scandales avait mis à mal son héritage, alors il revenait pour reprendre la maîtrise de son histoire. Pourquoi pas ? Rien ne l'empêchait de se remettre à tromper les contrôles, de travailler dur, et de reprendre le petit manège. Comme toujours, il avait cette propension à surenchérir. Une grande victoire, et tout le monde la bouclerait[8].

Pendant que Lance faisait son retour, je suivais pour ma part la trajectoire opposée. Début 2009, j'ai de nouveau été contrôlé positif. Je cherchais un substitut naturel à mes médicaments contre la dépression, et ça m'a amené à essayer un antidépresseur en vente libre à base

8. Armstrong avait officiellement coupé tout lien avec Ferrari en 2004, après la condamnation du médecin par un tribunal italien pour fraude sportive et exercice abusif de la profession de pharmacien (la première serait ensuite annulée pour cause de prescription, et la seconde rejugée en appel), mais les deux hommes ont en fait gardé contact. Armstrong a affirmé qu'il ne s'agissait que d'une relation personnelle et que Ferrari ne l'entraînait plus. Toutefois, plusieurs coureurs de l'équipe US Postal ont témoigné avoir vu Ferrari et Armstrong s'entraîner ensemble à Gérone en 2005. En outre, selon *La Gazzetta dello Sport*, les enquêteurs italiens ont trouvé la trace d'un paiement de 465 000 dollars d'Armstrong à Ferrari effectué en 2006, deux ans après la prétendue rupture du coureur avec le médecin.

de plantes qui contenait de la DHEA, une substance interdite qui n'ajoute rien aux performances. Je savais bien que la DHEA était proscrite, mais j'avais vraiment besoin d'aide et j'ai jugé que les chances de me faire attraper étaient très faibles. Évidemment, c'est la seule fois de ma carrière où les contrôleurs ont fait leur métier – ils m'ont pris à l'improviste (à présent que je vivais seul, je ne disposais plus de mon habituel système d'alerte).

Je crois que, tout au fond de moi, je voulais me faire prendre. Quand on m'a appelé pour passer un test, à 6 h 30 du matin, je n'ai même pas cherché à aller pisser d'abord, ce qui aurait nettoyé mon organisme et dilué mon échantillon d'urine. Quand on m'a annoncé que j'étais positif, j'ai eu le réflexe de contester le résultat, prouver qu'ils s'étaient trompés (les habitudes ont la vie dure). Mais après en avoir parlé avec des amis, j'ai eu une illumination. J'allais essayer une tactique nouvelle et bizarre : j'allais dire ce qui était vraiment arrivé.

Et c'est ce que j'ai fait. J'ai convoqué une conférence de presse, respiré un grand coup, et raconté les faits. Pour la première fois de ma vie, j'ai parlé ouvertement de ma dépression. J'ai expliqué que je n'avais jamais voulu avouer ce mal parce que je craignais qu'on y voie une faiblesse. J'ai parlé de mes tentatives d'abandonner les médicaments qui m'étaient prescrits (moins efficaces depuis quelque temps, ce qui arrive généralement avec les antidépresseurs), et de ma découverte de ce produit à base de plantes. Oui, j'en avais pris, et oui, je savais qu'il contenait de la DHEA.

J'ai aussi annoncé que je raccrochais mon vélo, immédiatement. Alors que je parlais, j'ai senti ma poitrine se libérer d'un poids : je n'aurais pas à embaucher d'avocat, à mettre au point mille stratégies, à faire attention à ce que j'allais dire, ni à trimballer partout mon secret. Je n'avais qu'à dire ce qui s'était passé, tel quel. Au cours des jours suivants, quelque chose s'est détendu en moi, comme un poing qui aurait commencé à se desserrer.

Je me suis rapproché de ma famille. À l'automne, on avait diagnostiqué un cancer du sein chez ma mère, et je me suis mis à passer plus de temps auprès d'elle pendant sa convalescence. J'ai commencé à voir un psychothérapeute à Boston, et les séances m'ont fait un bien fou. Il m'a aidé à prendre du recul et à considérer la vie sous un nouvel angle. J'ai commencé à me défaire d'une part de la culpabilité qui m'accablait, à percevoir à quel point j'avais mené une existence de dingue. J'ai renoué avec de vieux amis. J'ai assisté à un match de baseball des Red Sox. J'ai passé du temps avec mes parents, avec ma sœur, mon frère et leurs familles.

En janvier 2010, je suis rentré à Boulder et j'ai ouvert une petite entreprise de remise en forme. Ça resterait tout simple : on n'utiliserait pas beaucoup de méthodes basées sur l'informatique ; avec l'aide de mon ami Jim Capra, on se contenterait de tracer les grandes lignes de programmes d'entraînement individualisés pour aider les gens à atteindre leurs objectifs, qu'il s'agisse d'intégrer l'équipe olympique ou de perdre vingt kilos. On a eu quelques dizaines de clients de tous les horizons, du débutant à l'espoir de haut niveau. J'ai poursuivi mes actions caritatives au profit de la lutte contre la sclérose en plaques ; mon père et moi avons notamment continué à organiser notre randonnée annuelle de levée de fonds, le MS Global.

Surtout, j'ai commencé à fréquenter une femme merveilleuse nommée Lindsay Dyan. Elle était belle, intelligente, prompte à la repartie et débordante d'une spontanéité que j'adorais. On s'était rencontrés en Italie, au moment où j'effectuais mon grand retour au vélo, et on avait gardé le contact. Nous en étions à présent à aménager nos horaires pour passer du temps ensemble. C'était une vraie Bostonienne, issue d'une famille italienne très soudée, qui passait une maîtrise d'éthique des relations internationales à l'Université Suffolk. Elle a donné à ma vie une légèreté nouvelle et rafraîchissante, le sentiment que chaque jour apportait son lot de nouvelles possibilités. Pour rire, j'ai voulu résumer la personnalité de Lindsay sur un *post-it*, et trois adjectifs me sont venus : timbrée, drôle, attentionnée. Et c'est vrai. Elle a par exemple eu un coup de foudre pour une Jeep Grand Wagoneer vintage de 1979 trouvée sur eBay ; l'instant d'après, on prenait l'avion pour le Texas où nous l'avons récupérée et ensuite ramenée à Boulder par la route. On l'a appelée la Machine Verte, et à son bord nous avons exploré les montagnes des environs de la ville. Je pense que Lindsay devait me trouver des ressemblances avec cette voiture : beaucoup de kilomètres au compteur, quelques éraflures, mais qui mérite qu'on lui donne sa chance.

Ainsi se dessinait ma nouvelle vie. Je m'efforçais de ne pas trop me faire remarquer. Je ne suivais pas le Tour à la télé. Je passais du temps avec mes amis et faisais du jogging dans la montagne avec Tanker, mon nouveau golden retriever, qui n'avait rien à envier à Tugboat en termes d'énergie inépuisable. Je jouais au soccer intérieur, je m'occupais de mon entreprise et me tenais à l'écart du milieu du cyclisme de Boulder. Je n'avais pas de vision très claire de l'avenir, si ce n'est que je ferais mon possible pour connaître davantage de jours meilleurs, tourner la page et devenir un homme normal.

Je croyais que c'était fini. Que tous les drames avec Lance étaient derrière moi, morts et enterrés. Je n'allais pas tarder à découvrir que le passé n'était pas mort. Ce n'était même pas du passé.

CHAPITRE 14

Le bulldozer de Novitzky

C'était une soirée tranquille, vers la mi-juin 2010, j'étais à la maison, à Boulder. Allongé sur mon lit, je regardais un film policier, *Braquage à l'anglaise*, quand mon téléphone a vibré et j'ai reçu un SMS :

« Je suis Jeff Novitzky, enquêteur de la FDA (*Food and Drug Administration*). Je voudrais vous parler ; merci de me rappeler à ce numéro. »

Mon cœur a fait un bond. J'avais déjà entendu ce nom, évidemment. C'est Novitzky qui avait conduit Barry Bonds devant les tribunaux et fait mettre sous les verrous d'autres dopés, dont la médaillée d'or olympique Marion Jones. On le comparait volontiers à Eliot Ness, le flic redresseur de torts qui s'était attaqué à la corruption au temps de la prohibition, et il avait la gueule de l'emploi : grand, maigre, crâne rasé, regard intense. Je m'attendais depuis un moment – non sans appréhension – à ce qu'il cherche à me joindre.

Tout avait commencé quelques semaines auparavant, quand Floyd Landis avait lâché une petite bombe sous la forme d'une confession par courriel adressée aux autorités américaines du cyclisme, où rien ne manquait, ni les dates, ni les noms, ni les détails concernant Lance et l'équipe de l'US Postal. La nouvelle a vite fait le tour du monde et, devant l'autocar de l'équipe lors du Tour de Californie, Lance appliquait sa tactique habituelle : 1) ne pas avoir l'air surpris ; 2) traiter Floyd d'aigri et insinuer qu'il avait des problèmes psychologiques ; 3) embaucher discrètement de coûteux avocats. Il a suffi que la journaliste du

New York Times Juliet Macur prononce le nom de Novitzky pour que Lance perde un peu de son aplomb. « Pourquoi voulez-vous... pourquoi voulez-vous que Jeff Novitzky se mêle de près ou de loin à ce que font les athlètes en Europe ? », a-t-il bafouillé.

La nervosité de Lance était compréhensible. En quelques jours, un jury d'accusation avait été constitué à Los Angeles sous la supervision du procureur fédéral Doug Miller, qui avait travaillé avec Novitzky sur l'affaire Balco. Les témoins étaient cités à comparaître, et ils devraient dire la vérité sous peine de se retrouver en prison pour faux témoignage. En gros, le cauchemar absolu de Lance devenait réalité – une enquête judiciaire puissante et implacable sur la façon dont il avait gagné le Tour de France.

Que Floyd ait été celui par qui le scandale arrivait ne manquait pas de sel, et peut-être était-ce inévitable : le jeune mennonite, le dur à cuire aussi trompe-la-mort que Lance. Ce qui dérangeait Floyd, ce n'était pas le dopage. Ce qu'il haïssait – au point de lui torturer l'âme – c'était l'injustice. L'abus de pouvoir. L'idée d'être privé de compétition parce que Lance en avait décidé ainsi.

Il ne demandait qu'une chose : la possibilité de reprendre part à la compétition. Au terme de sa période de suspension, il avait essayé de retrouver sa place au sein du peloton. Subissant le mépris et les calomnies de Lance et de l'ensemble de la profession, Floyd avait démarché une série d'équipes de deuxième rang. Lance aurait pu facilement faire de la place à Floyd dans son équipe ou dans une autre ; un coup de fil et c'était réglé. L'enquête n'aurait peut-être jamais eu lieu si Lance s'était seulement comporté en ami avec Floyd ; s'il lui avait offert son aide, calmé le jeu. Mais autant demander à Lance d'aller sur la Lune à vélo. L'amitié est pour lui un sentiment incompréhensible. Floyd était un ennemi, et un ennemi, ça s'écrase, point final. Cette approche marchait avec la plupart des gens. Mais pas avec le gamin mennonite obstiné, capable de citer de mémoire la Bible, notamment Nombres 32,23 : « Sachez que votre péché vous trouvera. » En avril 2010, Floyd avait contacté Travis Tygart, le directeur de l'USADA, et avait tout déballé sur son passage chez US Postal.

Novitzky avait fait son entrée en scène quelques mois plus tôt, quand on avait trouvé des produits dopants dans le réfrigérateur d'un appartement de Calabasas, en Californie, loué au nom d'un ancien coureur de Rock Racing nommé Kay Leogrande. Tombé par hasard sur la réserve de médicaments, le propriétaire du logement avait contacté la FDA, où Novitzky travaillait depuis peu, et celui-ci avait à son tour joint Tygart à l'USADA parce que les deux hommes se connaissaient de longue date. Si bien que lorsque Floyd s'est mis à parler à l'USADA, très vite il a tout raconté aussi à Novitzky.

Floyd ne s'est pas contenté de dire toute la vérité à Tygart et Novitzky, il avait apparemment étudié l'aspect juridique du dossier. Le *False Claims Act* (loi sur les fausses déclarations) est une loi qui protège l'État contre des entreprises frauduleuses ayant passé des contrats publics et prévoit l'attribution au lanceur d'alerte de 15 à 30 % des fonds récupérés. Étant donné que la Poste américaine avait versé à Tailwind Sports (la société de gestion dont Lance était l'un des propriétaires) plus de 30 millions de dollars en tant que commanditaire de l'US Postal, cette loi pouvait s'appliquer – surtout s'il était prouvé que Tailwind avait violé les clauses de son contrat en organisant le dopage. Selon certains récits, c'est après avoir entamé le dialogue avec l'USADA et Novitzky que Floyd a porté plainte contre Tailwind Sports en invoquant le *False Claims Act*. C'était particulièrement savoureux : s'il était prouvé que Lance et Tailwind avaient trompé l'État, Floyd pourrait bien avoir droit à une récompense aux dimensions bibliques.

Floyd a pris sa décision définitive dans les semaines qui ont précédé le Tour de Californie, la plus grande épreuve nationale de l'année, qui se tient en mai. Il a informé par courriel le directeur de la course Andrew Messick qu'il s'était entretenu avec l'USADA à propos de ses années au sein de l'US Postal. (Égal à lui-même, Floyd a été jusqu'à inviter Lance à assister à ses réunions avec l'USADA.) Constatant que Lance et Messick n'étaient pas prêts à cesser leur ostracisme à son égard, Floyd a envoyé ses confessions par message électronique à l'USA Cycling, l'Association américaine du cyclisme : la mèche était allumée.

La méthode de Novitzky et Miller a consisté en gros à passer le monde du vélo au bulldozer. Très vite, le milieu a été saisi par la peur. Les témoins ont été contactés : Hincapie, Livingston, Kristin Armstrong, Frankie et Betsy Andreu, Greg LeMond et ainsi de suite. J'ai entendu dire que Levi Leipheimer avait reçu sa citation à comparaître au moment où il franchissait la douane en rentrant du Tour de France. Pour Yaroslav Popovych, coéquipier de Lance, ça s'est passé comme dans un film : des agents se sont pointés à bord d'une grosse berline noire pour lui remettre son assignation alors qu'il était de passage à Austin pour assister à un événement contre le cancer organisé par Lance.

C'est à ce moment que le bulldozer Novitzky s'est présenté devant ma porte, sous la forme de ce SMS. Je lui ai demandé de se mettre en rapport avec mon avocat, Chris Manderson. Quand Novitzky a demandé à Chris si j'entendais coopérer de mon plein gré à son enquête, j'ai fait répondre non, catégoriquement. L'ancienne logique primait toujours : pourquoi irais-je volontairement offrir mon témoignage après avoir si longuement nié ? Pourquoi risquer le peu de réputation qui me restait ? Je ne demandais qu'à poursuivre ma vie, pas à revenir en arrière. Quelques jours plus tard, Novitzky répliquait par une assignation. J'étais cité à comparaître devant un tribunal à Los Angeles le 21 juillet 2010 à 9 heures du matin.

La date du 21 juillet approchant, mon angoisse ne faisait que croître. J'ai passé des nuits blanches sur mon lit, à me demander quoi faire. Parfois je me disais : « Au diable, je continue à mentir, quitte à risquer le parjure. » Ou alors j'envisageais d'adopter la stratégie de l'amnésie, comme j'avais vu tant de chefs d'entreprise et de dirigeants politiques le faire à la télévision. Pendant ce temps, mon avocat croulait sous les appels urgents des avocats de Lance qui m'offraient leurs services gratuitement. Du Lance tout craché. Pendant six ans, il avait refusé de lever le petit doigt pour moi, mais comme le temps se gâtait, il voulait refaire copain-copain. Non merci.

La veille de ma comparution devant le jury d'accusation, j'ai rencontré à Los Angeles Manderson et Brent Butler, l'un de ses collègues qui avait déjà travaillé auprès d'un procureur fédéral. On s'est installés dans une petite salle de réunion. Ils m'ont dit qu'il fallait qu'on revoie ensemble les grandes lignes de mon témoignage. Ils ont commencé par la plus simple des questions: « Racontez-nous votre arrivée au sein de l'US Postal. »

Un flot d'images et de souvenirs m'est venu à l'esprit. La rencontre avec Lance pendant le Tour DuPont, la voix rauque de Thom Weisel, les sachets blancs, les œufs rouges, Motoman, Ferrari, Ufe et Cecco. J'ai respiré un grand coup et j'ai commencé par le commencement, en m'appliquant le plus possible. J'ai vu Manderson et Butler se figer. Puis, bien calés dans leur fauteuil, ils n'ont plus posé de questions et se sont contentés de m'écouter en me dévorant des yeux. J'ai eu l'impression que ça durait depuis une heure, mais quand j'ai relevé la tête, j'ai vu que quatre heures s'étaient écoulées.

Je n'avais jamais eu l'occasion de tout raconter comme ça, du début à la fin. Lâcher la vérité après treize ans n'était pas très agréable – à vrai dire, ça faisait mal; mon cœur battait comme si je grimpais un col. Ça faisait mal, mais j'avais le sentiment de faire un pas en avant, je savais que c'était la bonne direction. Je savais que je ne pouvais pas reculer. J'ai compris ce que Floyd avait voulu dire quand il avait déclaré que la vérité lui donnait le sentiment de se nettoyer, parce que je me sentais propre à mon tour, remis à neuf.

Le lendemain, je me suis présenté au tribunal, au centre-ville de Los Angeles, avec Manderson et Butler. On est arrivés en avance, Novitzky nous attendait à l'entrée. Il était grand (plus de 1,80 mètre), d'allure soignée, et son crâne luisant lui donnait un air intimidant. Mais derrière cette apparence se cachait un personnage plus proche d'un père de famille de banlieue amateur de sport: décontracté, voix agréable, bracelet de cuir sous le poignet de sa chemise blanche. Sous sa lèvre inférieure poussait une petite touffe de poils. Il savait vous mettre à l'aise, vous donner un sentiment de sécurité: le meilleur qualificatif pour le décrire, c'est la « constance ». Je comprenais pourquoi Betsy Andreu le surnommait « père Novitzky » ; il avait la prestance d'un clergyman d'un certain âge. On a passé un moment à parler de basketball et des Red Sox. Je n'ai pas pu m'empêcher de me dire que son côté sûr de lui me rappelait un peu Lance, à un détail près: autant Lance exerçait sa domination à coups de trique, autant Novitzky arborait la sienne avec légèreté.

Ensuite, l'heure de l'audition approchant, le sourire détendu de Novitzky a fait place à un air sérieux d'homme d'affaires, ce que je finirais par appeler sa « tête d'enquêteur ». Il m'a expliqué la suite des événements: je prêterais serment, puis le procureur Doug Miller m'interrogerait. Novitzky n'a d'aucune façon cherché à m'influencer ni à m'orienter; il n'a mentionné ni Lance ni l'enquête; d'ailleurs, il n'aurait pas le droit de se trouver dans la salle du jury. Il m'a dit que tout ce que je devais faire, c'était répondre de mon mieux, le plus sincèrement possible. J'ai pris une grande inspiration, et j'ai franchi la porte avec une seule pensée en tête: *Je ne reculerai devant aucune question.*

Le procureur m'a interrogé et j'ai répondu à toutes les questions aussi complètement que possible. Au lieu de livrer le minimum, je reprenais les choses depuis le début et précisais le contexte, les détails. Chaque fois qu'il cherchait à incriminer Lance, je commençais par m'incriminer moi-même. Je ne voulais pas me contenter de déballer les faits. Je voulais qu'ils ressentent les choses de notre point de vue. Je voulais qu'ils se demandent ce qu'ils auraient fait à notre place. Je voulais qu'ils comprennent.

Miller prenait soin de ne pas laisser transparaître la moindre émotion, mais de temps en temps je levais les yeux et je voyais les siens s'écarquiller. Après quatre heures, je n'étais qu'à mi-chemin de mon récit, mais nous avions atteint la limite de temps; le jury d'accusation a été libéré. Mais j'avais envie de continuer, et Miller aussi. Après avoir consulté mes avocats, j'ai décidé de raconter le reste dans le cadre d'une déposition volontaire, une procédure courante lorsque le témoin coopère, et qui avait l'avantage de me protéger contre les poursuites qu'on aurait pu engager contre moi à la suite de mes aveux – ce n'est pas exactement l'immunité, mais ça y ressemble. J'ai alors livré trois heures supplémentaires de récit dans une salle de réunion, en présence de Novitzky et de mes avocats, ce qui faisait un total de sept heures de témoignage. À la fin, Novitzky et Miller m'ont remercié. Ils s'efforçaient de rester objectifs et neutres, mais on voyait clairement qu'ils avaient apprécié ma sincérité. Ils m'ont dit qu'ils me contacteraient, et je suis sorti. J'étais totalement épuisé, vidé. Mais ça m'avait fait du bien.

Avec tout ça, Lance n'était jamais vraiment très loin. Le lendemain de ma déposition, j'apprenais au fils de Chris Manderson à monter à vélo devant chez lui quand un 4 × 4 nous a dépassés avant de piler sec. La vitre électrique s'est lentement abaissée et j'ai eu la surprise de voir apparaître un visage familier, celui de Stephanie McIlvain, la représentante du lunetier Oakley, avec qui j'avais noué des liens d'amitié quand j'étais chez US Postal. Stephanie se trouvait dans la chambre d'hôpital de Lance quand celui-ci avait soi-disant avoué s'être dopé, en 1996. Par le plus grand des hasards, elle habitait près de chez les Manderson.

Je me suis aussitôt méfié, parce que je ne savais pas trop de quel côté elle penchait. Publiquement, et sous serment, elle avait déclaré ne pas avoir entendu Lance admettre dans cette chambre d'hôpital qu'il prenait des produits illicites. Mais la version des faits qu'elle donnait en privé était différente – Lance avait bien avoué, mais il avait fait pression sur elle pour qu'elle garde le silence[1].

Stephanie paraissait pressée de me parler. Elle m'a demandé mon numéro de téléphone, et je le lui ai donné. Une heure plus tard, elle a commencé à m'envoyer des SMS, insistant pour me rencontrer, pour

1. En 2005, à l'audience concernant SCA Promotions, McIlvain a déclaré sous serment qu'elle n'avait jamais entendu Armstrong admettre qu'il se dopait. Toutefois, dans une conversation avec Greg LeMond enregistrée à son insu, elle dit qu'elle a bien entendu Armstrong tout avouer dans la chambre d'hôpital. Et elle ajoute: « [Armstrong] dispose de tellement de protections, c'est écœurant. » En septembre 2010, McIlvain a passé sept heures à déposer devant le jury d'accusation. Ensuite, son avocat, Tom Bienert, a dit que la journée avait été « très éprouvante » et qu'elle avait déclaré n'avoir jamais vu ni entendu Armstrong dire qu'il avait pris des produits dopants. La véracité de cette déclaration reste à établir; comme l'a très justement écrit le chroniqueur du magazine *Bicycling* Joe Lindsey, s'il s'était agi d'une simple dénégation, pourquoi a-t-elle duré sept heures?

discuter, disait-elle. J'ai décliné son invitation, prétextant que j'étais très occupé. Elle m'a alors renvoyé un SMS. Puis un autre. Et encore un autre. Elle a fini par me dire qu'une vieille connaissance, Toshi Corbett, qui avait travaillé pour le fabricant de casques Giro, était avec elle et que ça m'intéresserait de le rencontrer.

Ça n'a fait qu'aiguiser mes soupçons. Je pensais que Toshi était très clairement du côté de Lance. Je me suis demandé si Stephanie et Toshi ne cherchaient pas à me voir pour glaner des renseignements qu'ils pourraient transmettre à Lance.

Je n'ai pas répondu aux SMS de Stephanie. Je n'étais pas très fier de lui battre froid, mais je ne voulais pas prendre le moindre risque; Lance ne devait rien savoir de ma déposition. Le lendemain, je suis rentré à Boulder, avec le sentiment qu'on me surveillait.

* * *

Je me trouvais à présent au cœur de la mêlée, coincé entre Novitzky et Lance, le chasseur et la proie. Pas un jour ne passait sans que je pense à eux, sans que je voie leur visage, que je sente leur présence dans ma vie. Ils disputaient une partie d'échecs dans laquelle j'avais l'impression d'être un pion.

En novembre 2010, Novitzky et son équipe se sont rendus en Europe pour rechercher des preuves. Au siège d'Interpol, à Lyon, ils ont rencontré des représentants français, italiens, belges et espagnols du cyclisme et de la lutte antidopage; tous leur ont assuré leur coopération. Pour boucler le dossier, Novitzky cherchait à obtenir les échantillons originaux du Tour 1999, toujours congelés dans un laboratoire français. Ça me paraissait surréaliste: Novitzky traquait l'EPO que nous avions prise en 1999, les molécules qui avaient suivi le Tour de France sur la moto de Motoman, le lot d'EPO que j'avais alors partagé avec mes camarades. Tout le monde avait compris qu'il ne s'agissait pas d'une enquête ordinaire et que Novitzky n'était pas un enquêteur comme les autres. « Normalement, le département de la Justice ne consacrerait jamais autant de temps et d'argent à une enquête sans avoir des motifs très sérieux», a déclaré Matthew Rosengart, ancien procureur fédéral.

Lance a reçu le message cinq sur cinq. Il a dégainé son chéquier et s'est employé à renforcer son équipe, en recrutant celui qu'on surnommait le maître ès catastrophes, Mark Fabiani, qui avait défendu le président Bill Clinton lors du scandale Whitewater et Goldman Sachs dans le procès pour fraude intenté par la Securities and Exchange Commission. Il a aussi embauché John Keker et Elliott Peters, des avocats qui s'étaient opposés aux autorités dans des affaires de dopage du baseball. Ils venaient s'ajouter à une liste de noms connus, comme ceux de Tim Herman, Bryan Daly ou Robert Luskin, qui avaient défendu Karl Rove, le conseiller du président George W. Bush. Pour résumer, Lance s'est entouré des meilleurs avocats disponibles.

C'était sa nouvelle équipe US Postal, et il semblait lui mener la vie aussi dure qu'à nous. Ils ont fait des déclarations dans lesquelles ils s'interrogeaient sur les raisons pour lesquelles l'État américain s'intéressait à des courses de vélo survenues dix ans plus tôt en France, et critiquaient ce gaspillage de l'argent du contribuable. Pendant ce temps, Lance maintenait sa pression en utilisant les médias et son carnet d'adresses. Il a fait une partie de golf avec Bill Clinton et ne ratait pas une occasion de serrer la main d'un chef d'État, d'une personnalité ou d'un PDG. Il recevait chez lui des membres influents de la presse spécialisée lors d'entretiens privés, et tweetait constamment des messages optimistes à ses trois millions de suiveurs. C'était ce que les médias appellent la stratégie «sans vergogne»: faire comme si l'enquête n'existait pas, sans jamais dévier de son chemin.

De temps à autre, l'instinct de Lance reprenait le dessus. Au moment du voyage de Novitzky en Europe, il a tweeté le message suivant: «*Hey Jeff, como estan los hoteles de quatro estrellas y el classe de business in el aeroplano? Que mas necesitan?*» (Traduction: Hé, Jeff, comment trouvez-vous les hôtels quatre étoiles et les vols en classe affaires? Vous avez besoin d'autre chose?) Du Lance classique: vaguement drôle, mais un peu trop arrogant en même temps, surtout quand on sait que Novitzky voyageait en classe touriste et logeait dans des hôtels si bon marché qu'un de ses hommes préférait dormir habillé plutôt que de se faire bouffer par les punaises.

Les informations ont continué à filtrer. En janvier, Selena Roberts et David Epstein, de *Sports Illustrated*, ont publié un long article très bien documenté au sujet de l'enquête, qui contenait de nouveaux éléments particulièrement intéressants, notamment :

- Le récit par Stephen Swart, un ancien coéquipier chez Motorola, des pressions de Lance sur l'équipe pour qu'elle prenne de l'EPO en 1995. Swart se souvenait aussi que le 17 juillet 1995, quatre jours avant une victoire d'étape, l'hématocrite de Lance était à 54 ou à 56.
- Un incident survenu en 2003 à l'aéroport de Saint-Moritz, où les douaniers suisses avaient fouillé Lance et Floyd à l'improviste. (L'un des avantages des avions privés, précisait l'article, est que les contrôles douaniers sont moins stricts.) Dans un sac de toile, les autorités avaient découvert un stock de seringues et de produits étiquetés en espagnol. Les deux hommes avaient réussi à convaincre les douaniers qu'il s'agissait de vitamines.
- Le récit de Floyd selon lequel Ferrari lui avait avoué que le cancer des testicules de Lance pouvait être dû à l'usage de stéroïdes.
- Le récit, par une source proche de l'enquête officielle, selon lequel Lance avait eu accès à la fin des années 1990 à un tonifiant sanguin nommé HemAssist, un produit nouveau, encore au stade des essais cliniques. « S'il devait y avoir un produit plus efficace que l'EPO, c'était celui-là », a déclaré le Dr Robert Przybelski, directeur de l'unité d'hémoglobine thérapeutique de Baxter Healthcare, qui a mis au point le médicament.

Lance a répondu à l'article par tweets interposés sur le mode habituel : d'abord un haussement d'épaules insouciant (« C'est tout ? »), puis une bravade : « Ravi d'apprendre que @usada se penche sur certaines affirmations de @si [*Sports Illustrated*]. J'attends avec impatience le jour où ils vont me blanchir. »

Je prenais occasionnellement des nouvelles auprès de Novitzky ; il ne me disait pas grand-chose – il veillait à ne pas sortir du cadre professionnel. Mais, au fil des mois, on s'est progressivement sentis plus à l'aise l'un avec l'autre. Il était toujours chaleureux, détendu et coopératif; nos conversations ont débordé du cadre de l'affaire. On a parlé des tournois de volley-ball de sa fille, de sa propre carrière sportive (il avait fait du saut en hauteur, et même franchi un jour 2,15 mètres). Il disait souvent: «C'est de la *bullshit*»; il m'appelait «*dude*».

Vous vous dites peut-être que Novitzky détestait Lance, mais quand il en parlait, c'était toujours avec une froideur professionnelle; jamais il ne s'emportait, jamais il ne m'a dit ce que lui inspirait le personnage de Lance, jamais il ne l'a traité de noms d'oiseaux, jamais il n'a proféré quoi que ce soit d'insultant à son égard. Je sais que Novitzky a de la compassion envers les dopés en général. Il en a suffisamment rencontré pour savoir que pour la plupart nous ne sommes pas de mauvais bougres; il a incontestablement montré de la compréhension dans la gestion de mon cas. Cette compréhension valait-elle aussi pour Lance? Je ne le pense pas. Chaque fois que le nom de Lance surgissait, Novitzky devenait froid, précis. Je crois qu'il n'aimait pas qu'un individu puisse profiter de son pouvoir pour bafouer les règles, mentir au monde entier, gagner des millions, et s'en tirer sans l'ombre d'une inquiétude.

En mars, les producteurs de l'émission *60 Minutes* m'ont contacté parce qu'ils préparaient une grande enquête sur Armstrong. Selon leurs sources, les inculpations n'allaient plus tarder; ils m'ont expliqué qu'un passage dans *60 Minutes* m'offrirait une excellente occasion de livrer ma version des faits. Après plusieurs semaines d'hésitation, j'ai accepté de me rendre en Californie à la mi-avril et de donner un entretien à Scott Pelley, journaliste de l'émission et présentateur du journal de CBS News. Avant cela, toutefois, une tâche s'imposait à moi, une tâche que je redoutais depuis un moment: dire la vérité à ma mère.

Je l'avais déjà confiée à mon père; c'était sorti tout seul, comme ça, un soir, alors que j'étais en visite chez eux. Au début, il ne m'avait pas cru – puis, d'un coup, il s'était ravisé. Il avait tenté de ne rien laisser paraître, dans la plus pure tradition familiale, mais j'avais lu la peine sur son visage ; c'était comme si je lui avais planté un couteau dans le ventre. Après un moment – après que je lui ai parlé de l'enquête et des mises en examen qui s'annonçaient –, il avait fini par percevoir la logique de ma démarche ; il avait compris et constaté à quel point dire la vérité m'avait fait du bien. Mais il m'avait quand même demandé de ne pas en parler à ma mère pour l'instant, et j'avais accepté.

À présent, je ne pouvais plus garder le silence ; quelques jours à peine nous séparaient de l'interview. J'ai profité d'une réunion familiale chez mes parents, à Marblehead. J'étais nerveux, je tremblais presque, à l'affût de la bonne occasion. C'était comme ces quelques secondes avant l'accident où l'on ne peut plus éviter la collision. Alors j'ai fait comme on fait dans ces cas-là : j'ai fermé les yeux en me préparant au choc. Vers la fin de la fête, tout le monde mangeait du gâteau au chocolat, et il y a eu une pause dans la conversation. J'ai retenu mon souffle. *Vas-y.*

« J'ai quelque chose à vous dire, les gars. Quelque chose d'important. »

Leur première réaction a été de sourire – Lindsay était-elle enceinte ? Puis, devant l'expression de mon visage, ils se sont figés.

« C'est quelque chose que j'aurais dû vous dire depuis longtemps. »

Je crois que, tout au fond, ils s'y attendaient. Sans doute le savaient-ils depuis toujours. Mais ça ne rendait pas les choses plus simples pour autant. Ils avaient passé tant d'années à consentir tant d'efforts pour moi, à me défendre, à m'aimer. À croire en moi.

J'ai commencé à parler, mais j'ai un peu perdu pied quand j'ai vu les yeux de ma mère se remplir de larmes. J'ai repris mon souffle, détourné le regard. Puis j'ai lâché le morceau aussi vite et aussi clairement que possible. Je leur ai raconté l'enquête, le procès, le fait que tous les secrets commençaient à sortir. Je leur ai expliqué que je devais dire la vérité, pour moi, pour mon sport. Je leur ai dit qu'il faut parfois reculer pour pouvoir aller de l'avant. J'ai ajouté que j'en avais encore beaucoup à leur dire, que je savais qu'ils ne pouvaient pas vraiment me comprendre pour l'instant, mais que j'espérais qu'ils y parviendraient un jour. Puis ma mère m'a serré dans ses bras.

Blotti contre elle, j'ai pris conscience d'une chose : elle s'était toujours moquée de savoir si je remporterais le Tour de France ou si j'arriverais bon dernier. Une question comptait à ses yeux. Celle qu'elle me posait à présent : « Tu vas bien ? »

Mon sourire lui a donné la réponse. *Je vais bien.*

Quelques jours plus tard, je m'envolais pour la Californie. Donner un entretien à *60 Minutes* est un mélange de luxe et de torture. On vous emmène dans un hôtel cinq étoiles, on vous installe dans un fauteuil moelleux, vous êtes entouré de gens hyper aimables qui font de leur mieux pour vous mettre à l'aise et soudain – *clic !* – les lumières s'allument et voilà qu'on épluche l'ensemble de votre vie, couche après couche, sans ménagement. Pelley m'a posé toutes les questions désagréables, et je me suis efforcé de lui dire la vérité. Évidemment, il avait Lance dans sa ligne de mire, et j'ai fait mon possible pour le ramener au tableau d'ensemble, pour expliquer que Lance n'en faisait pas vraiment plus que les autres, pour dépeindre le monde qui était le nôtre.

À un moment, alors que nous évoquions ma décision de me doper, en 1997, j'ai dit à Pelley que je m'étais retrouvé à deux doigts de participer au Tour, que je considérais comme un honneur le fait que le médecin de l'équipe me l'ait proposé, et que j'avais senti que je devais choisir entre marcher dans la combine ou bien abandonner pour de bon. Alors, j'ai demandé à Pelley : « Et vous, vous auriez fait quoi ? »

Je suis heureux de lui avoir posé la question, parce qu'il me semble que tous ceux qui s'empressent de juger les dopés feraient bien de réfléchir. On passe sa vie à travailler dur, et quand on est à deux doigts de réussir, on vous présente un choix : ou bien vous jouez le jeu, ou bien vous abandonnez et vous rentrez chez vous. Vous, vous feriez quoi ?

CHAPITRE 15

Cache-cache

L'enquête de *60 Minutes* a été diffusée le 22 mai 2011. Certains détails de la déposition de George Hincapie étaient également cités, où il aurait avoué avoir pris de l'EPO en compagnie de Lance. (George n'a pas démenti.) On entendait aussi Frankie Andreu évoquer la très grande vitesse du peloton et préciser: « Si on ne prenait pas d'EPO, on était sûr de ne pas gagner. » *60 Minutes* livrait aussi des informations sur le test suspect de Lance lors du Tour de Suisse 2001, ainsi que sur la rencontre organisée par l'UCI entre Johan, Lance et le directeur du laboratoire qui les avait aidés à escamoter les résultats. Lance avait été invité à venir se défendre à l'antenne; il avait refusé. Quelques jours avant la diffusion, j'ai remis ma médaille d'or à l'USADA pour qu'elle décide de ce qu'il convenait d'en faire.

J'ai regardé l'émission à Marblehead avec ma famille et Lindsay. Leur soutien a été sans faille, mais je n'avais pas la moindre idée de ce qu'en penserait le reste du monde. Depuis des années, tout le monde croyait Lance; cela ne m'aurait pas surpris qu'on m'en veuille de dire la dure vérité. Quand Floyd avait parlé, des gens avaient brandi lors de courses des pancartes arborant un rat. Aurais-je droit à ce genre de traitement moi aussi?

Pendant les jours suivants, j'ai bien senti que j'attirais les regards, qu'on me reconnaissait. J'étais dans la queue à l'aéroport de Boston, quand un passager s'est approché de moi pour me serrer la main et me féliciter d'avoir dit la vérité. Puis, dans l'avion, on m'a fait passer un mot : « J'apprécie votre franchise. Vous avez bien agi. » Sur Facebook, on me laissait des dizaines et des dizaines de messages de soutien. Quelques jours plus tard, mes parents m'ont envoyé une liasse de cinq centimètres d'épais de courriels et de lettres qu'ils avaient reçus. Fidèles à la transparence des Hamilton, ils n'avaient pas fait le tri. Certains messages exprimaient de la rancœur, affirmant que je mentais forcément puisque j'avais menti par le passé. Mais l'immense majorité d'entre eux étaient positifs. Des termes comme « courage » et « tripes » revenaient sans cesse, des termes que je n'estimais pas mériter, loin de là. Mais cette lecture m'a fait du bien.

Lance et son équipe ont réagi à leur tour. Fabiani a dit que j'avais dupé *60 Minutes*, a prétendu que je m'étais « fait payer pour balancer de la merde » et a exigé une rétractation de CBS (demande fermement rejetée), le tout accompagné de sa rengaine habituelle sur l'argent du contribuable qu'on jetait par la fenêtre. Ils ont aussi créé un site Internet intitulé « Facts4Lance » (Les faits parlent pour Lance) pour mettre en doute ma crédibilité et celle de Frankie (mais pas celle de George). Dans l'ensemble, c'était plutôt faible, ils n'avaient pas beaucoup de faits à présenter. En outre ils n'ont pas pensé à réserver l'intitulé « Facts4Lance » sur Twitter, et les amis de Floyd Landis se sont empressés de le récupérer pour alimenter le fil dans le style chahuteur qui les caractérisait. Très vite, Facts4Lance s'est mis à bafouiller, avant de fermer. J'étais assez surpris. Je pensais que Lance s'en prendrait à moi directement. Son silence m'intriguait : baissait-il les bras ? Avait-il perdu la volonté de se battre ?

C'était un peu naïf de ma part.

* * *

J'avais accepté une invitation du magazine *Outside* pour un événement prévu le 11 juin à Aspen, dans le Colorado. J'étais heureux de cette occasion de promouvoir ma petite entreprise de remise en forme et de retrouver de vieux amis. Mais, à mesure que la date approchait, j'ai été pris d'une certaine nervosité. Je savais que Lance passait beaucoup de temps chez lui, à Aspen, avec Anna Hansen, sa petite amie. Juste avant l'événement, un ami a vérifié l'emploi du temps de Lance et m'a assuré que, le 11 juin, il devait participer à une course caritative dans le Tennessee.

Parfait, ai-je pensé. *Je ne risque pas de le croiser.*

Il faisait un temps de rêve. L'après-midi, avec mon associé Jim Capra, j'ai emmené un groupe en promenade dans les montagnes. Le parcours était conçu pour des cyclistes de niveau moyen et supérieur, mais une jeune débutante ambitieuse s'est jointe à nous, Kate Chrisman, qui a débarqué en chaussures sport et avec un vieux vélo équipé de cale-pieds. Malgré ses craintes de nous ralentir, elle s'en est vraiment bien sortie.

Après la promenade, Jim et moi avons traîné à l'hôtel Sky avec le reste de la bande, à profiter du soleil de fin d'après-midi. J'ai croisé mon ancien voisin de chambre d'université à Boulder, Erich Kaiter. On n'avait rien prévu pour le souper, alors, quand Ian McLendon, un homme particulièrement sociable, nous a demandé si nous voulions nous joindre à quelques-uns de ses amis, on a accepté. Nous étions une bonne douzaine de convives, dont, Aspen oblige, deux vedettes de la téléréalité : Ryan Sutter et son épouse, Trista, de *Bachelorette* et *Bachelor*, avec leurs deux enfants. Ian avait choisi le restaurant, un petit établissement nommé Cache Cache.

Ce que nous ignorions, c'est que Cache Cache était le restaurant préféré de Lance – son repaire. Dès notre arrivée, l'une des copropriétaires du lieu, Jodi Larner, m'a reconnu et s'est empressée de téléphoner à Lance pour l'avertir de ma présence. Elle chercherait plus tard à justifier cet appel en invoquant une pratique de l'établissement à l'égard des couples divorcés : quand l'un des membres s'y trouve, on prévient l'autre pour éviter les rencontres embarrassantes, c'est une affaire de courtoisie. Il demeure que son appel a eu l'effet inverse, et quelques minutes plus tard, Lance était là.

Par la suite, j'ai repensé au moment où Lance a reçu ce coup de fil. Je suis sûr qu'il s'est dit que j'avais fait exprès de choisir ce restaurant, que je le mettais au défi de venir me trouver, et qu'il a eu la seule réaction dont il était capable. Mais ça m'étonne quand même, parce qu'il n'y a pas besoin d'être juriste pour savoir que, lorsqu'on fait l'objet d'une importante enquête fédérale, ce n'est pas une bonne idée d'entrer en contact avec un témoin.

Lance est entré avec sa compagne, Anna Hansen, sans que nous le voyions et il a pris place parmi quelques amis sur un tabouret à l'extrémité gauche du grand bar en fer à cheval où se pressait beaucoup de monde. Il devait se trouver à une dizaine de mètres de notre table, et jouissait d'une vue idéale sur ma nuque tandis que je mangeais, buvais et m'amusais. Vers 22 heures, Ryan et Trista sont rentrés mettre leurs enfants au lit. Les autres convives discutaient de l'endroit où ils iraient boire un dernier verre. Vers 22 h 15, je me suis levé pour aller aux toilettes, qui se trouvaient à l'extrémité opposée du bar où Lance était assis.

En ressortant, je me suis naturellement dirigé vers ma table. Puis, du coin de l'œil, j'ai vu qu'on me faisait signe depuis le bar – c'était Kate Chrisman, la débutante qui nous avait accompagnés en promenade. Je me suis frayé un chemin vers elle dans la foule.

Au moment de passer devant le bar, j'ai senti quelque chose me presser durement l'estomac, m'empêchant d'avancer, comme une barrière, sans céder un millimètre. J'ai d'abord cru à une plaisanterie d'un ami – le geste était trop agressif pour être fortuit, alors j'ai tourné la tête en riant et je suis tombé nez à nez sur Lance.

« Salut Tyler, a-t-il lâché ironiquement. Comment ça va ? »

Mon cœur a fait un bond. Mon cerveau avait du mal à comprendre ce qui arrivait. Lance n'a pas retiré sa main, il a continué à l'enfoncer dans mon abdomen, se délectant de l'instant qu'il vivait. Il voyait bien que j'étais sonné. J'ai reculé d'un pas pour mettre un peu de distance entre nous.

« Salut Lance, ai-je répondu simplement.

— Qu'est-ce que tu fais là ? a-t-il demandé d'un ton faussement léger, suintant le mépris.

— Je, euh, je suis juste venu souper avec quelques amis, ai-je trouvé le moyen de répondre. Et toi, comment vas-tu ? »

Les yeux de Lance brillaient, ses joues étaient roses, son haleine sentait l'alcool. Il paraissait plus imposant, plus épais à la taille ; les traits de son visage étaient plus marqués. J'ai aperçu une femme blonde assise à côté de lui, sa compagne sans doute, parmi quelques personnes qui, à en juger par leur air approbateur, devaient être ses amis.

« Écoute, je suis vraiment désolé de tout ce bordel », ai-je dit.

Lance n'a pas paru m'entendre. Il a pointé un doigt sur ma poitrine.

« Combien t'a payé *60 Minutes* ?

— Voyons, Lance. Ils ne m'ont rien...

— Combien ils t'ont payé ? » a répété Lance, haussant la voix. C'était le ton un peu trop insistant qu'il employait dans l'autocar des US Postal quand il voulait que tout le monde l'entende.

« Tu sais bien qu'ils ne m'ont pas payé, Lance, ai-je répondu calmement.

— *Fuck*, combien ils te payent ?

— Allons, Lance. Nous savons parfaitement toi et moi qu'ils ne me payent pas. » J'ai fait un effort pour ne pas élever la voix.

Ses narines étaient dilatées au maximum ; son visage s'empourprait de plus en plus. À l'autre bout de la salle, j'ai vu Kate Chrisman qui me regardait d'un air inquiet[1]. Sentant que ça partait en vrille, j'ai cherché à dédramatiser.

« Lance, je suis désolé.

— T'es désolé de quoi, merde ? »

— Ce doit être dur pour toi et ta famille, ai-je dit. Avec tout ce qui se passe. »

Lance a fait mine de prendre un air détaché.

« Tu sais, ça ne m'empêche pas de dormir une minute. Je veux savoir combien ils te paient, putain. »

J'ai indiqué la sortie, sur ma gauche.

---

1. Chrisman, qui était assise à une trentaine de mètres de la scène, a déclaré : « Je n'ai pas entendu ce que disaient [Armstrong et Hamilton], mais c'était visiblement très vilain et très tendu. Lance, penché en avant, était l'agresseur, Tyler paraissait se rétracter, comme s'il avait voulu s'en aller. Je me souviens d'avoir eu un peu peur, d'avoir senti que Lance Armstrong était en train de péter les plombs, là, sous mes yeux. »

« Tu ne veux pas qu'on aille s'expliquer dehors, entre quat'z-yeux ? » ai-je dit.

Lance a lâché un *pffff* dédaigneux. « Laisse tomber. Ça ferait encore plus de tapage. »

Regardant à ma droite, j'ai repéré une petite salle à l'écart du bar. Elle était vide. Je l'ai montrée du doigt. « OK, si tu veux discuter, allons là-bas », ai-je dit.

Dans ma tête, je pensais : *Lance, pauvre connard. Si tu tiens vraiment à aller au bout, éloignons-nous de ta petite bande et parlons vrai, d'homme à homme.* J'ai de nouveau désigné la petite salle.

Lance a baissé la voix. Il a levé l'index.

« Tu verras, quand tu seras à la barre des témoins, on va te mettre en pièces, a-t-il dit. Tu vas passer pour un vrai imbécile. »

Je n'ai pas répondu. Lance était à présent en roue libre. « Je vais faire de ta vie un… putain… d'enfer. »

Je suis resté figé. Plus tard, un ami avocat m'a dit que j'aurais dû marquer le coup en m'exclamant haut et fort : « Tout le monde a bien entendu ? Lance Armstrong vient de me menacer. » Mais je n'ai pas eu ce réflexe, parce qu'une partie de moi ne parvenait toujours pas à croire qu'il était stupide au point de me menacer en public, et qu'une autre le défiait de continuer son manège, de continuer à parler : *Enfoiré, vas-y, lâche tout ce que tu as.* C'était notre vieille dynamique : il provoque, je réponds. *Toujours là mon gars.*

Derrière Lance a surgi le visage rondouillard d'une brune quinquagénaire : c'était Jodi Larner, la patronne du restaurant. Étant à l'origine de la rencontre par son coup de fil à Lance, elle a cru judicieux d'intervenir. Elle s'est penchée vers moi en pointant à son tour son index sur mon torse.

« Vous n'êtes plus le bienvenu dans ce restaurant, a-t-elle dit. Vous ne remettrez jamais les pieds dans cet établissement, plus… jamais… de… votre… *vie* ! » Elle a jeté un œil vers Lance, en quête d'approbation. Il a acquiescé ; elle était au bord de l'extase.

Mon cerveau était en ébullition. Je commençais à prendre un peu de recul : il fallait que je conserve une trace de cette rencontre, alors j'ai demandé à Larner sa carte de visite. Je me suis excusé du désagrément occasionné. J'essayais à tout prix de maintenir un certain degré de civilité. Puis je me suis tourné vers Lance.

« Écoute, si tu veux poursuivre cette conversation, je vais demander à un de mes amis de se joindre à nous. Il ne dira pas un mot.

— *Fuck that*, a dit Lance. Tout le monde s'en fout. »

Il avait fini. Son message était passé, il avait impressionné ses copains et m'avait enguirlandé – mission accomplie. Il n'avait aucune intention de faire ce que je proposais, ça ne servait à rien d'insister. Je me suis retourné pour regagner ma table. Mais, avant de m'en aller, j'ai fait un petit pas sur ma gauche, vers le tabouret où était assise Anna, la copine de Lance, qui regardait droit devant elle. Elle avait l'air embarrassée, comme si elle avait voulu que ça s'arrête.

« Hé, je suis vraiment désolé pour tout ça », ai-je dit. Anna a eu un hochement imperceptible de la tête ; j'ai su qu'elle m'avait compris.

En revenant à ma table, j'avais un nœud à l'estomac. Mon ami Jim me dirait plus tard que j'étais blanc comme de la porcelaine. Je lui ai raconté en un mot ce qui venait de se passer, et il a cru que je plaisantais. J'ai alors raconté la scène au reste de la table. On a fini notre repas, commandé le café et le dessert, sans jamais regarder en direction du bar. Je savais que Lance ne partirait pas avant nous ; il resterait là toute la nuit s'il le fallait. Il fallait absolument qu'il gagne. On est restés encore quarante-cinq minutes. Ian a payé l'addition et on est sortis.

Neuf jours plus tard, je me suis présenté dans un bureau de la police fédérale de Denver et j'ai livré sous serment mon récit de l'incident au procureur Doug Miller et à deux officiers de police judiciaire par téléconférence. Je leur ai raconté ce qui s'était passé et donné les noms de plusieurs témoins. Les officiers de police ont trouvé ça très intéressant. Ils m'ont posé un tas de questions – qui avait commencé, ce que Lance avait dit et sur quel ton. Ils m'ont dit qu'ils me contacteraient.

* * *

Les semaines et les mois ont passé, et je faisais de mon mieux pour paraître décontracté, mais en vérité j'avais hâte de voir tomber les mises en examen. Après l'incident du Cache Cache, je tenais à ce que tout le monde (mais plus spécialement ma famille) sache la vérité ; je voulais être blanchi. Novitzky me disait que ça ne serait pas trop long. Mais les semaines et les mois défilaient, et rien ne se passait.

Ce n'est pas que rien n'arrivait – c'était plutôt l'inverse. Le bulldozer de Novitzky et Miller avançait, de nouveaux témoins étaient convoqués devant le jury d'accusation, de nouveaux éléments venaient s'ajouter au dossier. La difficulté, selon ce que j'ai compris, ne résidait pas dans le manque d'éléments à charge, mais plutôt dans leur abondance : il y avait des témoignages de coéquipiers, de dirigeants de l'équipe, des documents fiscaux, des échantillons d'urine, des traces de virements d'argent à Ferrari et ainsi de suite. Je n'avais pas la moindre idée du temps que ça prendrait (le dossier Barry Bonds, qui était une simple affaire de faux témoignage, durait depuis six ans).

J'ai repris ma petite vie. En août, trois mois après la diffusion de *60 Minutes*, j'ai fait ce que je n'avais pas fait depuis longtemps : j'ai assisté en tant que spectateur à une course. L'USA Pro Cycling Challenge passait près de Boulder, et nombre des meilleurs coureurs américains y participaient. C'était étrange de se retrouver de l'autre côté du miroir.

Sur le bord de la route, j'ai senti la brise du peloton. J'ai perçu toute la puissance des coureurs, affûtés comme des lames, fendant l'air, on aurait dit qu'ils volaient. Après la course, je suis allé les voir, ils avaient l'air totalement lessivés. *Moi aussi, j'avais été comme ça.*

On m'a reconnu, et les réactions étaient plutôt aimables. J'ai signé une trentaine d'autographes ; on m'a dit qu'on était fier de moi, de ma franchise. Un papa m'a dit qu'il avait forcé ses enfants à regarder l'interview de *60 Minutes* à quatre reprises. (Désolé pour les jeunes, ai-je plaisanté.)

Souvent, quand je croisais un membre de l'encadrement du cyclisme, c'était bizarre. Il hésitait, bafouillait et se débarrassait de moi au plus vite. Certains étaient tout simplement froids, me regardant à peine dans les yeux. Je les comprenais. Ces types ne pouvaient pas se permettre de se mettre Lance à dos. Leurs revenus dépendaient directement de la préservation du mythe. Ça ne me simplifiait pas la vie. Je restais un paria; un étranger dans mon propre sport.

Mais la rencontre la plus marquante s'est produite après la course, quand j'ai aperçu Levi Leipheimer qui passait devant moi en se rendant au contrôle antidopage. J'ai dit: « Hé, Levi, c'est moi, Tyler! »

Reconnaissant ma voix, il s'est arrêté pour faire demi-tour et venir à ma rencontre. On a discuté deux minutes. Levi connaissait la chanson: lui-même avait été assigné à comparaître; il savait une grande partie de ce que je connaissais moi-même, et je supposais qu'il avait raconté la vérité. On n'a pas parlé de grand-chose, mais le simple fait de rétablir le contact m'a fait un bien fou. Il n'aurait pas pu se montrer plus amical, me demandant à plusieurs reprises comment j'allais, me souhaitant plein de bonnes choses. J'étais très content de savoir qu'au moins, aux yeux de Levi, notre fraternité restait solide.

* * *

En attendant les mises en examen, la vie suivait son cours. Lindsay et moi nous sommes fiancés, et nous avons décidé de passer l'automne à Boston le temps pour elle de terminer son master. J'ai donc emménagé, avec Tanker, dans son joli petit appartement de Cambridge, à côté de Boston, à une heure de route de Marblehead. J'étais vraiment heureux de retrouver ma région. On allait aux matchs des Red Sox, on voyait de vieux copains et on passait du temps avec nos familles respectives. Une chose seulement nous taraudait: le sentiment croissant qu'on nous espionnait.

Au début, ce n'était pas grand-chose. On a juste remarqué que des gens nous observaient, chez l'épicier ou dans la rue. Un jour, on a repéré deux types dans une fourgonnette, qui sont restés plusieurs heures devant chez nous, et sont revenus le lendemain dans une autre voiture. Et puis du courrier a disparu de l'entrée de notre immeuble, notamment des formulaires des impôts.

Plus troublant, nos ordinateurs et nos téléphones se sont mis à fonctionner bizarrement : pendant qu'on consultait notre courrier sur Gmail, on se retrouvait soudain déconnectés, comme si quelqu'un d'autre s'était connecté à notre place. Nos téléphones faisaient de drôles de bips. Quand on envoyait un SMS, on s'apercevait que deux copies avaient été émises. On a modifié nos mots de passe, en nous disant que ce n'était rien, mais ça a continué. Si des hackers étaient à l'œuvre, ils ne manquaient pas d'humour : on s'est mis à voir surgir partout des pop-up pour la Fondation Lance Armstrong, même sur les sites sans rapport avec Lance ou sa fondation. J'ai fait part de mes soupçons à mon père, qui a aussitôt mis un point d'honneur à conclure toutes nos conversations par « … ah, au fait, *fuck you* Lance ».

Après quelques semaines de ce petit jeu, j'ai appelé Novitzky pour lui faire part de ces incidents. Ça ne l'étonnait pas du tout ; on aurait même dit qu'il s'y attendait. Tous les témoins de l'affaire Barry Bonds avaient apparemment connu ça. La défense mettait un détective privé sur la piste des témoins possibles, c'était courant dans ce genre de dossiers : plus ils obtiendraient d'informations à mon sujet, plus ils seraient en mesure de contester ma crédibilité au moment du procès. Novitzky a promis de veiller sur nous : si jamais nous nous sentions menacés, il fallait le contacter sans attendre. Il m'a donné un numéro de téléphone d'urgence, disponible vingt-quatre heures sur vingt-quatre. Son soutien était purement professionnel, mais il nous l'a proposé sur un ton amical, compréhensif, que nous avons apprécié. Il a même mis un smiley à la fin d'un de ses SMS. On a bien ri avec Lindsay – l'impressionnant, l'impitoyable enquêteur officiel utilisait des émoticônes.

* * *

L'automne m'a rappelé pourquoi, de toutes les villes du monde, Boston est celle que je préfère. Il n'y a pas que les couleurs ; c'est l'impression que la vie fait craquer les coutures, que quelque chose passe la main et qu'une nouvelle surprise va pointer le bout de son nez. Lindsay étudiait dur, alors, avec Tanker, on explorait les environs. On a fait la connaissance d'un ado du quartier nommé James. James et Tanker se sont immédiatement entendus comme larrons en foire, au point que le premier a commencé à venir chercher le second pour l'emmener en promenade.

Assez vite, James et moi nous sommes mis à faire des balades à vélo, Tanker courant à nos côtés. On grimpait Heartbreak Hill, la fameuse montée du marathon de Boston, et James s'en sortait comme un chef; il était costaud et déterminé. Une fois au sommet, James était fier comme s'il avait gravi l'Alpe-d'Huez. Je l'étais autant que lui.

Je voyais toujours le Dr Welch, mon thérapeute, et nos séances me faisaient beaucoup de bien. Je me suis progressivement ouvert, au point de commencer à éprouver quelque chose d'étrange. Je me sentais léger, j'étais presque grisé. J'engageais la conversation avec des inconnus que je croisais, ou je prenais tout simplement plaisir à sentir le soleil sur ma peau, là, debout sur le trottoir, avec James et Tanker. J'ai compris d'un coup ce qu'était ce sentiment nouveau : j'étais heureux. Authentiquement, profondément heureux.

Voici ce que je commençais à comprendre : *les secrets nous empoisonnent.* Ils sucent notre vitalité, ils nous empêchent de vivre au présent, ils dressent des cloisons entre nous et ceux que nous aimons. À présent que j'avais dit la vérité, je revivais. Je pouvais discuter avec n'importe qui sans avoir à m'inquiéter, sans faire attention à ce que j'avais pu lui dire ni m'interroger sur ses motivations – et c'était merveilleux. J'avais l'impression d'être revenu en 1995, avant tous les emmerdements ; l'époque où j'avais ma petite maison à Nederland, dans le Colorado, où il n'y avait que moi, mon chien, mon vélo et le vaste monde.

L'appartement de Lindsay était rempli de livres – philo, psycho, socio. Je me suis mis à les lire, et pour la première fois depuis longtemps j'ai eu l'impression que toute une partie de mon cerveau se remettait en marche. On regardait moins la télé, on buvait beaucoup de thé, on faisait du yoga. Un soir, en me penchant pour ramasser quelque chose, j'ai senti un drôle de truc au niveau de la taille – un petit bourrelet, le premier depuis des années. Je l'ai pincé, et ça m'a fait plaisir. Je me suis senti normal.

Je me demandais parfois ce qui arriverait si jamais le procès de Lance finissait par avoir lieu. Je pensais depuis le début que ce procès aurait lieu – Lance n'avait pas l'air disposé à transiger. Tel que je le connaissais, il ferait monter les enchères plutôt que d'accepter un arrangement. Et tel que je connaissais Novitzky, il ne renoncerait pas non plus, si bien que l'affaire se réglerait au tribunal. Ça promettait d'être le zoo, le plus grand procès de l'histoire du sport, qui ferait des procès de Bonds et de Clemens de petites infractions au code de la route. Les médias se régaleraient. Le public découvrirait enfin la vérité sur notre sport, et chacun pourrait se faire son propre avis. Les gens disculperaient Lance, ou bien ils le voueraient aux gémonies pour ses mensonges et ses abus de pouvoir, mais la vérité verrait le jour et chacun trancherait en connaissance de cause.

Un jour, alors que je faisais des recherches sur Internet pour mes affaires, une publicité a surgi avec la photo de Lance, comme cela arrivait encore de temps en temps. D'habitude, l'apparition de son visage me faisait grimacer, et je cliquais immédiatement pour refermer la fenêtre. Mais cette fois, allez savoir pourquoi, j'ai passé un bon moment à le regarder, à remarquer son grand et beau sourire. Ça m'a rappelé qu'il lui arrivait d'être vraiment sympa, qu'il savait faire rire les gens. Oui, Lance pouvait être un sacré connard, un authentique abruti. Mais il y avait aussi quelque part en lui un cœur qui battait.

J'ai longuement observé la photo de Lance, cherchant à retrouver ce sentiment, et à ma grande surprise j'ai eu de la peine. Je n'étais pas totalement désolé – il méritait en grande mesure ce qui risquait de lui tomber dessus ; comme on fait son lit on se couche. Mais j'étais désolé pour lui de façon plus générale, pour sa personne, parce qu'il était piégé, empêtré dans tant de secrets et de mensonges. Je me suis dit : *Lance préférerait plutôt crever que de l'admettre, mais s'il était obligé de dire la vérité, c'est probablement ce qui pourrait lui arriver de mieux.*

CHAPITRE 16

Virage à 180 degrés

J'ai épousé Lindsay à Boston en 2011, juste avant Thanksgiving, et nous avons commencé à parler de rentrer à Boulder. Pas forcément pour la vie; mon passé là-bas étant plutôt chargé et le milieu des sports d'endurance tellement actif – toutes les vedettes retraitées du vélo habitent Boulder – que la perspective pouvait paraître un peu étouffante. Mais j'avais envie d'essayer, et Lindsay, comme toujours, était partante. Fin décembre, on a accroché à notre 4 × 4 une remorque avec nos affaires et on a mis cap à l'ouest. On est passés par le Sud, Charlottesville, Knoxville et Chattanooga, en écoutant du Johnny Cash – *Mounteagle Mountain, Orange Blossom Special, Folsom Prison Blues, I Walk the Line.* Le paysage défilait, vitres baissées, et l'air chaud nous caressait la peau. Une nouvelle vie nous attendait.

Nous sommes arrivés à Boulder début janvier, et je me suis consacré à lancer ma boîte de remise en forme, à présenter Lindsay à mes amis, à me refaire une vie. Disons plutôt que je m'y suis consacré en grande partie, mais mon esprit était encore ailleurs par moments, je guettais toujours la nouvelle des mises en examen. En outre, l'étrange sentiment qu'on nous espionnait était revenu: les ordinateurs et les téléphones fonctionnaient à nouveau de travers, de drôles de types stationnaient à nouveau devant chez nous. On essayait de ne pas y faire attention, mais depuis l'incident du Cache Cache, et encore plus à présent, nous étions conscients du fait que Lance n'était pas loin. On a posé une batte de baseball dans l'entrée, au cas où.

La journée du vendredi 3 février s'annonçait radieuse, et Lindsay et moi nous apprêtions à passer un week-end tranquille. Nous avions prévu de faire une balade avec Tanker, de rendre visite à des amis, puis de regarder le Super Bowl, qui verrait nos chers Patriots de la Nouvelle-Angleterre affronter les Giants de New York. Au moment où on terminait notre promenade, j'ai reçu un SMS, avec un lien vers un article :

« Les Feds abandonnent l'enquête sur Lance Armstrong. »

Mon estomac s'est retourné.

D'un doigt tremblant, j'ai pianoté sur mon téléphone. C'était forcément une plaisanterie. Puis j'ai vu les autres titres, dans la même veine. C'était donc vrai. J'ai rédigé un tweet : « Non, mais vous vous foutez de ma gueule ? » Puis je l'ai effacé – mieux valait garder mon sang-froid en attendant d'en savoir plus.

J'étais au bord de l'hystérie. Je me suis installé à mon ordinateur, où j'en ai appris davantage. Partout, la même chose : « Dossier clos, pas d'explication. » J'ai appelé Novitzky ; pas de réponse. J'ai lu la brève déclaration de Lance exprimant sa reconnaissance. J'ai parcouru tous les articles, qui disaient la même chose : un procureur fédéral nommé André Birotte Jr avait émis un communiqué de presse à 16 h 45, heure de l'Est, le moment idéal pour attirer le moins possible l'attention, parce que les journalistes sportifs étaient occupés par le Super Bowl.

> Le procureur fédéral André Birotte Jr a annoncé que son bureau abandonnait l'enquête portant sur les allégations de comportement criminel de la part de membres et d'associés d'une équipe de cyclisme professionnel appartenant en partie à Lance Armstrong.
>
> Le procureur fédéral a décidé que l'annonce publique de l'abandon de l'enquête était justifiée par l'importante couverture médiatique qu'elle a reçue dans le monde entier.

Je l'ai lu trois fois. Puis je suis allé dans la cuisine, et j'ai collé un grand coup de poing dans le frigo.

Lance avait réussi. Les amis de Lance avaient réussi à battre Novitzky.

J'étais désemparé. J'ai eu l'impression que mon cerveau, victime d'un court-circuit, crépitait et lançait des étincelles. C'était comme le pire des accidents de vélo, mais sans la satisfaction de la douleur physique. J'ai tourné en rond dans notre petit appartement, cherchant à comprendre ce que tout cela signifiait – pour moi, pour Lindsay, pour mes parents. Lindsay a voulu me prendre dans ses bras, mais je l'ai repoussée. Tanker s'est mis à aboyer nerveusement. J'ai continué à arpenter les lieux comme un lion en cage ; au bout de quelques heures, je me suis laissé tomber sur le canapé et me suis endormi comme une souche.

Le lundi, j'ai réussi à joindre Novitzky. Il n'était pas bavard, ne s'exprimait que par monosyllabes. Malgré ses efforts pour conserver une attitude professionnelle, j'ai senti toute sa colère et sa frustration.

« Ce week-end, j'ai pensé à changer de métier, a-t-il lâché.

— Moi, j'ai même pensé à quitter le pays, ai-je répondu.

— Moi pareil. » Il a eu un éclat de rire dépité.

Tous les articles sur le sujet reprenaient les mêmes informations : c'était un virage à 180 degrés, un coup de théâtre : Birotte, fonctionnaire politiquement connoté, avait clos l'enquête depuis le sommet, sans consulter qui que ce soit. Il avait prévenu tous les intéressés par courrier électronique quinze minutes avant de rendre public son communiqué de presse. Ni Doug Miller ni Novitzky n'avaient été consultés sur la force des éléments recueillis, sur la solidité du dossier qu'ils étaient en train de monter. Vingt mois d'enquête. Des milliers d'heures. Des centaines de pages de dépositions devant un jury d'accusation et de preuves étaient remisées dans un carton et classées comme si elles n'avaient jamais existé[1].

---

1. Selon plusieurs récits, des voix se seraient élevées au sein du FBI, de la FDA et des Postes américaines pour faire part de leur « désarroi, de leur surprise et de leur colère » devant cette décision inexpliquée. L'un d'eux a dit que « le dossier était sans failles ». Selon la chaîne ESPN, les procureurs avaient rédigé une recommandation écrite réclamant la mise en examen de plusieurs individus, dont Armstrong. Une source proche des enquêteurs a raconté que Sheryl Crow avait été assignée à comparaître quelques semaines avant la fermeture du dossier, et qu'elle était devenue un « témoin capital » de l'enquête. Crow n'a pas répondu à nos demandes d'interview. Quatre hypothèses peuvent expliquer la décision de Birotte :

1) Birotte, qui n'était en poste que depuis onze mois, a voulu préserver le président Obama du vilain spectacle de la mise en examen d'un héros national au cours d'une année électorale.

Les semaines suivantes ont été difficiles. Certains jours, j'avais du mal à sortir du lit; par moments, j'avais des bouffées de colère et d'impatience que je ne maîtrisais qu'avec difficulté. Je n'étais pas facile à vivre. Lindsay a fait preuve à mon égard d'une patience incroyable. Tout cela a quand même eu un effet positif: du jour au lendemain, on n'a plus eu le sentiment d'être espionnés. Les téléphones et ordinateurs se sont remis à fonctionner normalement. On n'a plus vu de mystérieux individus stationner devant chez nous ou nous épier au supermarché.

Je dormais énormément. Je ne sortais plus de la maison; j'évitais les cafés et les restaurants de Pearl Street fréquentés par les coureurs cyclistes. Je ne me rasais plus. Je n'avais pas envie de surfer sur Internet; je savais que le camp de Lance devait être en train de faire des tours d'honneur pour fêter ce qui pour lui était une immense victoire. Les messages s'accumulaient sur ma boîte vocale: des amis, des journalistes voulaient ma réaction. Je les ai ignorés, je me suis fermé au monde. Que vouliez-vous que je dise?

---

2) Les procès pour dopage dans le milieu sportif ne réussissent pas vraiment au pouvoir en place. Les affaires Bonds et Clemens, qui n'avaient toujours pas produit de résultat significatif, avaient été davantage un naufrage qu'un succès retentissant pour les autorités. L'affaire Armstrong était particulièrement lourde et coûteuse; pourquoi courir le risque de perdre?

3) Birotte se méfiait du lobby de la lutte contre le cancer. Une controverse venait d'éclater parce que la Fondation Susan G. Komen avait retiré 700 000 dollars de subvention au Planned Parenthood (planning familial) sous la pression des organisations politiques de droite (parce que Planned Parenthood est favorable à l'avortement). Le vendredi 3 février, jour de l'abandon des poursuites, la Fondation Lance Armstrong a versé 100 000 dollars à Planned Parenthood pour pallier ce manque, émettant au passage un signal clair de soutien à la position du gouvernement Obama sur les droits des femmes, ainsi qu'un message de solidarité avec les millions de femmes hostiles à la décision de la Fondation Komen.

4) Birotte a peut-être reçu les résultats d'une enquête interne sur des fuites, et estimé que ces résultats risquaient de mettre le département de la Justice dans l'embarras s'il apparaissait que des fonctionnaires divulguaient des informations à la presse.

Quoi qu'en disent certains conspirationnistes, il est probable que Birotte a pris une décision politique parce que les poursuites judiciaires présentaient plus de risques que de bénéfices.

Lance, lui, était intarissable. Dans un entretien à *Men's Journal*, il a évoqué son soulagement et expliqué qu'il allait cesser de se battre. « Dans mon esprit, c'est vraiment fini », a-t-il dit, laissant entendre qu'il ne produirait aucune contestation si jamais l'USADA cherchait à le priver d'une ou de plusieurs de ses victoires au Tour. « Ça n'a plus beaucoup d'importance. Je ne passe pas ma vie à parader, à me dire qu'il faut absolument que je sois septuple vainqueur du Tour de France. J'ai travaillé dur pour ces victoires, j'ai gagné sept fois et c'est génial. Mais c'est du passé. »

Lance est revenu sur ce point dans un entretien avec Gavin Newsom, l'ancien maire de San Francisco. « Si quelqu'un tient absolument à prendre la parole pour dire : "Vous savez, je crois que vous avez triché pour vos sept victoires dans le Tour de France", je lui dirais clairement : "OK. Il y a autre chose ? Parce que je ne compte plus perdre *mon* temps à en parler, et vous feriez bien de ne pas perdre le *vôtre*. Tournons la page." »

Ces propos m'ont inspiré des sentiments mitigés. D'un côté, je comprenais Lance. Je n'ai jamais souhaité le voir aller en prison. Je ne l'ai jamais considéré comme un délinquant. Mais en même temps, je voulais – je veux encore – que la vérité soit dite. C'était ça le plus accablant : tout ça – mon témoignage, le travail de Novitzky, les risques que d'autres et moi-même avions pris en parlant – n'aurait servi à rien.

Quand j'ai fini par remettre le nez dehors, Boulder m'a paru de plus en plus étouffant. Dès que j'entrais dans un café, on me lançait de drôles de regards, j'apercevais un bracelet jaune, ou un homme portant un maillot de cyclisme estampillé LES DOPÉS SONT DES NULS. Je manquais d'air, et Lindsay ne trouvait aucun plaisir à vivre au cœur de mon passé douteux.

On a donc décidé de changer de décor. Ça nous trottait dans la tête depuis quelque temps, mais là, c'était le moment. Il fallait prendre un nouveau départ, quelque part où nous n'avions pas de passé, pas de liens, pas de boulet au pied ; un endroit où nous pourrions peut-être fonder une famille. On s'est décidés pour Missoula, dans le Montana. Un oncle de Lindsay tenait un magasin de matériel pour pêche à la mouche dans le coin ; elle avait toujours rêvé de s'y installer. Elle a trouvé une citation qu'elle a copiée au marqueur noir sur une grande feuille de papier et affichée sur le frigo : « Le monde est rempli de salauds, et leur nombre augmente rapidement à mesure qu'on s'éloigne de Missoula, dans le Montana. »

C'était décidé. On s'en irait, on laisserait tout ça derrière nous. Nouveau départ. Rupture nette. Adieu le cyclisme, adieu Novitzky, adieu Lance.

* * *

Au printemps 2012, on est partis pour Missoula. On a rempli une camionnette de location et on a mis le cap au nord-ouest à la façon des pionniers d'antan. On a loué un modeste pavillon à portée de vélo du centre-ville, avec un grand jardin pour Tanks, une pièce de plus pour le bureau de ma société, et plein d'écureuils à pourchasser (pour ne rien dire du grizzly occasionnel).

Tout a immédiatement changé de couleur. La vie est devenue plus légère, plus spontanée, plus lente. On prenait le temps de profiter des choses simples : des œufs brouillés, une promenade à l'aube, un voyage en voiture au Glacier National Park, un coucher de soleil en sirotant un verre de vin. De temps en temps, on se regardait et on éclatait de rire : on vivait dans le Montana !

Le monde est quand même étrange. Un dicton dit : Quand Dieu ferme une porte, il ouvre une fenêtre. Je crois que ça s'applique bien à la résilience de la vérité. La vérité est une chose vivante. Elle a une force, une agilité propre. On ne peut pas la nier ou l'étouffer, parce que la pression s'accumule. Quand on lui ferme la porte au nez, la vérité fait voler en éclats une fenêtre.

Peu après notre déménagement, mon téléphone a sonné à plusieurs reprises. L'indicatif des appelants montrait que ça venait de Washington et de Colorado Springs, où siège l'USADA. J'ai commencé par ignorer les appels, parce que j'en avais assez, mais aussi parce que je me doutais bien de quoi il s'agissait.

J'avais appris qu'à Washington la division civile du département de la Justice s'était jointe à la procédure de Floyd et qu'elle cherchait à déterminer si Lance et les propriétaires de l'US Postal avaient menti à l'État en lui présentant fallacieusement l'équipe comme propre. L'avantage des enquêteurs du département de la Justice était que les affaires au civil n'exigent pas le même niveau de preuve qu'au pénal : il ne s'agit plus d'établir la culpabilité « au-delà du doute raisonnable », une simple « prépondérance des probabilités » suffit.

De son côté, l'USADA menait sa propre bataille. À la différence des procureurs, l'USADA n'avait pas à se soucier de la loi, seulement de la réglementation du cyclisme. Le grand patron de l'USADA, Travis Tygart, suivait l'évolution de l'enquête fédérale depuis le premier instant, il avait assisté à certaines réunions et fourni à Novitzky et Miller des informations d'ordre général. Ni l'USADA ni la division civile du département de la Justice n'avaient accès aux dépositions devant le jury d'accusation, mais elles pouvaient sans doute compter sur des témoignages spontanés et d'autres pièces obtenues par l'instruction pénale.

Le bulldozer mis en route par Novitzky continuait donc d'avancer. Mon téléphone ne cessait pas de sonner, et le message était de plus en plus appuyé : la partie n'était pas finie. L'USADA et la Justice voulaient savoir si j'étais disposé à collaborer. Si j'étais prêt à témoigner sous serment.

J'ai pris le temps de la réflexion. Puis je les ai appelés et j'ai dit oui, absolument. Il aurait été plus simple pour moi de laisser tomber, de tourner la page, mais je n'en étais pas capable. J'avais commencé cette course, j'irais jusqu'au bout.

En avril, lors de deux auditions distinctes, j'ai livré aux enquêteurs de l'USADA et à ceux du département de la Justice le récit de mes années US Postal. J'ai été aussi précis et complet que possible à propos de tout. J'ai dit la vérité, toute la vérité, rien que la vérité.

Je n'étais pas le seul. Les enquêteurs de l'USADA ont interrogé neuf autres anciens coéquipiers d'Armstrong, avec le même genre de résultat. Tous les coureurs de l'US Postal contactés par l'USADA ont accepté de parler franchement et ouvertement. L'USADA ne m'a pas donné les noms des neuf autres, mais j'avais une bonne idée de qui il s'agissait. Ainsi étions-nous tous de nouveau réunis, comme autrefois à Nice et à Gérone. C'était étrange de parler aux enquêteurs en sachant que les autres racontaient aussi leur histoire. Ça faisait remonter les souvenirs à la surface – nos débuts, l'appartement de luxe dans le ciel, ces temps d'innocence avant toute cette folie. Je me suis demandé s'ils ressentaient la même chose que moi.

L'USADA a tenu parole : le 12 juin 2012, elle publiait une lettre de quinze pages accusant en des termes limpides Lance, Pedro Celaya, Johan Bruyneel, Luis del Moral, Pepe Martí et Michele Ferrari d'infractions aux règles antidopage, de constitution d'un système de dopage organisé « dans le but de favoriser leurs objectifs sportifs, leur situation financière et le statut des équipes et de leurs coureurs ». Lance était accusé d'usage, de détention, de trafic, d'administration, de complicité et de dissimulation de produits dopants. L'USADA déclarait également que les prélèvements sanguins obtenus auprès de Lance entre 2009 et 2010 étaient « parfaitement cohérents » avec l'hypothèse d'une manipulation du sang. En outre, Lance se voyait interdire sur-le-champ toute épreuve de triathlon, discipline à laquelle il était revenu après sa retraite.

Les accusations de l'USADA changeaient complètement la donne. Lance était peut-être disposé à céder un ou deux titres de vainqueur du Tour, mais il n'était certainement pas prêt à renoncer aux sept, pas plus qu'à son avenir dans le triathlon. Lance, qui avait annoncé son intention de ne pas batailler, a fait volte-face. Ses avocats ont remis la machine de guerre en route pour immédiatement la pointer sur l'USADA, désormais présentée comme une instance motivée par l'amertume, la soif de vengeance, la suffisance, l'irrationalité, etc. À travers Twitter et ses avocats, Lance a qualifié la procédure d'« anticonstitutionnelle » et s'est plaint que les enquêteurs aient eu accès au dossier d'instruction, allant jusqu'à émettre ce qui restera l'un des tweets les plus savoureux jamais écrits : « Il est grand temps de respecter les règles. »

Lance disposait sur l'USADA d'avantages considérables en termes de puissance de feu juridique et de relations publiques, mais il souffrait aussi d'un handicap de taille : l'USADA n'est pas une cour de justice, la seule question qui l'intéressait était de savoir si Lance et les autres avaient enfreint le règlement sportif. Lance n'aurait pas à répondre devant un tribunal fédéral, mais devant une instance d'arbitrage ; il ne serait plus soumis à la notion juridique de culpabilité « au-delà du doute raisonnable », mais au critère beaucoup moins exigeant de « la pleine satisfaction de l'instance d'audition[2] ».

À l'heure où j'écris ces lignes, le dénouement demeure très incertain, mais on peut être sûr que ça va faire du grabuge. Je suis persuadé que Lance va tout tenter pour entamer ma crédibilité et celle des autres coéquipiers qui disent la vérité. Le jour où les accusations de l'USADA ont été officialisées, Lance a donné un aperçu de la stratégie qu'il avait choisie en dévoilant l'identité jusqu'alors restée secrète d'un membre de la commission d'étude de l'USADA, ajoutant qu'il avait récemment été arrêté pour le délit d'outrage public à la pudeur. En outre, les représentants de l'USADA ont confié à ABC News leur certitude que Lance les faisait suivre par des détectives privés. Le *Wall Street Journal* a rapporté que Livestrong, la fondation d'Armstrong contre le cancer, avait envoyé un lobbyiste auprès du représentant démocrate de l'État de New York José Serrano pour évoquer avec lui la question de l'USADA et de son action contre Armstrong. Je comprends ce qui pousse Lance à adopter cette stratégie – elle lui a réussi dans le passé et il ne lui reste plus beaucoup d'autres options. D'ailleurs, cela

---

2. Si on lui retire ses titres ou s'il subit quelque autre sanction pour dopage, Armstrong risque de voir d'autres plaignants le poursuivre en justice. L'entreprise SCA Promotions, qui en 2005 avait intenté sans succès une action contre lui dans l'espoir d'être libérée de son obligation de lui verser une prime de 5 millions de dollars pour sa victoire au Tour de France 2004, a annoncé qu'elle prévoyait d'étudier la possibilité de porter plainte pour récupérer ses fonds. « Nous lui avons annoncé que nous allions suivre de près l'évolution de son dossier et que nous chercherions à récupérer notre argent au cas où son titre lui serait retiré », a déclaré au *New York Times* Jeffrey Tillotson, avocat de SCA. « Ils ont répondu : "Bon courage, ça n'arrivera pas. Je n'ai jamais triché." C'est l'attitude habituelle de Lance : j'ai raison à cent pour cent, vous avez tort à cent pour cent. »

pourrait marcher ; le public a peut-être envie de continuer à croire en Lance ; ou alors il se lassera et voudra mettre un terme à tout ça.

Une chose est sûre : la vérité finira par émerger. Avec le temps, d'autres anciens coureurs prendront la parole, quand ils comprendront que ça ne sert à rien de continuer à vivre dans le mensonge. Ils comprendront qu'il est bon de se sentir honnête ; ils comprendront qu'il n'y a pas de mal à s'ouvrir et à permettre au public de prendre connaissance des faits afin de se faire une idée par lui-même. En attendant, je vais finir de raconter mon histoire.

Juste avant de m'installer dans le Montana, j'ai fait un tour à vélo dans Boulder avec mon ami Pat Brown. J'étais en jean et chaussures de sport sur mon vélo de ville, un gros cruiser tout cabossé avec un guidon haut et des pneus épais. À un feu rouge, deux cyclistes en Lycra nous ont dépassés sur leurs vélos de course à plusieurs milliers de dollars. Je pense qu'ils m'ont reconnu, parce que l'un d'eux s'est retourné et m'a adressé un long regard lourd de sens. J'ai eu le temps de lire l'inscription en grosses lettres blanches sur son maillot : LES DOPÉS SONT DES NULS. J'ai senti revenir cette bonne vieille montée d'adrénaline. J'ai été saisi par une impulsion irrésistible : rattraper ces types.

« Suis-moi », ai-je dit à Pat en me lançant à leur poursuite. La lutte était inégale, ils avaient une bonne centaine de mètres d'avance, ils allaient vite, et mon vieux vélo pesait une quinzaine de kilos. Je devais être beau à voir, à me déhancher en *running shoes*, avec mes gros pneus, lancé à leurs trousses comme une machine à vapeur. Ils se sont retournés une ou deux fois, conscients qu'on leur courait après. Mais ils n'ont pas réussi à m'échapper. Après environ un kilomètre et demi de chasse, je les ai rattrapés.

À un feu rouge, je me suis approché d'eux en roue libre. J'ai placé mon gros pneu avant entre leurs vélos de luxe. Ils se sont retournés pour me dévisager, et je les ai dévisagés aussi ; j'ai lu dans leurs yeux une certaine inquiétude. Puis j'ai tendu ma main au cycliste qui portait le maillot avec l'inscription, et j'ai serré la sienne. Avec un sourire amical.

« Salut, je suis un ancien dopé, ai-je dit. Mais je ne suis pas nul. Bonne route, les gars. »

Ils sont partis, Pat et moi sommes rentrés, et j'avais le cœur rempli de joie. C'était ça, mon histoire. Pas le joli mythe bien clinquant de héros qui gagnent toujours, mais l'histoire humaine d'un homme normal qui a voulu prendre part à la compétition dans un milieu tordu et a fait de son mieux ; qui a commis de grosses erreurs et a survécu. Voilà l'histoire que je veux raconter, et je continuerai à le faire, en partie parce que ça aidera le cyclisme à progresser et en partie parce que ça m'aidera à progresser moi aussi.

Je veux la raconter à tous ceux qui pensent que les dopés sont des voyous, qu'il n'y a pas de rachat possible. Je veux la raconter pour que les gens puissent se consacrer à ce qui compte vraiment : la création d'une culture qui détourne les gens du dopage. Je veux la raconter parce qu'aujourd'hui j'ai *besoin* de le faire, il en va de ma survie.

Avant de partir pour le Montana, j'avais une dernière tâche à accomplir. En fait, il y en avait neuf : neuf grands sacs stockés dans le garage et qui contenaient mon passé sous forme de photos, de documents, de lettres, de dossards, de trophées, de magazines, de tee-shirts. J'ai la manie de ne rien jeter, et ces sacs contenaient à peu près tout ce que j'avais accumulé au cours de ma carrière (j'avais même conservé la pochette d'allumettes d'un hôtel français). En fouillant dans ces sacs, j'ai été surpris par ce qu'ils contenaient.

J'ai déballé mon petit trésor : le dossard, numéro 42, et une carte de ma première grande course, le Tour DuPont 1994, le jour où j'ai fait ma percée. Des tee-shirts de la parade de 2003 à Marblehead avec l'inscription TYLER EST NOTRE HÉROS. Une boîte orange vif de céréales Wheaties avec la photo de Lance vêtu du maillot jaune. Des vignettes à notre effigie, où on a l'air de super-héros. De vieux dossards froissés, ceux qui étaient épinglés à mon maillot. Un gros carton à chaussures rempli de lettres de fans, des mots de condoléances pour la mort de Tugboat, des lettres de personnes atteintes de la sclérose en plaques qui me racontent leur histoire.

Et surtout, des photos. Des visages. Le sourire franc de Kevin, le regard dur, autoritaire de Frankie. Eki levant sa coupe de champagne, avec une drôle de grimace russe. George et moi, bras dessus bras dessous, partageant une bière après le Tour, le sourire narquois de Christian. L'équipe au complet, sous le soleil des Champs-Élysées. Mes parents, fièrement dressés sur le bord de la route, arborant une pancarte ALLEZ TYLER[3].

Je pensais que ça m'horripilerait de revoir tout ça, que ça me mettrait mal à l'aise et que j'aurais envie de tout enterrer. Et j'avais raison – ça m'a fait mal, très mal. Mais j'ai continué à regarder, j'ai poussé plus loin, jusqu'à aboutir à cette vérité élémentaire : *Tout ça, c'est ma vie.* Tous ces trucs dingues, bordéliques, épatants, terribles et bien réels, c'est ma vie.

Je suis heureux de voir que depuis quelques années mon sport a entrepris de se nettoyer. Il n'est pas propre à cent pour cent, loin de là – je ne crois pas qu'une telle chose soit possible tant qu'il y aura des êtres humains qui cherchent à gagner –, mais il va nettement mieux, et nettement moins vite. Lors du Tour 2011, le vainqueur de l'Alpe-d'Huez a accompli l'ascension en 41 minutes 21. En 2001, ce temps lui aurait valu la 40ᵉ place[4]. Ce progrès est dû pour l'essentiel au perfectionnement des contrôles, des procédures coercitives, et à la mise en place du programme du « passeport biologique », qui assure un suivi plus serré des valeurs sanguines des coureurs. Il n'existe toujours pas de test de dépistage des PS, et si vous croyez aux rumeurs (ce qui est mon cas), les coureurs déterminés à se doper utilisent aujourd'hui des PS plus petites, moins efficaces.

Dans l'ensemble, toutefois, les choses évoluent dans le bon sens. On ne voit plus une équipe entière dominer une course entière, comme autrefois. Mieux, les coureurs ont des hauts et des bas ; on voit qu'ils

---

3. En français dans le texte. NdT.

4. Les contrôles internes de l'UCI témoignent de cette évolution. En 2001, 13 % des coureurs étaient classés comme ayant un taux anormalement élevé ou anormalement faible de réticulocytes, les globules rouges récemment formés (signe d'usage d'EPO et/ou d'autotransfusion). En 2011, ce chiffre était tombé à 2 %.

payent le prix de chaque effort important. J'aime ce cyclisme-là parce qu'il est plus excitant, mais surtout parce qu'il me paraît sincère. Au bout du compte, ce qui nous plaît dans la course, c'est sa dimension humaine. Chaque jour apporte son lot de risques et de récompenses. On peut gagner. On peut perdre. C'est précisément ce dont il s'agit.

Aujourd'hui, je me consacre à entraîner les gens, à les accompagner tout au long du voyage, à voir leur dur travail porter ses fruits. Qu'il s'agisse d'athlètes de niveau olympique ou d'individus ordinaires souhaitant perdre quelques kilos, je leur accorde le même traitement. Je m'efforce de leur raconter un petit bout de mon histoire en chemin, de leur expliquer ce que j'ai appris : le courage se trouve plus souvent chez celui qui termine parmi les derniers que chez le vainqueur. Je me sens revenir à mes premières heures sur un vélo, à celui que j'étais alors. Cette seconde moitié de ma vie m'excite beaucoup.

* * *

Une dernière anecdote, pour finir. Elle remonte à la veille de mon interview à *60 Minutes*. Je goûtais l'air du soir de la Californie à la terrasse du restaurant de l'hôtel quand des clients se sont dirigés vers moi : ils voulaient échanger quelques mots. C'étaient de grands amateurs de cyclisme ; ils suivaient chaque année le Tour de France avec ferveur. Ils savaient tout de ma carrière, avaient chez eux un poster de moi au mur et affirmaient me soutenir, ce que je n'ai pas manqué d'apprécier. Évidemment, ils ignoraient complètement que je m'apprêtais à passer à *60 Minutes* pour dire la vérité au monde entier. C'est alors que l'un d'eux, un homme costaud, la quarantaine, nommé Joe, m'a demandé :

« Vous voulez bien m'attendre ici un instant ? J'aimerais vraiment vous faire rencontrer quelqu'un. »

Il est revenu après cinq minutes en compagnie d'un garçon brun portant une chemise de louveteau, de toute évidence son fils. Le garçon, d'une dizaine d'années, se tenait bien droit, la tête haute ; la manche de sa chemise était ornée d'insignes du mérite.

« Salut, je suis Tyler, ai-je dit en lui serrant la main.

— Moi, c'est Lance », a répondu le petit garçon.

J'ai dû sembler déconcerté. Le père m'a posé la main sur le bras. « Il est né en 2001 », m'a-t-il expliqué.

J'ai fait « Ah », sans tout à fait finir d'assimiler ce prénom, les yeux rivés sur ce gamin qui me regardait d'un air entendu. Ne sachant plus du tout quoi dire ni quoi faire, j'ai posé la main sur son épaule et souri. Il m'a souri en retour.

On a échangé quelques propos anodins et, pendant toute la conversation, je me suis senti très mal. Je me disais : Désolé, bonhomme. Désolé que d'ici quelques heures je serai en train de vous faire du mal, à toi et à ta famille, désolé de faire voler en éclats la fierté que t'inspire ton prénom. Je suis désolé, mais la vérité reste la vérité. J'espère que tu comprendras.

On a continué à papoter. Le jeune Lance et moi, on a parlé des louveteaux, des insignes du mérite, des pélicans, d'astronomie. Il connaissait les constellations, et il m'en a montré quelques-unes ; il savait à quelle distance elles se trouvaient, combien d'années leur lumière mettait à nous parvenir. Petit à petit, j'ai commencé à me rassurer. J'aimais la façon méthodique qu'il avait de réfléchir, de comprendre les choses, et la place de guide qu'occupait son père dans sa vie. Il était fort et intelligent ; il s'en sortirait.

Je me suis dit qu'il fallait que je transmette à ce jeune Lance un mot de sagesse, un conseil pour plus tard, quand tout sortirait au grand jour, et qui lui permettrait de comprendre. Mais évidemment, au moment de lui dire au revoir, mon esprit s'est vidé ; je n'ai rien trouvé à lui dire. Cela ne m'est venu que plus tard, c'était ce que mes parents m'avaient dit il y a si longtemps.

Seule la vérité te libère vraiment.

Postface

Ces derniers mois, il m'est souvent arrivé de penser aux avalanches. Au Montana, où nous habitons, Lindsay et moi, on en voit parfois par la fenêtre de chez nous, ou alors pendant que nous sommes en train de skier. Mais j'en vois aussi dans mes rêves, la nuit. Ce qui me frappe dans l'avalanche, c'est qu'avant de se produire, elle est invisible. Tout paraît paisible, en équilibre. Et d'un coup – nul ne peut les prédire – un dernier flocon tombe du ciel, ou alors c'est la température qui remonte d'un demi-degré, et le monde chavire.

Dan et moi avions mis le point final à *La Course secrète* le 15 août 2012, et le texte définitif est parti chez l'imprimeur pour qu'il devienne ce livre. Les avocats de l'éditeur étaient sur le qui-vive, prêts à subir la réaction habituelle de Lance : procédures, intimidations, menaces, attaques dans les médias et Dieu sait quoi encore. Sur le moment, tout semblait indiquer qu'on entrait dans un combat sans fin. Lance était dans sa posture habituelle, acculé, se démenant pour faire avorter la procédure de l'USADA. Il avait porté plainte devant un tribunal fédéral au Texas et recruté de puissants alliés – essentiellement Pat McQuaid, le président de l'UCI – pour contester la compétence de l'USADA dans ce dossier. La tactique semblait payer : McQuaid donnait l'impression d'être de l'équipe juridique de Lance à force d'écrire des lettres qui faisaient écho à son plaidoyer : « accusations sans fondement… injustice… l'USADA n'est pas qualifiée ». Les lobbyistes de Livestrong défendaient les mêmes arguments devant le Congrès, qui tient les cordons de la bourse de l'USADA.

Avec Lindsay, on regardait tout cela se mettre en branle depuis notre salon de Missoula, et c'était un schéma aussi familier que déprimant : Lance disposait de son équipe de juristes vedettes, qui actionnaient les bonnes manettes et parvenaient à maîtriser la communication. Il n'y avait pas lieu de penser que les choses ne prendraient pas la tournure habituelle. Après tout, six mois à peine étaient passés depuis que le procureur fédéral Birotte avait fait irruption pour clore brutalement l'enquête criminelle fédérale – il n'y avait aucune raison que ce soit différent à présent.

Mais le 20 août, un juge fédéral texan nommé Sam Sparks a eu le bon sens de mettre le holà à toutes ces manœuvres. Il a débouté Lance, expliquant que ses protestations au sujet de la procédure de l'USADA étaient « sans fondement » et que le règlement de l'agence était « suffisamment solide » pour garantir ses droits constitutionnels.

Comme la plupart des observateurs, je me suis dit que cela signifiait que Lance n'avait plus d'autre recours pour affronter l'USADA qu'une audition d'arbitrage, comme je l'avais fait moi-même en 2004 quand on m'avait pincé pour dopage. Je me suis dit que nous allions forcément assister à un combat de titans : Armstrong contre Travis Tygart, et que d'autres coureurs, dont moi-même, seraient appelés à témoigner devant le jury constitué de trois personnes, et devraient subir les contre-interrogatoires des avocats de Lance. J'avais tort.

Trois jours plus tard, Lance a surpris le monde entier en annonçant qu'il jetait l'éponge ; il se soumettrait à une audition et accepterait les chefs d'accusation de l'USADA, sans pour autant cesser de nier qu'il s'était dopé. Dans une déclaration écrite, il a qualifié la procédure de « mascarade » et affirmé qu'il en avait « assez de ces absurdités ». « Aujourd'hui, je tourne la page, écrivait-il. Je n'aborderai plus la question. »

Avec le recul, c'était du Lance tout craché : un repli inattendu, conçu pour redistribuer les cartes, détourner l'attention du public et garder les preuves à l'abri des regards. De leur côté, l'USADA et Travis Tygart n'ont pas tourné la page. Au contraire, ils ont lancé un pavé dans la mare sous la forme d'une annonce dont chaque terme était soigneusement pesé : Lance serait immédiatement déchu de ses sept victoires au Tour de France et radié à vie de toute compétition sportive affiliée au règlement de l'Agence mondiale antidopage, triathlon compris.

Je me souviens qu'à la lecture de la nouvelle, je me suis dit : « Merde alors ! »

Je me doutais bien que l'USADA allait le dépouiller de certains de ses titres du Tour de France. Je m'étais aussi dit qu'il serait suspendu quelques années. Mais je ne m'attendais pas à ça. C'était l'option nucléaire : l'USADA gommait carrément Lance des photos de l'histoire du cyclisme et le privait de tout avenir dans quelque sport que ce soit. Si Lance espérait que Tygart lâcherait prise, il s'était lourdement trompé[1].

Plus je réfléchissais à la décision de l'USADA, plus je la trouvais logique. Tygart avait peut-être des allures d'avocat à la tête froide, mais c'était un ardent défenseur des droits des athlètes honnêtes et de l'abandon de la culture de la victoire à tout prix qui régnait dans le cyclisme. Si Armstrong s'en tirait à bon compte, le signal envoyé serait que rien n'avait changé, qu'on pouvait se hisser au sommet en trichant. À ses yeux, le cas Armstrong était assez simple : les règles sont les mêmes pour tous, point final[2].

---

1. Pendant l'enquête, Armstrong avait croisé deux fois Tygart, qui lui avait tendu la perche d'un arrangement : « Si tu avoues et que tu coopères, tu peux conserver cinq titres et poursuivre ta carrière dans le triathlon après une brève suspension. » Mais Armstrong avait refusé pour se cantonner dans son système : la dénégation et l'attaque.

Plus tard, dans l'entretien qu'il a donné à Oprah Winfrey, en janvier 2013, Armstrong a évoqué cette décision : « À ce moment [l'USADA] est venue me trouver pour me dire : "OK, qu'allez-vous faire ?" Si je pouvais revenir en arrière, je leur dirais : "Les gars, donnez-moi trois jours." Je leur dirais – là encore, je le dis avec le recul, j'aimerais pouvoir revenir en arrière, mais ce n'est pas possible – "Laissez-moi passer quelques coups de téléphone. Laissez-moi appeler ma famille. Laissez-moi appeler ma mère. Laissez-moi appeler mes commanditaires. Laissez-moi appeler ma fondation pour leur annoncer ce que je vais faire, et vous pouvez compter sur moi." J'aimerais pouvoir faire ça. Mais ce n'est pas possible. »

2. Il était pourtant inévitable que les choses prennent une tournure personnelle, d'autant que Tygart avait reçu de nombreuses menaces de mort pendant l'affaire Armstrong. « La pire a été la menace de me loger une balle dans la tête », a-t-il confié à l'émission *60 Minutes Sports*.

Le monde entier a été étonné. On avait l'habitude de voir les athlètes de premier plan esquiver les accusations de dopage ; c'était encore arrivé récemment avec Barry Bonds et Roger Clemens. Mais voilà que Lance, celui qui avait nié avec le plus d'énergie, acceptait sans piper mot la plus sévère des peines – l'équivalent sportif d'une condamnation à mort. Dans l'esprit du public, la question se posait forcément : Pourquoi ? De quoi Lance avait-il donc si peur pour accepter la radiation à vie et la perte de tous ses titres plutôt que d'affronter ses accusateurs devant une commission d'arbitrage ? L'instant était très particulier, le calme avant la tempête. Le public voulait des réponses concrètes et personne – pas plus l'USADA que les médias, et encore moins Lance – ne lui en donnait.

C'est alors que notre livre est sorti aux États-Unis.

D'un seul coup, ma vie est devenue une bousculade de caméras, de micros et de journalistes, tous pressés de m'entendre expliquer pourquoi j'avais pris la parole à ce moment-là. Après un si long éloignement, ça faisait vraiment bizarre de se retrouver dans l'œil du cyclone.

Si vous avez eu l'occasion de me voir à la télévision, vous savez que je ne suis pas le meilleur des « clients ». À vrai dire, je n'ai jamais été très à l'aise sous les projecteurs du temps de ma carrière cycliste, et ça n'a pas vraiment changé de ce côté-là. Je ne suis pas le genre de personne capable de répéter mille fois une réplique bien ficelée, comme un acteur. Mais je me suis efforcé de dire la vérité.

Le matin même de la sortie du livre, j'ai jeté quelques pavés dans la mare à l'émission du *Today Show*. Le journaliste qui m'interrogeait a répété qu'Armstrong et l'UCI niaient avec véhémence tout dopage et j'ai répondu : « Ça ne m'étonne pas ; ça fait des années qu'ils nient. Au bout d'un moment, on finit par savoir s'y prendre. Moi-même je vous ai déjà menti, les yeux dans les yeux. » Le journaliste est resté bouche bée, et Twitter s'est embrasé – *Hamilton reconnaît avoir menti !* Je me doute que ce n'était pas la meilleure des stratégies de communication, mais j'étais content de l'avoir dit, parce que ça montre bien de quoi il est vraiment question : affronter la vérité, en particulier à mes propres yeux, et faire preuve de sincérité, même quand c'est gênant, *surtout* quand c'est gênant.

Après quelques jours de cirque médiatique, j'ai filé dans ma famille, à Marblehead. Mes parents m'ont serré dans leurs bras comme ils ne l'avaient jamais fait: très fort, très longuement, comme si je rentrais d'une expédition au sommet de l'Everest. On ne s'est pas dit grand-chose. On s'est juste regardés, le monde bougeait sous nos pieds.

Presque tous les messages d'amis et de parents qui lisaient le livre ont été aussi réconfortants. En l'espace de quelques jours, des centaines de courriels, de SMS, de lettres, de messages sur Facebook et Twitter me sont parvenus; presque tous étaient chaleureux et bienveillants – mais je n'avais évidemment aucun reproche à faire à la poignée de ceux qui n'étaient pas encore disposés à me pardonner et m'auraient bien embroché parce que je n'avais pas eu le courage de tout dire la première fois. Dans l'ensemble, la lecture de ces messages m'a permis de comprendre à quel point le secret avait dressé un mur entre mes amis et moi, et j'ai compris la chance inouïe qui m'était offerte de repartir de zéro.

Je redoutais la vindicte de mes anciens coéquipiers, j'avais peur qu'ils ne me reprochent d'avoir enfreint des règles non écrites, ou de les avoir placés sous les projecteurs sans leur avoir laissé la possibilité de se préparer. Mais ceux avec qui j'ai pu parler se sont montrés très compréhensifs (Frankie Andreu a posté une photo amusante de lui en train de lire *La Course secrète*, la main sur les lèvres, comme s'il était choqué); j'ai échangé des messages amicaux avec Floyd Landis; j'ai aussi reçu les témoignages de sympathie d'un certain nombre de jeunes coureurs qui me félicitaient pour ma franchise. Pour tout dire, il y a des personnes, dont certains de mes coéquipiers des dernières années, qui ont réellement été choquées. Ils connaissaient l'histoire dans ses grandes lignes, mais pas les détails scabreux. Je suppose que c'est un signe du degré de folie et d'anormalité de l'époque: on pouvait courir à côté de quelqu'un, vivre avec lui, partager ses repas, et devoir attendre dix ans pour apprendre ce qui se passait en coulisse.

Le livre en a incité d'autres à se confier: Michel Rieu, le conseiller scientifique du laboratoire français AFLD, a expliqué au *Monde* que

Lance était informé à l'avance des contrôles. Mon ancien coéquipier Jonathan Vaughters s'y est mis à son tour. Un jour, lors d'un forum consacré au cyclisme, il a reconnu que plusieurs membres de Garmin, son équipe, s'étaient dopés, notamment Christian Vande Velde, Dave Zabriskie et Tom Danielson. Difficile de savoir si c'était sorti tout seul ou si la manœuvre était calculée, mais, au fond, peu importe. L'avalanche avait été déclenchée.

La grande question, évidemment, était de savoir quand l'USADA rendrait publique sa « décision raisonnée », procédure habituelle dans les cas de dopage comme celui-ci. Normalement, il s'agit d'un document pondéré, écrit en langage juridique, qui récapitule les éléments à charge et détaille les motifs de la décision de l'USADA et des peines prononcées. Mais, dans le cas de Lance, ce serait bien plus que cela. Que contiendrait ce document ?

Les jours précédant la communication de la décision de l'USADA ont été comme un long roulement de tambour. Un à un, les coureurs qui avaient coopéré avec les enquêteurs ont fait des déclarations publiques dans lesquelles ils confirmaient s'être dopés. De tous ces aveux, ceux de George Hincapie étaient sans doute les plus marquants, puisqu'il avait toujours été perçu comme le coureur le plus proche de Lance, son fidèle soldat, et n'avait jamais été associé au dopage. Quelques phrases ont suffi à tout changer.

> George Hincapie : Très tôt dans ma carrière professionnelle, j'ai réalisé que, compte tenu de la consommation généralisée de substances améliorant les performances parmi les cyclistes au sommet de la profession, il était impossible de participer à la compétition sans y recourir. Je regrette profondément cette décision, et je présente mes plus sincères excuses à ma famille, mes coéquipiers et mes admirateurs.

À la lecture de ces déclarations, j'ai éprouvé un grand sentiment de solidarité envers George et les autres. Je savais combien il était difficile d'écrire ces phrases, de soutenir le regard de ses parents et de ses amis, qui avaient cru en vous. De dire la vérité. J'étais heureux que nous fassions cela tous ensemble, en groupe, car c'était la seule façon de procéder : tout le monde franchit le pas en même temps. L'omerta inversée.

* * *

Le 10 octobre dans l'après-midi, l'USADA a rendu publique sa décision raisonnée. Tout le monde s'attendait à un long document, et tout le monde se trompait: c'était un document gigantesque. Mille pages d'éléments accablants; un rouleau compresseur d'éléments prouvant qu'Armstrong avait été un acteur essentiel du « programme de dopage le plus sophistiqué, le plus professionnel et le plus fructueux que le sport ait jamais connu ». La place manque ici pour détailler toutes les informations, mais on peut en dresser un tableau d'ensemble:

- Témoignage de 26 personnes, dont 11 coéquipiers.
- Nombreux témoignages sur Lance pratiquant l'autotransfusion, prenant de l'EPO, des hormones de croissance, de la cortisone et de la testostérone.
- Récits détaillés des événements survenus en 1998, quand Lance s'était administré une solution saline par voie intraveineuse pour diluer son sang et échapper à un contrôle lors du championnat du monde.
- Documents financiers détaillant le versement par Lance de plus d'un million de dollars au Dr Ferrari, y compris après la condamnation de Ferrari en 2004, alors que Lance avait publiquement déclaré qu'ils ne travaillaient plus ensemble.
- Nombreux témoignages des pressions et des menaces de Lance pour préserver le secret.
- Analyse scientifique du sang de Lance lors de son retour en 2009-2010 révélant qu'il avait pratiqué le dopage sanguin.

À mes yeux, les passages les plus accablants sont surtout les déclarations sous serment de mes anciens coéquipiers.

Dave Zabriskie évoquait son histoire personnelle difficile, comment la toxicomanie de son père l'avait poussé tout jeune vers le sport et lui avait donné une profonde aversion pour tout type de drogue. Il racontait comment il était resté propre et avait gravi les échelons jusqu'à faire partie de l'équipe nationale et être engagé par l'US Postal en

2001. Il expliquait comment il avait été pressé de prendre de l'EPO et de la testostérone par Johan Bruyneel, qui lui en avait fourni un après-midi dans un café de Gérone. Inquiet, Dave avait posé des questions : cela allait-il transformer son corps ? Pourrait-il avoir des enfants ? Après sa première prise d'EPO, il avait fait une dépression nerveuse.

Levi Leipheimer racontait comment Bruyneel et del Moral l'avaient aidé à parfaire son régime pour atteindre son maximum lors des grandes courses. Au moment de se joindre à Discovery en 2007, il avait demandé à Bruyneel si l'équipe organisait un programme de dopage sanguin pour le Tour de France ; réponse de Bruyneel : « Tu es un pro, tu dois faire ça tout seul. » Comment, deux années plus tard, quand il avait évoqué la possibilité de prendre une nouvelle substance dont parlaient les médias, Lance lui avait répondu : « Tu sais bien que je suis toujours partant à fond », et comment, à l'automne 2010, après le témoignage de Levi devant le jury d'accusation, Lance avait envoyé à la femme de ce dernier un message de menace qui disait : « Regarde bien où tu mets les pieds. »

Il y avait aussi Christian Vande Velde, qui a raconté comment Kristin Armstrong emballait les cachets de cortisone dans du papier d'aluminium et les distribuait à l'équipe lors du championnat du monde 1998 ; comment il avait livré de la cortisone à Lance lors d'une étape de la Vuelta de 1998 pour l'aider à atteindre la ligne d'arrivée ; comment Lance l'avait convoqué chez lui pour lui dire que s'il voulait « continuer à courir pour l'US Postal, il faudrait prendre ce que le Dr Ferrari avait dit de prendre et suivre le programme du Dr Ferrari à la lettre ».

La décision raisonnée de l'USADA a remis les pendules à l'heure en révélant la vérité au grand public. Comble de satisfaction, cela a enfin permis de montrer Pat McQuaid et les dirigeants de l'UCI sous leur véritable jour. Interrogé par les journalistes au sujet du rapport de l'USADA, McQuaid a essayé de faire oublier son indéfectible soutien à Lance en opérant un virage à cent quatre-vingts degrés : Lance « mérite d'être oublié par le cyclisme ». Mais il n'en est pas resté là, il a aussi catégoriquement nié que les donations reçues de Lance par l'UCI aient été illicites et rejeté toute responsabilité dans les problèmes de dopage qui affectent le monde du cyclisme. Puis il s'en est pris à Floyd et à moi, Floyd pour avoir parlé et moi pour avoir écrit ce livre. Il nous a traités d'« ordures », prenant soin d'ajouter à notre sujet : « Ils n'ont fait que nuire au sport. »

Je ne suis pas coutumier des grandes colères. Mais quand le président de l'UCI – l'organisation qui pendant tant d'années avait présidé à l'omerta et protégé Lance pour son propre bénéfice – s'en est pris à ceux qui avaient dit la vérité, je n'ai pas pu m'empêcher d'intervenir. Je me suis assis à mon ordinateur pour rédiger une déclaration :

> Les commentaires de Pat McQuaid montrent bien toute l'hypocrisie de sa gestion et pourquoi il est incapable du moindre changement. Au lieu de profiter de l'occasion qui lui est offerte pour redonner confiance à la nouvelle génération de cyclistes, il continue à accuser les autres et à se défausser de tout reproche en s'en prenant à ceux qui parlent, tactiques qui n'ont plus aucun effet. Pat McQuaid n'a pas sa place dans le cyclisme[3].

---

3. Après la parution du rapport de l'USADA, l'UCI a tenté une manœuvre bien connue : elle a nommé une commission de trois personnes pour examiner le problème et émettre un rapport. Réagissant avec une franchise inhabituelle, l'USADA a fait part de sa « profonde préoccupation » concernant l'attachement de l'UCI à une véritable enquête, et dit qu'elle rejetterait la commission et renouvellerait son appel à l'ouverture d'une période de vérité et de réconciliation. Fin janvier, l'UCI a cédé, renonçant à sa commission.

En janvier 2013, après avoir nié de façon répétée que l'UCI avait informé Armstrong de ses résultats suspects lors des contrôles, l'ancien président de l'UCI Hein Verbruggen a reconnu que son organisation avait prévenu certains coureurs, dont Armstrong, du résultat de leur analyse sanguine. Verbruggen a continué de refuser toute responsabilité dans l'ère du dopage généralisé, déclarant au magazine néerlandais *De Muur* : « Je ne comprends pas tout ce raffut. Si l'on contrôle quelqu'un 215 fois et que le résultat est toujours négatif, c'est que le problème réside dans le test lui-même. Eh bien je n'y suis pour rien. »

En outre, il s'est avéré que Verbruggen a disposé d'un compte d'investissement en nom propre auprès du propriétaire de l'US Postal, Thom Weisel, pendant les années Armstrong, selon le *Wall Street Journal*. Là encore, Verbruggen a nié toute action illicite, mais comme l'a dit Tygart, le président de l'USADA : « Que le premier dirigeant de ce sport, en charge de faire respecter les règles antidopage, ait été en affaires avec le propriétaire d'une équipe qui a remporté sept fois d'affilée le Tour de France en violant effrontément ces règles, c'est nauséabond jusqu'au septième ciel, et plus encore à présent que l'on sait ce qui est arrivé pendant son mandat. »

L'UCI a choisi de garder ses œillères, mais d'autres ne l'ont pas fait. Notamment les entreprises qui s'étaient fidèlement tenues aux côtés de Lance pendant toute la durée de la controverse. Quelques heures après la publication de la décision raisonnée, toutes – Nike, Oakley, Trek, Anheuser-Busch et les autres – se sont évaporées dans un nuage de fumée de 75 millions de dollars. C'était peut-être ce qu'il y avait de mieux à faire, mais j'ai trouvé choquante leur précipitation. Ces entreprises avaient mis toute leur puissance à bâtir le mythe Armstrong, ignorant des années de soupçon légitime sur ses performances, ce qui leur avait permis d'engranger des millions de dollars.

Mais l'avalanche ne faisait que commencer. SCA Insurance, qui avait garanti les primes de Lance, s'apprêtait à le poursuivre pour 12 millions de dollars; *The Times* de Londres étudiait les recours pour réclamer la restitution d'un million de dollars. Lance était aussi sur le gril concernant tout l'argent des prix remportés depuis 1998. Et puis il y avait le gros morceau: l'action en justice intentée par Floyd Landis en vertu du *False Claims Act*, affirmant que Tailwind Sports (qui compte parmi ses propriétaires Lance Armstrong, Bill Stapleton, Thom Weisel et Johan Bruyneel) avait trompé les postes américaines en violant la clause antidopage du contrat qui les liait, ce qui pourrait lui coûter 90 millions de dollars. Au total, on pouvait lui réclamer dans les 100 millions de dollars.

En regardant l'avalanche prendre de la vitesse et tout balayer sur son passage, j'éprouvais des sentiments mêlés. J'étais vraiment soulagé de voir le secret enfin levé, heureux que les gens puissent enfin regarder la vérité en face et juger par eux-mêmes. Je pensais à tous ceux qui avaient subi le harcèlement de Lance et à tous les coureurs propres qui avaient dû abandonner leur sport. Et je pensais aussi à Lance. Je savais l'effet que cela faisait de tout perdre, de se retrouver isolé dans un monde hostile. J'avais connu la douleur de l'humiliation publique. Et je ne pouvais pas m'empêcher de me demander comment il allait essayer de retomber sur ses pieds.

En novembre, Dan et moi avons reçu une bonne nouvelle: *La Course secrète* avait été sélectionné pour le prix William-Hill, qui en

Grande-Bretagne récompense le meilleur ouvrage sportif de l'année. Il y a eu une cérémonie dans une grande librairie londonienne. Tout le gratin de la littérature sportive était là. Quand le jury a annoncé que nous avions gagné, ça m'a bouleversé.

Après, une fois levées les coupes de champagne, j'ai soudainement compris quelque chose : comme tous mes résultats sportifs avaient été effacés des registres, ce prix était désormais la seule victoire que j'avais remportée proprement depuis bien longtemps.

* * *

La photo sur Twitter montrait Lance, étendu sur un grand canapé d'angle dans sa maison d'Austin, sept maillots jaunes encadrés au mur. Dessous, on pouvait lire : « De retour à Austin, je me détends un peu. »

C'était bien ça : un énorme bras d'honneur adressé à la planète. Contrairement à ce qu'il proclamait, le moment n'était pas à la détente, bien au contraire : il avait réuni son état-major et préparait sa contre-offensive pour obtenir une réduction de sa suspension. J'avais entendu dire qu'il avait appelé des journalistes et des amis pour plaider sa cause et donner libre cours à sa colère contre le traitement injuste qu'il prétendait avoir subi de la part de l'USADA. Pourquoi, alors que les autres n'avaient écopé que de six mois de suspension, on le radiait, lui, à vie ? Pourquoi avait-il droit à ce traitement spécial ?

À la fin de l'automne, Lance a insisté auprès de ses avocats pour qu'ils lui arrangent un rendez-vous avec Tygart. À la mi-décembre, il s'est envolé pour Denver, et les deux hommes se sont rencontrés dans un des salons de l'aéroport. Selon le récit de la réunion fait par le *Wall Street Journal*, Lance a clairement admis qu'il s'était dopé. Il s'est plaint du traitement particulier qu'on lui réservait et a souligné que le football américain et d'autres sports étaient aussi gangrenés par la tricherie. Cela n'a pas ému Tygart, qui a rappelé à Lance qu'il avait déjà eu l'occasion de faire amende honorable, que les accusations dépassaient largement le simple dopage, qu'on lui reprochait ses manœuvres de dissimulation, ses menaces, et d'avoir conspiré en vue de dissimuler une fraude. Tygart a expliqué à Lance que son seul espoir était de collaborer pleinement, sous serment. Sa suspension pourrait alors être réduite à huit ans.

« Vous n'êtes pas maître de ma rédemption, aurait répondu Lance selon l'article. La seule personne qui l'est, c'est moi. » Puis, il a quitté la pièce.

J'étais convaincu que Lance allait chercher à frapper un grand coup. C'est plus fort que lui ; il est comme ça. Il s'énerve, et il faut qu'il réagisse. Il lui faut absolument clouer le bec aux gens et prendre la situation en main. Il doit prouver à la terre entière qu'il est toujours Lance Armstrong.

Alors il a appelé Oprah.

Après coup, les commentateurs ont dit qu'il s'agissait d'une décision calculée, qu'elle faisait forcément partie d'un plan lui permettant de faire son *come-back*. Je pense que c'est l'inverse : un coup de dés instinctif, à l'émotion. Lance a pris la décision d'appeler Oprah comme il avait décidé en 1999 d'embaucher Motoman, ou d'attaquer Pantani sur le Mont Ventoux en 2000. Gros risque, gros retour – c'est du moins ce qu'il espérait.

Quelques jours avant l'entretien, Lance s'est mis à faire la tournée des excuses. Il a appelé Greg LeMond, Floyd Landis, tout le monde ; il a exprimé ses regrets au personnel de Livestrong. Il paraît qu'il m'aurait envoyé un courriel d'excuses, mais je ne l'ai jamais reçu. Les Andreu ont parlé avec lui, mais je ne sais pas ce qu'ils se sont dit. Les autres, y compris Floyd et LeMond, ont refusé de lui répondre et manifesté leur stupéfaction – vraiment, après des années passées à les dénigrer, il pensait se racheter par un simple coup de fil la veille de son passage chez Oprah ?

Le soir de l'émission, j'étais à New York. J'avais l'impression de participer à une réunion de camarades de lycée : Vaughters logeait dans le même hôtel que Lindsay et moi, occupant la chambre au-dessus de la nôtre ; Betsy Andreu était à deux pas de là ; Floyd, à quelques kilomètres, dans le Connecticut. Partout dans le monde, on s'interrogeait : Lance allait-il vraiment faire amende honorable ? Faire preuve de contrition ? Oprah a commencé par une série de questions qui appelaient une réponse par oui ou par non.

Oprah : *Avez-vous pris des substances prohibées pour améliorer vos performances ?*
Lance : *Oui.*
O : *L'une de ces substances était-elle de l'EPO ?*
L : *Oui.*
O : *Avez-vous pratiqué le dopage sanguin ou les transfusions sanguines pour améliorer vos performances ?*
L : *Oui.*
O : *Avez-vous pris d'autres substances prohibées comme la testostérone, la cortisone ou l'hormone de croissance ?*
L : *Oui.*
O : *Lors de chacune de vos victoires au Tour de France, avez-vous pris des substances prohibées ou pratiqué le dopage sanguin ?*
L : *Oui.*

Cinq fois oui. Cinq hochements de tête, l'air de rien. Mais pour moi, ces cinq mots ont fait voler en éclats, comme autant de bombes, le monde de mensonges qu'il avait si patiemment tissé, et qui avait tenu bon tant d'années. Toutes les luttes, toutes les manigances pour l'emporter à tout prix, tous les mensonges, les menaces, le harcèlement – ce monde de dingues dans lequel j'avais vécu et dont je m'étais échappé –, tout cela s'était envolé d'un coup. Seul restait Lance, assis dans un fauteuil, l'air effrayé. L'air petit. L'air humain.

Oui.

La plupart des spectateurs n'ont retenu que l'apparence calculatrice et hésitante de Lance. Ils ont remarqué la désinvolture avec laquelle il livrait son fidèle soutien de l'UCI en pâture aux lions. « Je ne suis pas un grand fan de l'UCI », a-t-il dit à une ou deux reprises. Ils ont retenu son air impénitent et crâneur, notamment quand il a plaisanté à propos de ses attaques contre Betsy Andreu. « Je t'ai traitée de folle, je t'ai traitée de salope, a-t-il dit, s'adressant directement à Betsy. Je t'ai traitée de tous ces noms, mais je ne t'ai jamais traitée de grosse. » Plus important – et plus étonnant –, il a refusé de confirmer le récit qu'elle et d'autres avaient livré sous serment du fameux incident de la chambre d'hôpital en 1996, lorsqu'il avait confié aux médecins qu'il s'était dopé[4].

À part cela, Lance a affirmé sans ciller que son retour en 2009-2010 avait été propre (les expertises ont établi qu'il y avait moins d'une chance sur un million que son bilan sanguin soit naturel[5]), et aussi qu'il n'avait jamais encouragé le dopage au sein de l'US Postal. (J'ai failli éclater de rire en l'entendant, celle-là; je parie que les autres « Posties » aussi.) Il a également démenti, contrairement à ce qu'avait affirmé peu de temps auparavant l'émission *60 Minutes Sports*, que ses représentants avaient tenté d'amadouer l'USADA en 2004 par un « don » dans les six chiffres[6].

Oprah a fait du bon travail. Elle avait bien préparé son dossier, et un grand nombre des réponses de Lance ont suscité chez elle un mélange d'exaspération et d'incrédulité. Leurs échanges tendus ressemblaient à la séance de thérapie la plus foireuse de l'histoire, où se mêlaient tentatives de noyer le poisson, mauvaise foi calculée et purs mensonges, le tout enchaîné avec une effroyable absence d'empathie.

---

4. Qu'est-ce qui a pu inciter Armstrong à refuser d'admettre la vérité concernant la chambre d'hôpital alors qu'il a par ailleurs admis tant d'autres choses ? Je vois deux possibilités : 1) il veut protéger ceux qui avaient déclaré sous serment que ça n'était pas arrivé ; 2) il est tout simplement buté. En tout cas, Betsy Andreu l'a très mal pris : « Tu me devais ça, Lance, et tu m'as lâchée, a-t-elle confié à CNN d'une voix chargée d'émotion. Après ce que tu m'as fait, ce que tu as fait à ma famille, tu n'as pas été capable de dire la vérité. Et tu voudrais qu'on te croie ? »

5. Logique hypothétique derrière la tactique d'Armstrong : s'il parvenait à convaincre l'USADA qu'il a cessé de se doper en 2005, elle ramènerait peut-être sa suspension à huit ans, ce qui lui permettrait de revenir à un sport affilié à l'AMA dès 2013. Considérant qu'en février 2013, Armstrong n'a toujours pas donné le moindre signe de coopération avec l'enquête de l'USADA, cela paraît hautement improbable.

6. L'ancien président de l'USADA, Terry Madden, a confirmé par la suite qu'en 2004 l'un des « plus proches représentants » d'Armstrong a proposé à l'USADA une « donation » avoisinant 250 000 dollars, qui a fait immédiatement réagir l'agence. « Le bureau de Travis [Tygart] se trouvait à environ cinq secondes du mien, a raconté Madden sur ESPN. Il m'a mis au courant, et nous avons aussitôt rejeté l'idée. Je lui ai demandé de rappeler le représentant et de lui faire savoir que notre éthique nous interdisait d'accepter les donations de tout individu soumis à nos contrôles [de substances et de techniques d'amélioration des performances] ou qui le serait à l'avenir. »

Une confession authentique (après les deux ou trois années que je viens de vivre, j'estime être un expert en la matière) exige une totale sincérité ; il faut manifester son émotion et être véritablement, profondément désolé. Ce qui compte n'est pas ce qu'on fait. Ça tient à ce qu'on ressent, et le monde entier a pu voir ce que certains d'entre nous savent depuis longtemps : Lance n'est pas vraiment doué pour les sentiments.

Il y a quand même eu certains moments d'authenticité, comme lorsque Oprah a montré des images datant de 2005, où on le voyait nier sous serment s'être dopé, et qu'elle lui a demandé ce qu'il pensait de cette version ancienne de lui-même.

« Cette défiance, cette attitude, cette arrogance, a-t-il dit en secouant la tête de dégoût. Pas moyen de nier. On regarde les images et on voit un personnage arrogant. En regardant ça, je dis : regardez-moi ce connard arrogant. Je le dis aujourd'hui. C'est nul. »

Je me suis surpris à éprouver un brin de compassion pour le bonhomme. Je savais à quel point prononcer ces mots lui était difficile. Si, selon des critères normaux, Lance paraissait impénitent, j'étais surtout frappé par le fait que pour lui, c'était comme s'il était à genoux. Il prononçait des phrases que je n'avais jamais entendues dans sa bouche, comme : « Je suis désolé » ou « Je m'excuse ». Il semblait secoué, fragile, vaincu.

Immédiatement, les commentaires ont afflué, et ils n'étaient pas bons. Même d'anciennes groupies de Lance comme Rick Reilly et Buzz Bissinger étaient au premier rang de la meute brandissant torches et fourches. Reilly, qui avait appelé le pays à participer à une campagne *Wear Yellow* (Portez du jaune) pour soutenir Lance au mois d'août, quand l'USADA l'avait dépouillé de ses titres du Tour de France, comparait à présent l'air affecté de Lance à celui d' « un tueur à gages témoignant devant le Congrès ». Bissinger, qui en août avait pris la défense de Lance à la une de *Newsweek*, le traitait à présent de « menteur immoral et manipulateur qui ne mérite pas qu'on lui accorde une seconde de son temps ». Les autorités antidopage se sont montrées à peu près aussi amicales.

« Armstrong ne fait ça que pour son propre bénéfice », a déclaré David Howman, directeur de l'AMA. « Il peut le faire, et nul n'ira le critiquer pour cela, mais si quelqu'un s'imagine dans ses rêves les plus fous que cela aura le moindre effet sur sa radiation à vie, il rêve. »

De tout ce qu'on a entendu ce soir-là, ce qui m'a fait le plus plaisir a été d'apprendre que Lance suivait une psychothérapie. À mon avis, il en a bien besoin : beaucoup de travail, du temps et de la réflexion. Tous ceux parmi nous qui sont passés aux aveux ont connu une période difficile ; la plupart ont connu la dépression, sous une forme ou une autre ; je suis sûr que Lance n'est pas à l'abri. J'espère qu'il a des amis et de la famille pour le soutenir.

Lance va-t-il changer ? Je n'en ai pas la moindre idée, tout ce que je sais c'est qu'il a fait le premier pas en disant la vérité, quand bien même partiellement. Le mensonge est si grand, si vaste, que la vérité ne peut émerger que par petits bouts. Lance ne peut pas basculer du jour au lendemain et devenir transparent à 100 % ; le processus ressemble davantage aux fouilles archéologiques. Il faut beaucoup s'échiner à manier la pelle, et surtout être disposé à supporter la douleur. Ce n'est pas agréable. Mais je suis bien placé pour dire que ça en vaut la peine.

* * *

On me pose tout le temps la même question, que ce soit lors des interviews, dans la rue ou au café : le cyclisme peut-il s'en remettre ? Je dis que d'un côté, il est *déjà* en train de s'en remettre : de grands progrès ont été accomplis depuis mon époque, où c'était vraiment le Far West. D'un autre côté, il ne fait aucun doute que pour que ces progrès se poursuivent, cinq conditions sont nécessaires :

1. La création d'une commission de vérité et de réconciliation devant laquelle, pour un temps limité, tous les coureurs pourront se présenter et dire la vérité sur leur propre parcours sans crainte de représailles ni de pénalités. Sans la confiance, rien ne se fera[7].

---

7. En décembre, l'USADA a rédigé le brouillon d'une proposition en huit points concernant les modalités de fonctionnement d'une éventuelle commission de vérité

2. Le remplacement de toute la direction de l'UCI par des personnes entièrement dévouées à la cause d'un sport propre.
3. L'implication des forces de police, appelées à participer au maintien de l'ordre dans la discipline, et l'amélioration de la coopération internationale pour pister les voies d'acheminement des substances dopantes et mettre au jour les réseaux financiers illicites.
4. Le rejet du modèle actuel de commandite des équipes (dans lequel ces dernières sont employées par des entreprises) au profit d'un modèle d'appartenance privée plus stable, comme celui en vigueur dans le football ou le basketball professionnels. Le problème concernant les commanditaires, c'est qu'ils exigent un retour sur investissement immédiat, ce qui produit une éthique de la victoire à tout prix qui s'étend des directeurs sportifs aux coureurs. Plus l'équipe est stable, moins la tentation du dopage est forte.
5. La poursuite du perfectionnement du passeport biologique qui, comme tout système, comporte des failles exploitables ; il faudra par ailleurs veiller à ce qu'il soit administré et appliqué par une entité indépendante.

Tout changement profond réclame du temps, et cela n'est nulle part plus vrai que dans notre sport. L'avalanche a eu lieu, mais l'omerta ne disparaîtra pas du jour au lendemain, loin de là. On a vu ces derniers mois plusieurs coureurs et entraîneurs perdre leur emploi pour la simple raison qu'ils avaient dit la vérité au sujet de leur passé. C'est le contraire qu'il faudrait faire : encourager les aveux et la vérité, au lieu de l'enterrer et de suivre l'ancien schéma de déni et d'évitement, en faisant comme si tout allait bien et en critiquant quiconque ose l'ouvrir.

---

et de réconciliation. Il y était suggéré que cette commission soit conduite par l'AMA, qui offrirait une fenêtre d'un mois d'amnistie où les coureurs, le personnel d'encadrement et les propriétaires des équipes pourraient se présenter. Ceux qui fourniraient des déclarations complètes et signées au sujet de leur propre dopage et de ce qu'ils savent des autres pourraient bénéficier d'une amnistie. Ils signeraient aussi un accord selon lequel toute nouvelle infraction en matière de dopage leur vaudrait une radiation à vie du cyclisme.

Cela dit, certains signes sont porteurs d'espoir, comme l'apparition de *Change Cycling Now*, une initiative qui réunit le gotha des activistes de l'antidopage comme Paul Kimmage, David Walsh et Greg LeMond (qui s'est déclaré candidat à l'intérim à la tête de l'UCI). Mon ancien coéquipier Scott Mercier s'est lui aussi prononcé pour un cyclisme sain et s'est proposé pour entraîner l'équipe de l'Université Mesa du Colorado quand l'ancien entraîneur a été renvoyé pour avoir reconnu que ses coureurs se dopaient. Il est beaucoup trop tôt pour dire si ces initiatives réussiront à long terme, mais elles démontrent que le changement est possible, et que le cyclisme, à la différence de nombreux autres sports, s'efforce d'affronter le problème au lieu de se voiler la face (oui, vous m'avez bien entendu, le football, le basketball et le baseball, c'est bien de vous que je parle).

Quant à moi, je ne monte plus beaucoup sur mon vélo en ce moment, si ce n'est pour faire quelques courses en ville. Pour l'exercice, je préfère la randonnée ou le jogging, parce que c'est une cadence qui nous convient à Lindsay et à moi, et en plus Tanker peut nous accompagner. On sort de la maison, et en quelques minutes on gagne les hauteurs des collines près du mont Sentinel, pendant que Tanker court après les écureuils. Mais il n'est pas le seul à faire la chasse. Moi, je guette les morceaux de bois intéressants.

Voici mon dernier aveu : je suis accro à la menuiserie. Je sais, ça fait passe-temps de petit vieux, mais j'adore ça. Alors quand on se promène dans la nature, je ramasse du bois mort que je ramène à la maison, où j'entreprends de le tailler, de le couper et de le sculpter. Les gars de la quincaillerie locale sont tout excités dès que je franchis leur porte : ils savent que je vais repartir avec de nouveaux outils. J'ai une bonne vingtaine de projets en cours – une chaise, une petite table, des couverts à salade – et je ne les mène pas vraiment à bout. Ce ne sont pas les finitions qui m'intéressent le plus, plutôt le fait d'y arriver. J'adore dégager les formes que je découvre cachées dans le bois.

L'autre jour, Lindsay et moi sommes allés en Idaho, à un endroit nommé Jerry Johnson Hot Springs, où un grand incendie avait eu lieu. Ce qui avait été une magnifique forêt de cèdres était devenu un paysage lunaire lugubre de souches carbonisées. On s'est promenés en récupérant des morceaux de bois parmi les décombres, dont une petite souche. Elle ne paraissait pas bonne à grand-chose, mais, une fois décapée, j'ai compris que le feu avait rendu le bois plus dur, meilleur.

J'ai rapporté la souche à la maison, je l'ai installée dans le garage, et je me suis mis au travail. J'aime son odeur, son contact, sa texture. Je suppose qu'une partie de moi-même s'imagine que je suis un peu comme ce morceau de bois : calciné et abîmé, mais plus fort également, et qu'une nouvelle forme est en train de naître, qui deviendra claire avec le temps.

Merci de m'avoir lu.

Tyler HAMILTON
février 2013

Que sont-ils devenus ?

FRANKIE ANDREU : Occupe la fonction de directeur de l'équipe américaine Kenda/5-Hour Energy, ainsi que celle de commentateur du Tour de France pour le site Bicycling.com. Il vit avec sa femme, Betsy, et leurs trois fils à Dearborn, dans le Michigan.

JOHAN BRUYNEEL : A nié les accusations de dopage de l'USADA et a choisi de faire arbitrer son dossier par la commission de l'USADA ; l'audition devait avoir lieu avant la fin 2012. Dans l'attente du résultat, Bruyneel s'est volontairement mis en congé de ses fonctions de directeur de Radio-Shack Nissan Trek.

Dr LUIGI CECCHINI : Vit à Lucques, en Italie, où il continue d'entraîner des cyclistes professionnels.

Dr PEDRO CELAYA : A nié les accusations de dopage de l'USADA et a choisi de faire arbitrer son dossier par la commission de l'USADA ; l'audition devait avoir lieu, avec celle de Bruyneel, avant la fin 2012.

Dr MICHELE Ferrari : A choisi de ne pas contester les accusations de dopage de l'USADA, ce qui lui a valu d'être radié à vie du cyclisme et de tout autre sport soumis au code de l'Agence mondiale antidopage (peine qui s'ajoute à l'interdiction à vie de travailler avec des cyclistes italiens, qu'il a reçue en 2002). En avril 2012, *La Gazzetta dello Sport* a révélé que les enquêteurs avaient mis au jour un réseau de transferts d'argent organisé par Ferrari, pour des montants évalués à 15 millions d'euros. Ferrari fait toujours l'objet d'une enquête.

Dr EUFEMIANO FUENTES : En décembre 2010, Fuentes a été arrêté et accusé d'avoir mis sur pied un système de dopage dans le monde de l'athlétisme et du VTT. La police a saisi de l'EPO, des stéroïdes, des hormones et du matériel de transfusion, ainsi qu'un assortiment de poches de sang. Les poursuites ont été abandonnées parce que les écoutes téléphoniques et les perquisitions menées pour obtenir les preuves ont été jugées illégales. Fuentes tient toujours un cabinet médical près de chez lui, à Las Palmas, dans l'île espagnole de Gran Canaria.

George Hincapie : A raccroché son vélo après avoir couru son 17e Tour de France (un record) en 2012 sous les couleurs de BMC Racing Team. Il vit à Greenville, en Caroline du Sud, avec sa femme, Melanie, et leurs deux enfants.

Marty Jemison : Vit avec sa femme, Jill, à Gérone, en Espagne, où ils dirigent l'entreprise d'organisation de randonnées Jemison Cycling Tours.

Bobby Julich : A abandonné la compétition en 2008. Il est aujourd'hui directeur adjoint de Team Sky.

Floyd Landis : Selon certains articles de presse, Landis serait le plaignant du procès au civil contre Armstrong et les propriétaires de l'équipe US Postal Service. Il vit en Californie du Sud.

Kevin Livingston : Possède et dirige le Pedal Hard Training Center, situé au sous-sol de Mellow Johnny's, le magasin de vélos d'Armstrong à Austin, au Texas. Il vit avec sa femme, Becky, à Austin.

Pepe Martí : A nié les accusations de dopage de l'USADA et a choisi de faire arbitrer son dossier par la commission de l'USADA ; l'audition devait avoir lieu, avec celles de Bruyneel et de Celaya, avant la fin 2012.

Scott Mercier : Exerce le métier de conseiller en investissements à Grand Junction, Colorado.

Dr Luis del Moral : A choisi de ne pas contester les accusations de dopage de l'USADA, ce qui lui a valu d'être radié à vie du cyclisme et de tout autre sport soumis au code de l'Agence mondiale antidopage.

Haven Parchinski : Vit à Park City, dans l'Utah, où elle travaille dans la gestion immobilière.

Bjarne Riis : Après avoir passé des années à nier s'être dopé, Riis a décidé de tout avouer après la parution de *Mémoires d'un soigneur*, livre d'un ancien soigneur de Telekom nommé Jef D'Hont. Selon ce dernier, Riis aurait remporté le Tour de France 1996 en prenant 4 000 unités d'EPO un jour sur deux, plus deux unités d'hormone de croissance, et son hématocrite lors de ce Tour serait monté jusqu'à 64. Riis a donné une conférence de presse en mai 2007, où il a reconnu avoir pris de l'EPO, de la cortisone et de l'hormone de croissance entre 1992 et 1998. « Je m'en excuse, a-t-il dit. J'espère malgré tout que cela vous aura valu de bons moments. J'ai fait de mon mieux. » Riis a continué à parler de son passé de dopage dans son autobiographie, *Riis: Stages of Light and Dark* (Vision Sports Publishing, 2012). Il dirige et possède en partie l'équipe Saxo Bank-Tinkoff Bank.

Jan Ullrich : Après s'être fait prendre en 2006, Ullrich a proclamé son innocence et entrepris un long combat juridique. En 2008, il a accepté un arrangement à l'amiable avec les procureurs allemands qui ont abandonné les poursuites pour fraude contre une amende d'un montant à six chiffres qui n'a pas été rendu public. En 2012, le Tribunal arbitral du sport a condamné Ullrich à deux ans de radiation du cyclisme et lui a retiré tous les titres obtenus à partir de mai 2005. Dans une déclaration émise en juin 2012, Ullrich a reconnu avoir travaillé avec le Dr Fuentes, exprimé ses regrets et dit qu'il aimerait avoir joué la carte de la sincérité dès le début des poursuites. Il dirige aujourd'hui un camp d'entraînement et fait la publicité de l'Alpecin, un shampoing antichute de cheveux qui a pour slogan : « Dopez vos cheveux ».

Christian Vande Velde : Court sous les couleurs de l'équipe Garmin-Sharp et partage son temps entre Gérone et Chicago, avec sa femme, Leah, et leurs deux enfants.

Jonathan Vaughters : Dirige l'équipe Garmin-Sharp et préside l'AIGCP (Association internationale des groupes cyclistes professionnels).

Hein Verbruggen : A présidé l'UCI jusqu'en 2005, quand il est devenu président de la Commission de coordination des jeux Olympiques de Pékin. En 2008, une enquête de la BBC a révélé que l'UCI avait reçu 3 millions de dollars de versements contraires à l'éthique de la part d'organisateurs de courses japonais ; Verbruggen continue de nier toute pratique illicite.

Thomas Weisel : Vit à San Francisco avec sa quatrième épouse, et n'a plus aucun lien avec le cyclisme. En 2010, son entreprise, Thomas Weisel Partners (TWP), a été accusée de fraude en valeurs mobilières pour avoir illégalement manipulé les comptes des clients afin d'assurer d'importantes primes à ses cadres. En 2011, une commission de contrôle a prononcé un jugement très favorable à TWP, la condamnant à une simple amende de 200 000 dollars et en lui adressant une réprimande pour manquement flagrant dans sa gestion.

Remerciements

TYLER HAMILTON

Ce livre n'aurait pas vu le jour sans Daniel Coyle. Tout a commencé par un simple courrier électronique qui allait se transformer en une profonde amitié. Je suis très soulagé d'avoir mené ce projet à son terme, mais nos séances de dix heures sur Skype, parfois douloureuses, parfois amusantes, toujours intéressantes, vont me manquer. (Au fait, tu ne veux pas qu'on continue ?) Très sérieusement, merci Dan.

Je tiens à remercier Andy Ward et l'équipe de Random House d'avoir cru à ce livre dès le début, et pour le travail et le dévouement immenses dont ils ont fait preuve dans des circonstances singulières.

À David Black (*alias* Bull Dog) : tu es mon premier, mon meilleur et mon dernier agent littéraire. Merci mille fois et go Red Sox !!!

Une mention spéciale à Melinda Travis qui m'a toujours soutenu, dans les bons comme les mauvais moments.

Un merci immense, du fond du cœur, à mes parents extraordinaires, Lorna et Bill, qui m'ont montré ce que l'élégance et l'humilité authentiques veulent dire. Vous m'avez appris que la vérité est libératrice, et vous aviez raison. Mes yeux se sont ouverts et le poids qui m'écrasait s'est envolé. Je n'aurais pas pu rêver meilleur dispositif de soutien. Un merci tout aussi sincère à mon frère et à ma sœur, Geoff et Jenn : merci pour l'immensité du soutien et des encouragements que vous m'avez accordés pendant l'écriture de ce livre. Les hauts et les bas qui ont marqué ma carrière ont mis notre famille à rude épreuve, mais nous n'en aurions pas vu le bout sans votre amour et votre soutien inconditionnels. Vous êtes les meilleurs.

Merci à Haven Parchinski pour son amitié durable, à Steve Pucci pour sa foi, à Phil Peck pour sa sagesse, à Chris Manderson pour sa chaleur et sa générosité, au Dr Charles Welch pour sa compréhension et ses conseils, et plus particulièrement à Robert Frost, Erich Kaiter, Patrick Brown, Jill Alfond, Matty O'Keefe et Guy Cherp pour l'amitié spéciale que vous m'accordez.

Merci à chacun de mes anciens coéquipiers chez Montgomery, US Postal Service, CSC, Phonak et Rock Racing pour tous les bons moments partagés et qu'aucun de nous n'oubliera.

Une ovation pour Jim « Capo » Capra, parce que c'est un roc. Tu as empoigné le guidon de mon affaire quand je n'étais plus capable de le tenir. Sans toi, Tyler Hamilton Training LLC n'existerait pas.

Repose en paix, Jimmy Huega. Ma vie est plus belle parce que tu en as fait partie.

À Cecco, Anna, Anzano et Stefano, ma famille d'Europe, *grazie mille.*

Merci à Tanker d'être toujours au pied.

Merci enfin à ma femme merveilleuse, Lindsay : merci pour la bonne volonté, le courage et l'enthousiasme que tu as investis dans ce périple de mon passé – mais aussi pour l'amour et la camaraderie que tu mets dans la vie que nous construisons ensemble. Tu rends possibles les meilleures choses.

DANIEL COYLE

Je voudrais remercier Lindsay Hamilton, Mike Paterniti, Tom Kizzia, Mary Turner, Mark Bryant, John Giuggio, Paul Cox, Trent MacNamara, Kaela Myers, Allison Hemphill, Jim Capra, Robert Frost, Jim Aikman, Ken Wohlrob, Kim Hovey, Cindy Murray, Benjamin Dreyer, Steve Messina, Bill Adams, Jennifer Hershey et Libby McGuire. Je tiens aussi à exprimer ma gratitude pour le travail qu'ont accompli

David Walsh, Pierre Ballester et Paul Kimmage. Plus particulièrement merci à mon agent formidable, David Black, mon brillant éditeur, Andy Ward, et mon frère, Maurice Coyle, dont l'influence sur ce livre (et tous ceux que j'écris) est inestimable. Je voudrais remercier mes parents, Maurice et Agnes ; mon frère, Jon ; mes enfants, Aidan, Katie, Lia et Zoe ; et ma femme, Jen, qui fait que tout arrive.

Surtout, je tiens à remercier Tyler Hamilton pour sa sincérité, son courage et son amitié.